McGRAW-HILL

Spanish

amistades

Protase E. Woodford
Conrad J. Schmitt
Randall G. Marshall

Webster Division
McGraw-Hill Book Company

NEW YORK · ST. LOUIS · SAN FRANCISCO · ATLANTA
AUCKLAND · BOGOTÁ · DALLAS · HAMBURG · LONDON
MADRID · MEXICO · MONTREAL · NEW DELHI · PANAMA · PARIS
SÃO PAULO · SINGAPORE · SYDNEY · TOKYO · TORONTO

credits

EDITOR • *Teresa Chimienti*
DESIGN SUPERVISOR • *James Darby*
PRODUCTION SUPERVISOR • *Salvador Gonzales*
ILLUSTRATORS • *Olivia Cole* • *Susan Detrich*
• *Tom Eaton* • *Laura Hartman*
• *Ray Skibinski* • *Sally Schaedler*
CARTOGRAPHER • *David Lindroth*
PHOTO EDITOR • *Alan Forman*
PHOTO RESEARCH • *Ellen Horan*
LAYOUT AND DESIGN • *Function thru Form, Inc.*
COVER DESIGN • *Group Four, Inc.*

This book was set in 10/12 point Century Schoolbook by Monotype Composition Co., Inc.
Color separation was done by Beaumont Graphics, Ltd.

Library of Congress Cataloging in Publication Data

Woodford, Protase E.
  McGraw-Hill Spanish—Amistades.

  Includes index.
  1. Spanish language—Text-books for foreign speakers
—English. 2. Spanish language—Grammar—1950–
I. Schmitt, Conrad J. II. Marshall, Randall G.
III. Title.
PC4112.W638 1985   468.2′421   84-21842
ISBN 0-07-056156-7

ISBN 0-07-056156-7

6 7 8 9 10 DOCDOC 94 93 92 91 90 89 88

acknowledgments

The authors wish to express their appreciation to the many foreign language teachers throughout the United States who have shared with us their thoughts and experiences. We express our particular gratitude to those teachers listed below who have carefully reviewed samples of the original manuscript and have willingly given of their time to offer their comments, suggestions, and recommendations. With the aid of the information supplied to us by these educators we have attempted to produce a text that is contemporary, communicative, authentic, and useful to a wide variety of students from all geographic areas.

Hampton P. Abney
Newark Academy
Livingston, New Jersey

Gloria B. Alarcón
Highland High School
Highland, Illinois

Rhonda Barnebee
Eastside High School
Taylors, South Carolina

Pat Bayot
Fairport Int. Magnet School
Dayton, Ohio

Rose Marie Bennett
MacArthur High School
San Antonio, Texas

Mary W. Brown
Lake Taylor High School
Norfolk, Virginia

J. Patricia Concha
Overbrook High School
Philadelphia, Pennsylvania

Susan Creutz
Rancocas Valley High School
Mount Holly, New Jersey 08060

Leonora Damiano
Vailsburg High School
Newark, New Jersey

Robert D. Decker
Long Beach Unified School District
Long Beach, California

Emelda L. Estell
Bureau of Foreign Languages
Chicago, Illinois

Laura Garvey
Southern Senior High School
Harwood, Maryland

Frances H. Gordon
Falling Creek Middle School
Richmond, Virginia

Gail B. Heffner
Walnut Ridge High School
Columbus, Ohio

Mary M. Hellen
Carlisle Area School District
Carlisle, Pennsylvania

Carmen E. Iglesias
Belmont High School
Dayton, Ohio

Shirley Israel
Carman High School
Flint, Michigan

Susan C. Johnston
J. L. Mann High School
Greenville, South Carolina

Rock F. Kelly
Vista High School
Vista, California

Mary Ann Kosut
Providence Middle School
Richmond, Virginia

Argelia Krohn
Roosevelt High School
San Antonio, Texas

Virginia Luft
Orange High School
Cleveland, Ohio

Ruth Miller
Teaneck Public Schools
Teaneck, New Jersey

Mary Jean Mohn
Gresham High School
Gresham, Oregon

Janice A. Nease
Sissonville High School
Charleston, West Virginia

John P. Nionakis
Hingham Public Schools
Hingham, Massachsetts

John O'Donnell
W. E. Groves High School
Birmingham, Michigan

Eugene J. Paciarelli
Dulaney Senior High School
Timonium, Maryland

Jayne Lolita Ray
Addison Junior High School
Roanoke, Virginia

Calvin R. Rossi
Irvine High School
Irvine, California

Maria Sciancalepore
Essex Junction Educational Center
Essex Junction, Vermont

Daniel J. Sheridan
Swartz Creek High School
Swartz Creek, Michigan

Eugene C. Sneary, Ph.D
Wade Hampton High School
Greenville, South Carolina

Julia B. Suld
Woodward High School
Cincinnati, Ohio

Judith Speiller
Cherry Hill West High School
Cherry Hill, New Jersey

Rebecca Stracener
Edison Public Schools
Edison, New Jersey

George Weinrauch
Morris Hill High School
Rockaway, New Jersey

The authors would also like to thank the following persons and organizations for permission to include the following photographs:

2: Mark Antman/The Image Works; **7:** Stuart Cohen; **9:** Owen Franken; **9:** Owen Franken; **10:** Stuart Cohen; **12:** (bl) Manuel Rodriguez; **12:** (m) Peter Menzel; **12:** (r) Manuel Rodriguez; **16:** (b) David W. Hamilton/The Image Bank; **16:** (m) Stuart Cohen; **22:** Stuart Cohen; **27:** (l) Susan McCartney/Photo Researchers; **27:** (r) Mangino/The Image Works; **32:** Sybil Shelton/Peter Arnold Inc.; **34:** Culver Pictures; **34:** Culver Pictures; **35:** Culver Pictures; **38:** (bl) Culver Pictures; **38:** (tr) Mangino/The Image Works; **39:** (tl) NYPL Picture Collection; **40:** (bl) Randy Matusow; **40:** (m) Randy Matusow; **40:** (tl) Mark Antman/The Image Works; **40:** (tr) Sebastiano Salgasado/Magnum; **46:** Mangino/The Image Works; **48:** (b) Mark Antman/The Image Works; **48:** (t) Stuart Cohen; **49:** Mark Antman/The Image Works; **52:** (bl) Gilles Peress/Magnum; **52:** (r) Randy Matusow; **53:** (bl) Mangino/The Image Works; **61:** (b) Beryl Goldberg; **61:** (t) Peter Menzel; **64:** (bl) Michal Heron/Woodfin Camp; **64:** (tr) Chip and Rosa Maria Peterson; **64:** (tl) Hazel Hankin; **71:** Chip and Rosa Peterson; **72:** Owen Franken; **74:** (tr) Jacques Jangoux/Peter Arnold; **82:** Wide World; **83:** (b) Wide World; **83:** (t) Wide World; **84:** (b) Henri Bureau/Sygma; **84:** (t) Henri Bureau/Sygma; **86:** (r) Stuart Cohen; **86:** (t) Chip and Rosa Peterson; **90:** Hiller/Monkmeyer Press Photo; **93:** Peter Menzel; **94:** Chip and Rosa Maria Peterson; **96:** (br) Hugh Rogers/Monkmeyer Press; **96:** (r) Stuart Cohen; **96:** (tm) Mark Antman/The Image Works; **96:** (tl) Beryl Goldberg; **97:** (l) H. Liverance/The Image Works; **97:** (tr) Stuart Cohen; **98:** (bl) Owen Franken; **98:** (br) J. C. Criton/Sygma; **98:** (tl) D. Goldberg/Sygma; **98:** (tr) Stuart Cohen; **99:** (r) Yoram Lehmann/Peter Arnold Inc.; **102:** Ellen Graham/The Image Bank; **103:** (l) Olivier Rebbot/Stock, Boston; **103:** (r) Gordon E. Smith/Photo Researchers; **104:** Jacques Jangoux/Peter Arnold; **105:** Yoram Lehmann/Peter Arnold Inc.; **108:** (tr) Jean Gaumy/Magnum; **108:** (tl) Hugh Rogers/Monkmeyer Press; **109:** Nick Nicholson/The Image Bank; **110:** (tr) Peter Menzel; **110:** (tm) Chip and Rosa Maria Peterson; **115:** Sybil Shelton/Peter Arnold Inc.; **116:** Stuart Cohen; **117:** (br) Peter Menzel; **117:** (m) Peter Menzel; **117:** (tl) Sybil Shelton/Peter Arnold Inc.; **117:** (tr) Peter Menzel; **119:** (br) Peter Menzel; **119:** (l) Chip and Rosa Peterson; **119:** (l) Peter Menzel; **119:** (tr) Lisa Limer; **120:** (br) Mangino/The Image Works; **120:** (l) Peter Menzel; **120:** (tr) Peter Menzel; **121:** (bl) Peter Menzel; **121:** (lm) Lisa Limer; **126:** (l) Stuart Cohen; **126:** (r) Owen Franken; **127:** (br) Stuart Cohen; **127:** (t) Jesus Carlos/Peter Arnold Inc.; **128:** (bl) Victor Englebert/Photo Researchers Inc.; **128:** (br) Stuart Cohen; **128:** (tl) Victor Englebert/Photo Researchers Inc.; **128:** (tr) Farrell Grehan/Photo Researchers Inc.; **129:** (bl) Contreras Chacel/Intl. Stock Photo; **129:** (br) Alex Webb/Magnum; **129:** (tl) White/Pite/Intl. Stock Photo; **129:** (tl) Tom Hollyman/Photo Researchers; **132:** (bl) John G. Ross/Photo Researchers Inc.; **132:** (br) Vance Henry/Taurus Photo; **132:** (m) Paul Conklin/Monkmeyer Press Photo; **132:** (t) Stuart Cohen; **134:** (bl) Jacques Jangoux/Peter Arnold; **134:** (lb) Chip and Rosa Maria Peterson; **134:** (tl) Stuart Cohen; **135:** (tl) Elliott Erwitt/Magnum; **153:** Spanish National Tourist Office; **154:** Sybil Shelton/Peter Arnold Inc.; **155:** Spanish National Tourist Office; **156:** (l) Sybil Shelton/Peter Arnold Inc.; **156:** (r) Mangino/The Image Works; **157:** (l) Adam Woolfitt/Woodfin Camp Inc.; **157:** (r) Adam Woolfitt/Woodfin Camp Inc.; **160:** (bl) Randy Matusow; **160:** (tr) Eric Kroll/Taurus Photos; **167:** NYPL Picture Collection; **168–169:** NYPL Picture Collection; **168:** (b) NYPL Picture Collection; **169:** (br) NYPL Picture Collection;

Preface

    ¡Bienvenidos y adelante! *Welcome and onward!* Now that we have become acquainted, it is time to make a few friends and establish some long-lasting friendships. One of the most valuable parts of learning a language is its application to the understanding of the people who speak that language and their way of life. *McGraw-Hill Spanish* **Amistades** invites you to get to know more about other cultures, about other people, about yourself, and those around you as you meet and form new friendships—**amistades**—with the people who speak this language.

    McGraw-Hill Spanish **Amistades** has been written to help you develop your language skills through activities that focus on meaningful, personal communication. You will learn about other cultures, about other people, about each other, and about yourself. As you become increasingly aware of the similarities and differences among cultures and among people, we hope you will become more appreciative and enjoy the diversity and uniqueness of both.

    The unraveling of the foreign language "mystery" continues. This year you will continue your study of Spanish by learning new concepts and functions, by broadening your communication skills, and by practicing and using them in meaningful, realistic situations and interactions. You will learn to convey messages and to express your ideas, feelings, and opinions in authentic, natural, everyday settings.

    If you want to communicate, you must acquire

the ability to speak fluently and express your ideas in Spanish. The acquisition of another language takes time. You, therefore, need practice in using the language. The activities provided in *McGraw-Hill Spanish* **Amistades** focus on real communication and encourage you to talk about the themes presented. The exercises in the text have been written to help you develop active control of the vocabulary and structure concepts presented. A large number of communicative activities reflecting a wide variety of themes have been included—going shopping, at the doctor's office, making a telephone call, greetings and farewells, checking into a hotel, at the post office and at the bank, asking for directions, leisure time activities, etc., etc.

Remember the excitement and enthusiasm you felt when you first began to study a foreign language. Let's keep that enthusiasm alive! *McGraw-Hill Spanish* **Amistades** is a lively, youth-oriented, interesting textbook with many activities which are valuable and fun. Accept each assignment as just another step closer to fluency and proficiency in Spanish. Take every opportunity to practice what you have learned. Never be afraid to make a mistake. Everyone makes mistakes while learning. Learn to use your new language to communicate with one another and with native speakers of the language.

Y de ahora en adelante, ¡vamos a hablar español! ¡Vamos a encontrar a nuevos amigos! ¡Vamos a crear nuevas *amistades!*

about the authors

Protase E. Woodford

Mr. Woodford is Director of the Foreign Language Department, Test Development, Schools and Higher Education Programs Division with Educational Testing Service, Princeton, New Jersey. He has taught Spanish at all academic levels. He has also served as department chairperson in New Jersey high schools and has worked extensively with Latin American and Asian ministries of education in the areas of tests and measurements and has served as a consultant to numerous state and federal government agencies. He has taught Spanish at Newark State College, Union, New Jersey, and methods at the University of Texas. Mr. Woodford has traveled extensively throughout Spain, the Caribbean, Central America, South America, Europe, and Asia. He is coauthor of *Español: A Descubrirlo, Español: A Sentirlo, Español: Lengua y Letras, La Fuente Hispana,* and *Bridges to English.* He is also the author of *Spanish Language, Hispanic Culture.*

Conrad J. Schmitt

Mr. Schmitt was Editor-in-Chief of Foreign Language, ESL, and bilingual publishing with McGraw-Hill Book Company. Prior to joining McGraw-Hill, Mr. Schmitt taught languages at all levels of instruction, from elementary school through college. He has taught Spanish at Montclair State College, Upper Montclair, New Jersey; French at Upsala College, East Orange, New Jersey; and Methods of Teaching a Foreign Language at the Graduate School of Education, Rutgers University, New Brunswick, New Jersey. He also served as Coordinator of Foreign Languages for the Hackensack, New Jersey, Public Schools. Mr. Schmitt is the author of *Schaum's Outline of Spanish Grammar, Schaum's Outline of Spanish Vocabulary, Español: Comencemos, Español: Sigamos,* and the *Let's Speak Spanish* and *A Cada Paso* series. He is also coauthor of *Español: A Descubrirlo, Español: A Sentirlo, La Fuente Hispana, Le Français: Commençons, Le Français: Continuons, McGraw-Hill French Rencontres* and *McGraw-Hill French Connaissances,* and *Schaum's Outline of Italian Grammar.* Mr. Schmitt has traveled extensively throughout Spain, Mexico, the Caribbean, Central America, and South America.

Randall G. Marshall

Mr. Marshall is Editor-in-Chief of Foreign Language Publishing with the Webster Division, McGraw-Hill Book Company and is an experienced foreign language instructor at all academic levels. He was formerly Consultant in Modern Foreign Languages with the New Jersey State Department of Education. Mr. Marshall has served as methods and demonstration teacher at Iona College, New Rochelle, New York; at Rutgers University; and at the University of Colorado. He has traveled extensively throughout Spain, Mexico, the Caribbean, and South America. He is coauthor of *Español: A Descubrirlo, Español: A Sentirlo,* and *La Fuente Hispana.*

Contents

Repaso *A*

Estructura   El presente de los verbos regulares . . . **3**
    El presente de los verbos **ir, dar, estar** . . . **4**

Repaso *B*

Estructura   El presente de los verbos de cambio radical—
        e→ie, o→ue . . . **7**
    El verbo **ser** y la concordancia de los adjetivos . . . **9**

Repaso *C*

Estructura   El presente de algunos verbos irregulares . . . **13**
    Los pronombres de complemento directo . . . **14**

Repaso *D*

Estructura   El pretérito de los verbos regulares . . . **18**
                     Los pronombres de complemento indirecto . . . **19**

Repaso *E*

Estructura   El pretérito de algunos verbos irregulares . . . **23**
                     El pretérito del verbo **ir** . . . **24**

Lección *1*   **El sereno**

Estructura   El imperfecto de los verbos en **-ar** . . . **28**
                     El imperfecto de los verbos en **-er, -ir** . . . **29**
                     El imperfecto de los verbos **ir** y **ser** . . . **31**
                     Los usos del imperfecto . . . **31**
Conversación   **Las fiestas de San Isidro** . . . **33**
Lectura cultural   **El sereno** . . . **34**

Lección *2*   **La tienda por departamentos**

Estructura   El imperfecto y el pretérito . . . **43**
                     Dos acciones en la misma oración . . . **45**
Conversación   **Yo estaba de compras** . . . **47**
Lectura cultural   **En Galerías Rodríguez** . . . **48**

Lección **3**   Al médico

Estructura   El comparativo y el superlativo ... **56**
                        Formas regulares ... **56**
                        Formas irregulares ... **58**
Conversación   **En la consulta del médico** ... **59**
Lectura cultural **La asistencia médica** ... **61**

Lección **4**   La moda juvenil

Estructura   **Acabar de** + infinitivo ... **68**
                        Pronombres con la preposición ... **69**
Conversación   **Ropa de moda** ... **70**
Lectura cultural **¿Cómo se visten los jóvenes hispanos?** ... **71**

Repaso ... **76–81**

Lectura cultural **Roberto Clemente** ... **83**
opcional

Lección **5**   Una llamada telefónica

Estructura   El presente progresivo ... **89**
                        Los participios presentes con **-y** ... **91**
Conversación   **Una llamada telefónica** ... **92**
Lectura cultural **Hablando por teléfono** ... **93**

Lección **Los alimentos**

Estructura   El imperfecto progresivo . . . **100**
El participio presente de los verbos de cambio
radical . . . **101**
Conversación   **Comimos en un restaurante mexicano . . . 102**
Lectura cultural   **Los alimentos y la historia . . . 103**

Lección **Buenos modales**

Estructura   Repaso de los pronombres de complemento
directo . . . **111**
Repaso de los pronombres de complemento
indirecto . . . **112**
Dos complementos en una oración . . . **113**
Adverbios en **-mente** . . . **114**
Conversación   **¿Está locamente enamorado? . . . 116**
Lectura cultural   **Costumbres de cortesía . . . 117**

Lección **Las ciudades latinoamericanas**

Estructura   La colocación de los pronombres de
complemento . . . **124**
Conversacíon   **En la Ciudad de México . . . 126**
Lectura cultural   **Un viaje fotográfico . . . 128**

Repaso . . . **136–139**

Lectura cultural   **El humor . . . 140**
opcional

Lección **9** El hotel

Estructura   El presente perfecto...**149**
                    La comparación de igualdad con adjetivos y
                        adverbios...**151**
                    La comparación de igualdad con sustantivos...**152**
Conversación   **En la recepción del hotel...154**
Lectura cultural   **Los hoteles en España...156**

Lección **10** La conquista de México

Estructura   El pluscuamperfecto...**164**
                    Los participios pasados irregulares...**165**
Conversación   **¿Cuánto sabes de la historia del Nuevo
                        Mundo?...166**
Lectura cultural   **Una conquista llena de intrigas...167**

Lección **11** «Menudo»

Estructura   El futuro de los verbos regulares...**177**
                    El futuro de los verbos irregulares...**178**
Conversación   **¿Qué concierto?...180**
Lectura cultural   **¡La manía de Menudo!...181**

Lección **12**   El correo

Estructura   El modo potencial o condicional...**191**
                             Verbos regulares...**191**
                             Verbos irregulares...**192**
Conversación   **En el correo**...**194**
Lectura cultural   **Una carta de la selva**...**195**

Repaso...**204–209**

Lectura cultural   **Somos únicos**...**210**
opcional
Lectura cultural   **Una carta de Costa Rica**...**214**
opcional

Lección **13**   Besitos y abrazos

Estructura   El imperativo familiar...**222**
                             Verbos regulares...**222**
                             Verbos irregulares...**223**
Conversación   **En una universidad norteamericana**...**224**
Lectura cultural   **El sudoeste de los Estados Unidos**...**226**

Lección **14**   Pidiendo direcciones

Estructura   El imperativo formal...**234**
                             Verbos regulares...**234**
                             Verbos irregulares...**236**
                     El imperativo familiar negativo...**237**
                     Los pronombres con el imperativo...**237**
Conversación   **¿Dónde queda la calle Niza?**...**238**
Lectura cultural   **¿Cómo se va a Córdoba?**...**239**

Lección **15**   La lotería

Estructura   El subjuntivo ... **246**
                    El indicativo y el subjuntivo ... **246**
                    La formación del subjuntivo ... **247**
                    El subjuntivo en cláusulas nominales ... **248**
                    El subjuntivo con expresiones impersonales ... **250**
Conversación   **¿No quieres que yo tenga suerte?** ... **252**
Lectura cultural   **¿Te toca a ti?** ... **253**

Lección **16**   El matrimonio

Estructura   La formación del subjuntivo ... **260**
                    Verbos de cambio radical ... **260**
                    El subjuntivo con verbos como **aconsejar** ... **261**
                    El subjuntivo con expresiones de emoción ... **263**
                    El subjuntivo en cláusulas de duda ... **264**
Conversación   **¿Vas a la boda?** ... **265**
Lectura cultural   **El matrimonio** ... **266**

Repaso ... **272–278**

Lectura cultural   **Manolo** ... **279**
opcional

Lección **17**   Diversiones

Estructura   El infinitivo o el subjuntivo ... **285**
                    El repaso del pretérito de los verbos
                        irregulares ... **286**
Conversación   **Un compromiso** ... **288**
Lectura cultural   **Los pasatiempos de los jóvenes** ... **289**

Lección *18*   **El banco**

Estructura   El imperfecto del subjuntivo ... **298**
                     Usos del imperfecto del subjuntivo ... **299**
                     Cláusulas con **si** ... **301**
Conversación   **Cambiando dinero** ... **302**
Lectura cultural   **Una situación económica** ... **303**

Lección *19*   **Los deportes**

Estructura   El subjuntivo en cláusulas adverbiales ... **312**
                     El subjuntivo con **aunque** ... **314**
                     El subjuntivo en cláusulas relativas ... **315**
Conversación   **¿Viste el partido?** ... **317**
Lectura cultural   **Los deportes en el mundo hispano** ... **318**

Lección *20*   **Las fiestas**

Estructura   El subjuntivo en cláusulas adverbiales de
                     tiempo ... **325**
                     El subjuntivo con **antes de que** ... **326**
                     El subjuntivo con **ojalá, tal vez, quizá(s)** ... **327**
Conversación   **«La semana americana»** ... **328**
Lectura cultural   **Las fiestas en los países hispanos** ... **329**

Repaso . . . **336–339**

Lectura cultural **Paloma** . . . **340**
   opcional
Lectura cultural **Tierra** por Gregorio López y Fuentes . . . **344**
   opcional

Appendix . . . **353**
Spanish-English Vocabulary . . . **361**
English-Spanish Vocabulary . . . **377**
Index . . . **394**

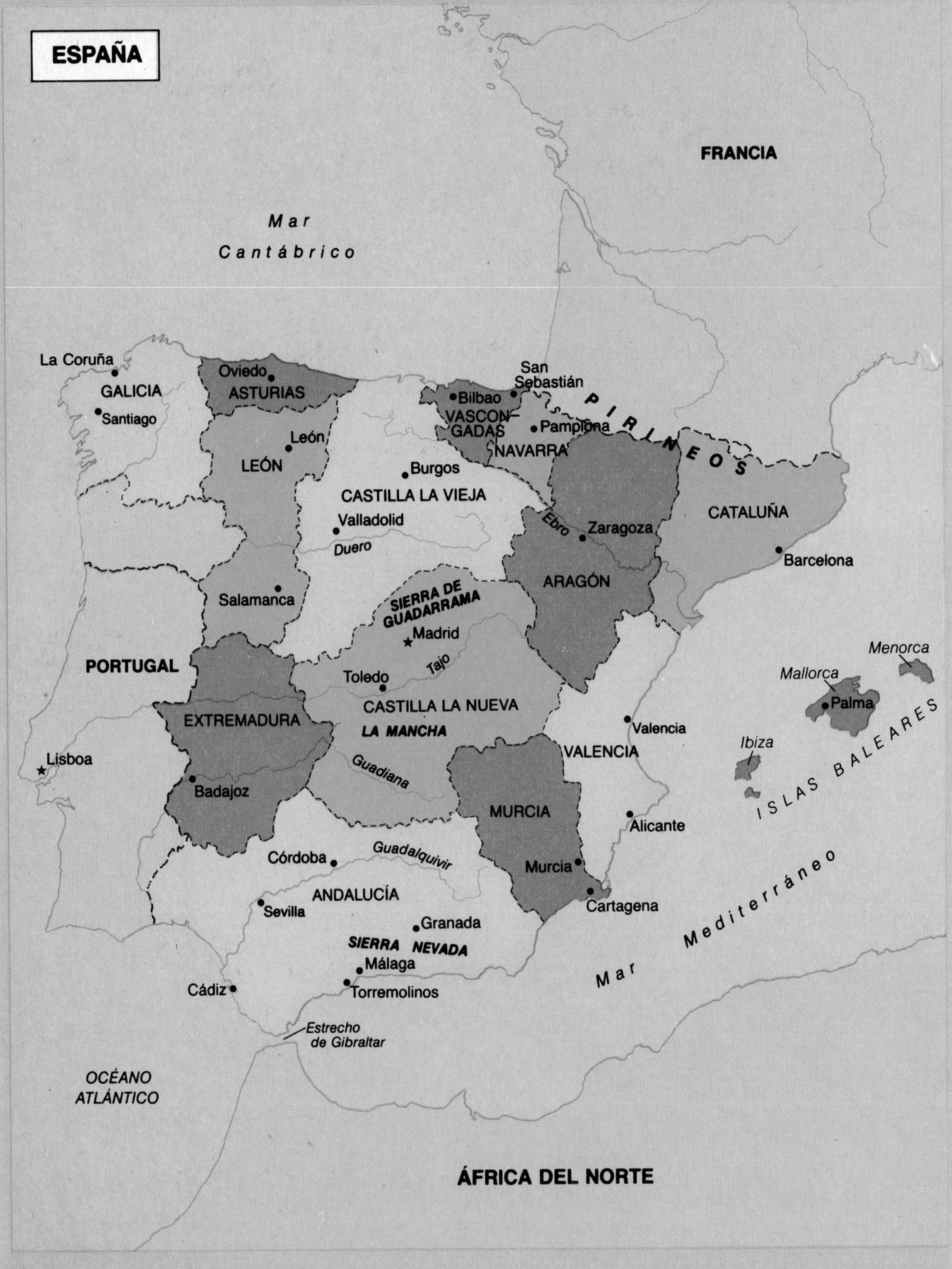

ESPAÑA

FRANCIA

Mar Cantábrico

La Coruña

GALICIA

Oviedo

ASTURIAS

San Sebastián

Santiago

Bilbao

VASCON-
GADAS

Pamplona

P I R I N E O S

León

NAVARRA

LEÓN

Burgos

CATALUÑA

CASTILLA LA VIEJA

Valladolid

Ebro

Zaragoza

Barcelona

Duero

ARAGÓN

Salamanca

SIERRA DE
GUADARRAMA

Madrid

PORTUGAL

Toledo

Tajo

Menorca

Mallorca

EXTREMADURA

CASTILLA LA NUEVA

Palma

LA MANCHA

Valencia

Ibiza

Lisboa

Guadiana

VALENCIA

I S L A S   B A L E A R E S

Badajoz

MURCIA

Córdoba

Guadalquivir

Alicante

ANDALUCÍA

Murcia

Sevilla

Cartagena

Granada

SIERRA NEVADA

Málaga

Mar Mediterráneo

Cádiz

Torremolinos

*Estrecho
de Gibraltar*

OCÉANO
ATLÁNTICO

ÁFRICA DEL NORTE

MÉXICO Y
LA AMÉRICA CENTRAL

EL CARIBE

xix

Mar Caribe

La América Central

Barranquilla
Maracaibo
★ Caracas

VENEZUELA

Orinoco

GUAYANAS

Medellín

Cali ★ Bogotá

COLOMBIA

CORDILLERA DE LOS ANDES

★ Quito

ECUADOR

Guayaquil

Iquitos

Manaus Amazonas Belém

Amazonas

PERÚ

Marañón Ucayali

SELVAS

Tapajós

Fortaleza

Madeira

Recife

Callao ★ Lima

ANDES

Cuzco

Xingú

São Francisco

BRASIL

Salvador

L. Titicaca

★ La Paz

BOLÍVIA

Sucre

MATO
GROSSO

★ Brasilia

**OCÉANO
PACÍFICO**

GRAN CHACO

PARAGUAY

Paraguay

Paraná

São Paulo

Río de Janeiro

Asunción ★

CORDILLERA DE LOS ANDES

Tucumán

Uruguay

Pôrto Alegre

**OCÉANO
ATLÁNTICO**

Córdoba

Valparaíso
Viña del Mar
Santiago ★

Rosario

P A M P A S

URUGUAY

Montevideo ★

CHILE

Buenos
Aires ★

Río de la Plata

ARGENTINA

Valdivia
Puerto Montt

San Carlos
de Bariloche

Islas Malvinas

Tierra
del Fuego

LA AMÉRICA DEL SUR

En la escuela

Roberto Hola, Paco. ¿Qué tal? ¿Cómo estás, hombre?

Paco Muy bien. ¿Y tú?

Roberto Bien, bien.

Paco Oye, ¿cuántos cursos tomas este año?

Roberto Este año tomo cinco.

Paco ¡Cinco! ¡Ay de mí! ¿Crees que eres genio? ¿Cuáles son?

Roberto Álgebra, biología, historia, inglés y español.

Ejercicio 1   Contesten.

1. ¿Con quién habla Roberto?
2. ¿Cómo está Paco?
3. Y Roberto, ¿cómo está?
4. ¿Cuántos cursos toma Roberto este año?
5. ¿Qué cursos toma?

Saludos

¡Hola!
Buenos días.
¿Qué tal?
¿Qué hay?
¿Cómo estás?

Despedidas

¡Adiós!
¡Hasta luego!
¡Hasta la vista!
¡Hasta pronto!
¡Hasta mañana!

Ejercicio 2 *Greet several friends in your class. Use their Spanish names.*

Ejercicio 3 *Bid farewell to several friends in your class.*

εstructura

El presente de los verbos regulares

All Spanish verbs belong to a family, or conjugation. There are three conjugations of regular verbs. They are referred to as the **-ar, -er,** and **-ir** verbs because the infinitive (**hablar, comer, vivir**) ends in **-ar, -er,** or **-ir.** Remember that Spanish verbs change endings according to the subject. Review the following present-tense forms of regular verbs.

Infinitive	hablar	comer	vivir
Stem	habl-	com-	viv-
yo	hablo	como	vivo
tú	hablas	comes	vives
él, ella, Ud.	habla	come	vive
nosotros, -as	hablamos	comemos	vivimos
(vosotros, -as)	(habláis)	(coméis)	(vivís)
ellos, ellas, Uds.	hablan	comen	viven

Note that **-er** and **-ir** verbs have the same endings in all forms except **nosotros** (and **vosotros**).

Ejercicio 1 **¿Qué estudian tú y tus amigos este año?**

¿Roberto? ¿Álgebra?
Sí, Roberto estudia álgebra.

1. ¿Susana? ¿Química?
2. ¿Alonso? ¿Historia?
3. ¿Yo? ¿Español?
4. ¿Carmen y José? ¿Inglés?
5. ¿Nosotros? ¿Geometría?
6. ¿Tú? ¿Biología?

Ejercicio 2 Contesten personalmente.

1. ¿Cuántos cursos tomas este año?
2. Y tu amigo(a), ¿cuántos cursos toma él/ella?
3. ¿Trabajan Uds. mucho en la escuela?
4. ¿En qué cursos sacas buenas notas?
5. Y tu amigo, ¿en qué cursos saca él buenas notas?

Ejercicio 3 Completen.

1. Yo _____ en la calle Mayor. **vivir**
2. Mi amiga Teresa _____ en la calle Mayor también. **vivir**
3. Nosotros(as) _____ en la misma calle. **vivir**
4. En la escuela ella _____ español y yo _____ español también. **aprender, aprender**
5. Nosotros(as) _____ mucho en la clase de español. **aprender**
6. En la clase de español nosotros(as) _____, _____ y _____. **hablar, leer, escribir**
7. En tu clase de español, ¿_____ (tú) mucho también? **aprender**
8. ¿_____, _____ y _____ en tu clase de español? **Hablar, leer, escribir**
9. Nosotros(as) _____ muy buenas notas en español. **recibir**
10. ¿_____ tú buenas notas también? **Recibir**

El presente de los verbos *ir, dar, estar*

The verbs **ir, dar,** and **estar** have the same endings as regular **-ar** verbs. Remember that the only exception is the **yo** form.

Infinitive	ir	dar	estar
yo	**voy**	**doy**	**estoy**
tú	vas	das	estás
él, ella, Ud.	va	da	está
nosotros, -as	vamos	damos	estamos
(vosotros, -as)	(vais)	(dais)	(estáis)
ellos, ellas, Uds.	van	dan	están

Ejercicio 4 Contesten personalmente.

1. ¿Dónde está tu casa?
2. ¿A qué escuela vas?
3. ¿Estás en la escuela ahora?
4. ¿Vas a la escuela con tus amigos?
5. ¿Van Uds. a la escuela a pie, en carro o en autobús?
6. ¿En qué clase están Uds. ahora?
7. ¿Siempre está de buen humor su profesor(a) de español?
8. ¿Da él o ella mucho trabajo?

4

Actividades

1 Look at the illustration and say all you can about it. The following expressions may help to refresh your memory.

- **hablar español**
- **enseñar**
- **tocar la guitarra**
- **cantar una canción**
- **tomar apuntes**
- **escribir los apuntes en un cuaderno**
- **leer un libro**
- **aprender mucho**

2 Here is Rita's report card. Tell what school she goes to and where it is. Tell what subjects she studies and what grades she gets.

MINISTERIO DE EDUCACION
EDUCACION SECUNDARIA

LIBRETA ESCOLAR

ALUMNO : Rita Adelina Gurrea

198 6
Depart.: La Libertad
Zona: Trujillo
Nº de Orden:
Grado: 4.° Sec. B
Nº Matric.: 943001
C. E.:
Supervisión: ✓
Lugar:

Sr. D. José Barredo
Firma y Sello del Director
Post Firma: ....

198 7.
Depart.:
Zona:
Nº de Orden:
Grado: Sec.:
Nº Matric.:
C. E.:
Supervisión:
Lugar:

Firma y Sello del Director
Post Firma:

AÑO ESCOLAR: 198 6 .   GRADO: 4.°

ASIGNATURAS	BIMESTRES				EVAL. GRAL. COMPLEMENT.	PROMEDIO FINAL	EVALUACIÓN DE RECUPERAC.
	1	2	3	4			
Lenguaje	14	15					
Matemática	16	16					
CHS./H. del Perú	18	18					
Geografía	12	13					
Educ. Cívica	14	12					
Ciencias Naturales	14	12					
Educ. Artística	17	16					
Educ. Física	15	14					
Educ. Religiosa	15	15					
Formación Laboral	14	12					
Promedio Global							
Comportamiento	14.9	14.3					
Inasist. Justificadas	Bien	Bien					
Inasist. Injustificadas	1	0					
	0	0					

3 **Entrevista**

- ¿Dónde vives?
- ¿Vives en una casa particular o en un apartamento?
- ¿En qué calle está tu casa?
- ¿A qué escuela vas?
- ¿Qué estudias en la escuela?
- ¿Cuál es tu asignatura favorita? ¿Por qué?
- ¿Quién es tu profesor(a) favorito(a)? ¿Por qué?

Los deportes

Carolina	¿Qué tal el equipo de fútbol este año?
Linda	Este año tenemos un equipo fantástico. ¡Es invencible!
Carolina	¿Cuándo empieza la temporada?
Linda	Pues, el sábado jugamos el primer partido.
Carolina	¿Contra quiénes juegan?
Linda	Contra los Osos. Y ellos no pueden ganar.

Ejercicio Escojan.

1. ¿Qué tal el equipo de fútbol de la escuela de Linda?
   a. Este año tienen un equipo muy malo.
   b. Este año el equipo no puede ni meter un gol.
   c. Este año tienen un equipo invencible.

2. ¿Cuándo empieza la temporada?
   a. Empieza a la una de la tarde.
   b. Empieza el sábado.
   c. Va a ser fantástica.

3. ¿Contra quiénes es el primer partido?
   a. El primer partido es el sábado.
   b. Juegan el primer partido contra los Osos.
   c. No pueden jugar el primer partido.

4. ¿Van a ganar el partido los Osos?
   a. No pueden. Tienen que perder.
   b. Los Osos quieren ganar y van a ganar.
   c. Los Osos no pueden jugar el partido.

Las muchachas se divierten, Madrid

Estructura

El presente de los verbos de cambio radical—e→ie, o→ue

Verbs such as **empezar** and **poder** are called stem-changing verbs. This means that the stem of the infinitive (**empez-ar, pod-er**) will change. Review the following forms.

		e→ie	o→ue
Infinitive		empezar	poder
	yo	empiezo	puedo
	tú	empiezas	puedes
	él, ella, Ud.	empieza	puede
	nosotros, -as	empezamos	podemos
	(vosotros, -as)	(empezáis)	(podéis)
	ellos, ellas, Uds.	empiezan	pueden

Note that the **e** of **empezar** changes to **ie,** and the **o** of **poder** changes to **ue** in all forms except **nosotros** (and **vosotros**). Note too that the stem-changing verbs have regular endings according to the conjugation to which they belong.

Other verbs conjugated like **empezar** are **comenzar, querer, perder,** and **preferir.** Other verbs conjugated like **poder** are **volver, dormir,** and **jugar.**

7

The irregular verb **tener** also has a stem change. Note that, in addition to the stem change, the **yo** form is irregular.

Infinitive	tener
yo	**tengo**
tú	tienes
él, ella, Ud.	tiene
nosotros, -as	tenemos
(vosotros, -as)	(tenéis)
ellos, ellas, Uds.	tienen

Ejercicio 1 Practiquen la conversación.

— ¿Quieres jugar al fútbol?
— Sí, quiero pero no puedo.
— ¿Por qué no puedes?
— No puedo porque no tengo tiempo. Tengo que trabajar.
— ¡Ay! ¡Qué pena!

Ejercicio 2 ¿Por qué no pueden?
Sigan el modelo.

¿Anita? ¿Jugar al tenis?
Anita quiere jugar al tenis pero no puede porque no tiene tiempo.

1. ¿Carlos? ¿Jugar al béisbol?
2. ¿Yo? ¿Jugar al volibol?
3. ¿Anita y Carmen? ¿Jugar al básquetbol?
4. ¿Nosotros? ¿Jugar al tenis?
5. ¿Tú? ¿Jugar al golf?
6. ¿Nosotros? ¿Jugar al fútbol?

Ejercicio 3 Contesten personalmente.

1. ¿Cuántos hermanos tienes?
2. ¿Cuántos años tienen ellos?
3. ¿Y cuántos años tienes tú?
4. ¿Tienen Uds. un perro o un gato?
5. ¿Quieres tener un perro o un gato?
6. ¿Prefieres los gatos o los perros?
7. ¿Juegan mucho los gatos?
8. ¿Duermen mucho también?

El verbo *ser* y la concordancia de los adjetivos

Review the following present-tense forms of the important irregular verb **ser**.

ser   soy, eres, es, somos, (sois), son

Remember that in Spanish all adjectives must agree with the noun they describe, or modify. Many Spanish adjectives end in **-o**. Such adjectives have four forms.

Singular	*Plural*
El muchacho es alto.	**Los muchachos son altos.**
La muchacha es alta.	**Las muchachas son altas.**

Many other adjectives end in either **-e** or a consonant. All adjectives that end in **-e** and most adjectives that end in a consonant have only two forms, singular and plural.

Singular	*Plural*
El muchacho es fuerte.	**Los muchachos son fuertes.**
La muchacha es fuerte.	**Las muchachas son fuertes.**
El muchacho es popular.	**Los muchachos son populares.**
La muchacha es popular.	**Las muchachas son populares.**

Ejercicio 4   **Aquí está Carmen Vázquez. ¿Cómo es ella?**

1. ¿Es rubia o morena?
2. ¿Tiene ojos azules o castaños?
3. ¿Es alta o baja?
4. ¿Es fuerte o débil?
5. ¿Es aburrida o divertida?
6. ¿Es guapa o fea?
7. ¿Es delgada o gorda?

Ejercicio 5 ¿Cómo son los amigos en la fotografía?

Some adjectives you may wish to use in your description are **alto, bajo, rubio, moreno, simpático, atlético, serio, divertido, guapo, feo, delgado, gordo, fuerte, inteligente, interesante, grande, débil, popular.**

Ejercicio 6 Contesten personalmente.

1. ¿De qué nacionalidad eres?
2. ¿Cómo eres?
3. ¿De qué color son tus ojos?
4. ¿Tienes el pelo rubio o castaño? ¿Eres pelirrojo(a)?

Actividades

1 Describe the illustration. Following is a list of expressions you may wish to use.

- el equipo, los jugadores
- jugar al fútbol, el campo de fútbol
- el portero, parar el balón
- meter un gol, marcar un tanto
- el tanto, el segundo tiempo
- ganar, perder

1°		2°	
1		0	
0		1	

2 Write a letter to a pen pal. Tell him/her the following things about yourself.

- who you are
- your nationality
- your age
- how many people there are in your family
- where you live
- what you study in school
- some things you do when you are not in school

3 Draw your family tree. Following is a list of relatives you may wish to include.

- los abuelos
- los padres
- los hermanos
- los tíos
- los primos

C REPASO

De viaje

Lupita   ¿Sabes? Este fin de semana voy a visitar a mi hermana.

Federico   ¿La vas a visitar? ¿Dónde está ella?

Lupita   ¿No lo sabes? Ella está en la universidad.

Federico   ¿Cómo vas a ir? ¿En carro?

Lupita   No, no. Voy a hacer el viaje en tren.

Federico   ¿Cuándo sales? ¿El viernes o el sábado?

Lupita   Salgo el viernes por la tarde, después de las clases.

Ejercicio 1   Contesten.

1. ¿A quién va a visitar Lupita?
2. ¿Cuándo la va a visitar?
3. ¿Dónde está su hermana?
4. ¿Cómo va a hacer el viaje Lupita?
5. ¿Cuándo sale ella?

Expresiones de tiempo

por la mañana
a las diez de la mañana

por la tarde
a las dos de la tarde

por la noche
a las diez de la noche

12

Ejercicio 2   Contesten personalmente.

1. ¿Sales para la escuela por la mañana?
2. ¿A qué hora sales para la escuela?
3. ¿Tienes tu clase de español por la mañana o por la tarde?
4. ¿A qué hora empieza tu clase de español?

Estructura

El presente de algunos verbos irregulares

The verbs **poner, hacer, traer,** and **salir** are irregular in the **yo** form of the present tense. All other forms are regular. Review the following forms.

Infinitive	poner	hacer	traer	salir
yo	**pongo**	**hago**	**traigo**	**salgo**
tú	pones	haces	traes	sales
él, ella, Ud.	pone	hace	trae	sale
nosotros, -as	ponemos	hacemos	traemos	salimos
(vosotros, -as)	(ponéis)	(hacéis)	(traéis)	(salís)
ellos, ellas, Uds.	ponen	hacen	traen	salen

Ejercicio 1   ¿A qué hora salen?

¿Anita?
Francamente no sé a qué hora sale.

1. ¿Carlos?
2. ¿Elena y Lupita?
3. ¿Yo?
4. ¿Mis padres?

5. ¿Tú?
6. ¿Nosotros?
7. ¿Lupita?

Ejercicio 2   Completen.

¿Adónde va Lupita?

Clara   ¿Para dónde _____ (salir) Lupita?

Isabel   Ella va a visitar a su hermana que estudia en Los Ángeles.

Clara   ¿Ella va a Los Ángeles? ¿Cómo _____ (hacer) el viaje?

Isabel   En avión.

Clara   ¿Tú _____ (salir) con ella?

Isabel   Pues, sí. Yo _____ (salir) con ella pero yo no _____ (hacer) el viaje.

Clara   Si tú no _____ (hacer) el viaje, ¿por qué _____ (salir) con ella?

Isabel   Porque la voy a llevar al aeropuerto.

Los pronombres de complemento directo

A *pronoun* is a word that replaces a noun. A *direct object* is the word in the sentence that receives the action of the verb. Very often a pronoun is used as the direct object of a sentence. Review the following examples.

Noun object	*Pronoun object*
María lee el libro.	María lo lee.
María lee la revista.	María la lee.
María tiene los libros.	María los tiene.
María tiene las revistas.	María las tiene.

Remember that the direct object pronouns precede the conjugated form of the verb.

The pronouns **me, te,** and **nos** can be used as either direct or indirect object pronouns.

> **¿Te ve Ricardo? Sí, me ve.**
> **¿Te trae un regalo? Sí, me trae un regalo.**

Ejercicio 3 Lupita hace un viaje en tren.
Contesten con *lo, la, los* o *las.*

1. ¿Hace Lupita **el viaje** en tren?
2. ¿Pone **su ropa** en las maletas?
3. ¿Pone **las maletas** en el baúl del carro?
4. En la estación de ferrocarril, ¿compra Lupita **su boleto**?
5. ¿Compra **su boleto** en la ventanilla?
6. ¿Busca ella **el andén**?
7. ¿Tiene ella **su equipaje**?
8. ¿Lleva el mozo **las maletas** al andén?

Ejercicio 4 Completen con un pronombre de complemento directo.
¿Qué quiere Carlos?

Jesús	Teresa, Carlos _____ llama.
Teresa	¿Carlos _____ llama? ¿Qué quiere él?
Jesús	No sé. Pero creo que _____ quiere decir algo.
Teresa	Carlos, ¿tú _____ llamas?
Carlos	Sí, sí. _____ quiero hablar. _____ voy a decir algo muy importante.
Teresa	¡Qué va! No _____ quieres decir nada importante. ¿Por qué _____ tomas el pelo?

Actividades

1 Look at the illustration and say all you can about it. To refresh your memory, here are some words and expressions you may want to use.

- **hacer un viaje, la estación de ferrocarril**
- **comprar un boleto, la ventanilla**
- **un boleto sencillo, un boleto de ida y vuelta**
- **esperar el tren, la sala de espera**
- **salir del andén, el mozo**

2 Look at the airline ticket. Based on the information on the ticket, answer the following questions.

- ¿Cómo se llama la pasajera?
- ¿Adónde va ella?
- ¿De dónde sale?
- ¿Qué vuelo va a tomar?
- ¿A qué hora sale el vuelo?
- ¿Es un boleto de ida y vuelta?
- ¿Cuál es el precio del boleto?

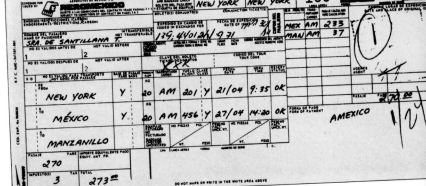

3 Look at the boarding pass. Based on the information on the boarding pass, answer the following questions.

- ¿Cuál es el número del vuelo?
- ¿Adónde va el pasajero?
- ¿De dónde sale?
- ¿Qué día sale?
- ¿Cuál es el número de su asiento?
- ¿Está en la sección de fumar o de no fumar?
- ¿De qué puerta va a salir el avión?

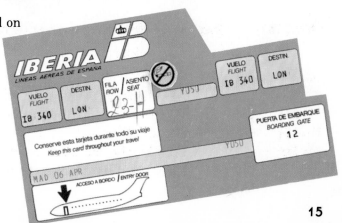

15

El tiempo libre

Ayer, como todos los días, Roberto salió de la escuela.

Volvió a casa.

Preparó un sándwich.

Lo comió en la cocina.

Subió a su cuarto.

Escribió una composición para su clase de inglés.

Llamó a su novia por teléfono.

Bajó al comedor.

Comió con la familia.

Y luego, miró la televisión.

Vio una película muy buena.

Ejercicio 1 Escojan.

1. ¿De dónde salió Roberto?
   a. Salió de la escuela.
   b. Salió de casa.
   c. Salió de la cocina.

2. ¿Adónde volvió?
   a. Volvió en carro.
   b. Volvió a casa.
   c. Volvió al comedor.

3. ¿Qué preparó?
   a. No preparó nada.
   b. Preparó un sándwich.
   c. Preparó una ensalada.

4. ¿Dónde comió el sándwich?
   a. No lo comió.
   b. Lo comió en su cuarto.
   c. Lo comió en la cocina.

5. ¿Qué escribió en su cuarto?
   a. Escribió una composición en inglés.
   b. Escribió un artículo para el periódico.
   c. Le escribió una carta a su amigo.

6. ¿Adónde bajó?
   a. Bajó con su familia.
   b. Bajó al comedor.
   c. Bajó a la sala.

7. ¿Dónde comió?
   a. Comió en la cafetería de la escuela.
   b. Comió en un restaurante económico.
   c. Comió en el comedor.

8. ¿Con quién habló después de comer?
   a. Habló con su familia.
   b. Habló con su hermano.
   c. Habló por teléfono con su novia.

9. ¿Dónde vio una película buena?
   a. La vio en el cine.
   b. La vio en la clase de español.
   c. La vio en la televisión.

Expresiones de tiempo

hoy	esta mañana
ayer	ayer por la mañana
anteayer	ayer por la tarde
la semana pasada	anoche
el año pasado	

Ejercicio 2 Contesten.

1. ¿Qué día es hoy?
2. Y ayer, ¿qué día fue?
3. Y anteayer, ¿qué día fue?

4. ¿En qué año estamos?
5. Y el año pasado, ¿cuál fue?

ɛstructura

El pretérito de los verbos regulares

In order to express an action that took place in the past, we frequently use the preterite tense in Spanish. Note that the preterite has a completely different set of endings from those used for the present tense. Review the following forms of the preterite of regular verbs.

Infinitive	hablar	comer	vivir
Stem	habl-	com-	viv-
yo	hablé	comí	viví
tú	hablaste	comiste	viviste
él, ella, Ud.	habló	comió	vivió
nosotros, -as	hablamos	comimos	vivimos
(vosotros, -as)	(hablasteis)	(comisteis)	(vivisteis)
ellos, ellas, Uds.	hablaron	comieron	vivieron

Note that the endings for the regular -er and -ir verbs are the same in the preterite. Remember too that the verb **dar** is conjugated the same in the preterite as a regular -er or -ir verb.

Infinitive	dar
yo	di
tú	diste
él, ella, Ud.	dio
nosotros, -as	dimos
(vosotros, -as)	(disteis)
ellos, ellas, Uds.	dieron

Ejercicio 1 Practiquen la conversación.

Carlos Tadeo, te llamé anoche pero no contestaste.

Tadeo No, no contestó nadie. Anoche mis padres salieron y yo también salí.

Carlos ¿Salieron Uds. juntos?

Tadeo No, no salimos juntos. Mis padres comieron en un restaurante con algunos amigos y yo vi una película fantástica en el cine Goya.

Ejercicio 2 Completen según la conversación.

Anoche Carlos _____ a Tadeo pero nadie _____ el teléfono. No _____ nadie porque los padres de Tadeo _____ y Tadeo _____ también. Pero ellos no _____ juntos. Sus padres _____ en un restaurante con algunos amigos y Tadeo _____ una película fabulosa en el cine Goya.

Ejercicio 3 ¿Qué hiciste anoche?
Contesten personalmente.

1. ¿Saliste anoche?
2. ¿Comiste en casa o en un restaurante?
3. ¿Viste una película?
4. ¿Miraste la televisión?
5. ¿Llamaste a un(a) amigo(a) por teléfono?
6. ¿Hablaron Uds. en inglés o en español?
7. Después de la conversación, ¿salieron Uds. juntos?
8. ¿Vieron Uds. una película en el cine?
9. ¿Estudiaron Uds.?
10. ¿Escribieron Uds. una composición para la clase de inglés?

Los pronombres de complemento indirecto

We have already reviewed the pronouns **me, te,** and **nos,** which can be used either as direct or indirect object pronouns.

The pronouns **lo, la, los, las** can be used only as direct object pronouns. The indirect object pronouns are **le** and **les.** Remember that the indirect object of the sentence is the indirect receiver of the action of the verb. Let us analyze the following sentence.

Juan le escribió una carta a Lupita.

What John actually wrote is the direct object of the sentence. The person to whom John wrote is the indirect object. What is the direct object of the above sentence? What is the indirect object?

Note that the indirect object pronouns **le** and **les** can be used with a noun or a pronoun phrase.

Noun phrase	*Pronoun phrase*
María le dio un regalo a Juan.	**María le dio un regalo a él.**
Juan le dio un regalo a María.	**Juan le dio un regalo a ella.**
Juan les dio un regalo a sus amigos.	**Juan les dio un regalo a ellos.**
María les dio un regalo a sus amigas.	**María les dio un regalo a ellas.**
	Juan le dio un regalo a Ud.
	María les dio un regalo a Uds.

Ejercicio 4 Contesten.

1. Anoche, ¿le hablaste a Juan?
2. ¿Le hablaste a María también?
3. ¿Les hablaste en inglés o en español?
4. ¿Les compraste un regalo?
5. ¿Le diste el regalo a Juan?
6. ¿Le diste el regalo a María?
7. ¿Les diste el mismo regalo o no?

Actividades

1 Lola Ureña and her friends spent their summer vacation at the beach. Based on the activities in the illustration, tell what they did. Following is a list of expressions you may wish to use.

- **hablar**
- **tomar el sol**
- **tomar un refresco**
- **nadar**
- **esquiar en el agua**
- **bucear**

2 Last night Enrique Gómez went out with some of his friends. Based on the activities in the illustration, tell what they did. Following is a list of expressions you may wish to use.

- **salir con los amigos**
- **comer en un restaurante**
- **recibir un servicio bueno**
- **pagar la cuenta**
- **dejar una propina**
- **comprar una entrada en la taquilla**
- **ver una película en español**
- **comprender la película**

3 Write a short note to a friend telling him or her what you did last night.

Anoche...

E REPASO

El carro

Tomás	No lo creo. ¿Qué me dijiste?
Elena	Tú me oíste bien. Te dije que Pablo compró un cacharro.
Tomás	¿Por qué hizo eso?
Elena	¿Qué sé yo? Lo compró ayer y estuvo todo el día en el garaje.
Tomás	¿El primer día lo tuvo que llevar al garaje?
Elena	Sí, sí. Está en tan malas condiciones que no lo pudo arrancar.
Tomás	Es increíble.

Ejercicio   Completen.

Elena le dij____ a Tomás que Pablo compr____ un cacharro en muy malas condiciones. Tomás no pud____ creer que Pablo hiz____ eso. El día que compr____ el carro, estuv____ todo el día en el garaje. Lo tuv____ que llevar al garaje porque no lo pud____ arrancar.

εstructura

El pretérito de algunos verbos irregulares

Review the following forms of some verbs that have irregular forms in the preterite.

estar	estuve, estuviste, estuvo, estuvimos, (estuvisteis), estuvieron
tener	tuve, tuviste, tuvo, tuvimos, (tuvisteis), tuvieron
andar	anduve, anduviste, anduvo, anduvimos, (anduvisteis), anduvieron
poner	puse, pusiste, puso, pusimos, (pusisteis), pusieron
poder	pude, pudiste, pudo, pudimos, (pudisteis), pudieron
saber	supe, supiste, supo, supimos, (supisteis), supieron
querer	quise, quisiste, quiso, quisimos, (quisisteis), quisieron
hacer	hice, hiciste, hizo, hicimos, (hicisteis), hicieron
venir	vine, viniste, vino, vinimos, (vinisteis), vinieron
decir	dije, dijiste, dijo, dijimos, (dijisteis), dijeron

Many of these irregular verbs are not used very often in the preterite. When they are used in the preterite, some of these verbs take on a special meaning.

Carlos lo supo ayer.	*Charles found it out yesterday.*
Elena lo pudo hacer.	*(After much effort) Elena managed to do it.*
José no lo pudo hacer.	*(He tried but) José couldn't do it.*
Teresa no quiso ir.	*Teresa refused to go.*

Ejercicio 1   ¿Qué dijeron todos?

¿Qué dijo Carlos?
Carlos dijo que no lo pudo hacer, no lo quiso hacer y no lo hizo.

1. ¿Qué dijo Enrique?
2. ¿Qué dijo Isabel?
3. ¿Qué dije yo?
4. ¿Qué dijeron Pablo y Anita?
5. ¿Qué dijimos?

Ejercicio 2   No vino nadie. ¡Qué obstinados!

¿Por qué no viniste?
Yo no vine porque no quise venir y no tuve que venir.

1. ¿Por qué no vino Roberto?
2. ¿Por qué no viniste?
3. ¿Por qué no vino Elena?
4. ¿Por qué no vinieron Elena y sus amigos?
5. ¿Por qué no vinieron Uds.?

El pretérito del verbo *ir*

Study the following forms of the verb **ir** in the preterite. Pay particular attention to these forms since they are completely irregular.

    ir   fui, fuiste, fue, fuimos, (fuisteis), fueron

The verb **ser,** which is seldom used in the preterite, is conjugated the same as the verb **ir.** Its meaning is made clear by its use in the sentence.

    ¿Quién fue el presidente? Betancourt fue el presidente.

Ejercicio 3   **Anoche todos hicieron algo distinto.**

Carlos / cine
Carlos fue al cine.

1. Yo / teatro
2. Elena / partido de fútbol
3. Nosotros / cine
4. Paco y Tomás / mercado
5. Tú / una fiesta

Actividades

1   Let's see how well you know the rules of the road. Select the correct completion to each item.

1. Antes de doblar la esquina . . .
   a. María aceleró.
   b. María puso las direccionales.
   c. María tocó la bocina.

2. María vio una luz roja en el semáforo y . . .
   a. empezó a poner los frenos.
   b. aceleró.
   c. puso las luces.

3. María llegó a un cruce y . . .
   a. puso el pie en el acelerador.
   b. miró en ambas direcciones antes de continuar.
   c. tocó la bocina y aceleró.

2

Look at the illustration and tell what the people are doing to the car at the service station. Following is a list of expressions you may wish to use.

- **llenar el tanque de gasolina**
- **revisar el aceite**
- **poner aire en los neumáticos**
- **poner agua en la batería**
- **poner agua en el radiador**
- **limpiar el parabrisas**

1 El sereno

En Madrid

vocabulario

la manzana

el portal

el llavero

la llave

el sereno

el chuzo

El señor sacaba **una moneda** de su **bolsillo**.

El señor Vargas **daba palmadas**.
El sereno **daba golpes** con su **chuzo**.
El sereno **vigilaba** por la calle.

Ejercicio 1   Una noche en Madrid

1. ¿Estaba en Madrid el señor Vargas?
2. ¿Estaba él delante del portal de un edificio?
3. ¿Daba palmadas?
4. ¿Vigilaba alguien por la calle?
5. ¿Quién vigilaba la calle?
6. El sereno, ¿daba él palmadas o daba golpes?
7. ¿Con qué daba golpes?

Pero, ¿qué pasaba? ¿Pueden Uds. imaginar por qué el señor Vargas daba palmadas y el sereno que vigilaba por la calle golpeaba con su chuzo? ¡Caramba! ¿Qué van a hacer estos señores? ¿Van a pelear (*fight*)? Pronto lo vamos a saber.

Una fiesta madrileña

un desfile

un santo

una corrida de toros

una procesión

Ejercicio 2 ¿Sí o no?

1. La fiesta tenía lugar en Sevilla.
2. Durante la fiesta había una procesión.
3. La gente llevaba una estatua del presidente durante la procesión.
4. Los militares y los músicos tomaban parte en la corrida de toros.

Expresiones útiles

Very often we wish to tell someone about those things that we do often or did all the time. Some useful time expressions to express our repeated or habitual activities are:

todos los sábados, los sábados
todos los días, cada día
siempre
muchas veces, a menudo, con frecuencia
a veces, de vez en cuando

Ejercicio 3 Tus clases
Contesten personalmente.

1. ¿Vas a la escuela casi todos los días?
2. ¿Tienes clases los sábados?
3. ¿Tienes la clase de español cada día a la misma hora?
4. ¿Siempre tienes que hablar en la clase de español?
5. ¿Tienes que cantar de vez en cuando?

estructura

El imperfecto de los verbos en -ar

In Spanish several tenses are used to express actions that took place in the past. We have already learned the preterite tense. The preterite is used to express actions that started and ended at a definite time in the past. We are now about to learn the imperfect tense.

First let us look at how the imperfect tense of regular **-ar**, or first-conjugation, verbs is formed.

Infinitive	hablar	cantar	Endings
Stem	habl-	cant-	
yo	hablaba	cantaba	**-aba**
tú	hablabas	cantabas	**-abas**
él, ella, Ud.	hablaba	cantaba	**-aba**
nosotros, -as	hablábamos	cantábamos	**-ábamos**
(vosotros, -as)	(hablabais)	(cantabais)	**(-abais)**
ellos, ellas, Uds.	hablaban	cantaban	**-aban**

The imperfect tense is used in Spanish to express habitual or repeated actions in the past. When the event began or ended is not important.

El señor Brown siempre hablaba español en clase.
A veces él cantaba también.
De vez en cuando él bailaba también.
Pero él nunca tocaba la guitarra.
Nos gustaba mucho la clase del señor Brown.

Ejercicio 1 Durante las vacaciones . . .
Contesten personalmente.

1. ¿Siempre pasabas algunos días del verano en una playa o en una piscina?
2. ¿Nadabas mucho?
3. ¿Esquiabas a veces en el agua?
4. ¿Hablabas muy a menudo con tus amigos?
5. ¿Nadaban tus amigos también?
6. ¿Esquiaban ellos en el agua o no?
7. ¿Tomaban Uds. un refresco de vez en cuando?
8. ¿Jugaban Uds. al fútbol los sábados?
9. ¿Cenaba tu familia a veces en un restaurante?
10. ¿Miraba tu familia la televisión?

Ejercicio 2 Mi escuela elemental

1. ¿Cómo se llamaba tu escuela elemental?
2. ¿Dónde estaba la escuela?
3. ¿Qué estudiabas en la escuela elemental?
4. ¿Andabas a pie a la escuela o tomabas el autobús?
5. ¿A qué hora empezaban las clases?
6. ¿Y a qué hora terminaban?

Ejercicio 3 Yo siempre estudiaba y sacaba buenas notas.

1. Y tu hermano(a), ¿estudiaba él (ella) mucho también?
2. ¿Qué estudiaba él (ella)?
3. ¿Estudiaban Uds. juntos?
4. ¿Y tus amigos? ¿Estudiaban ellos mucho también?

El imperfecto de los verbos en *-er, -ir*

Note that the forms of regular **-er** and **-ir** verbs are identical in the imperfect.

Infinitive	comer	vender	vivir	asistir	Endings
Stem	**com-**	**vend-**	**viv-**	**asist-**	
yo	comía	vendía	vivía	asistía	**-ía**
tú	comías	vendías	vivías	asistías	**-ías**
él, ella, Ud.	comía	vendía	vivía	asistía	**-ía**
nosotros, -as	comíamos	vendíamos	vivíamos	asistíamos	**-íamos**
(vosotros, -as)	(comíais)	(vendíais)	(vivíais)	(asistíais)	**(-íais)**
ellos, ellas, Uds.	comían	vendían	vivían	asistían	**-ían**

We have learned many verbs that have a stem change in the present tense. However, note that these verbs have no stem change in the imperfect.

querer   quería, querías, quería, queríamos, (queríais), querían
tener   tenía, tenías, tenía, teníamos, (teníais), tenían
preferir   prefería, preferías, prefería, preferíamos, (preferíais), preferían
decir   decía, decías, decía, decíamos, (decíais), decían

The imperfect of the impersonal expression **hay** is **había**.

Ejercicio 4 Practiquen la conversación.

Paco   Teresa, ¿a qué escuela elemental asistías?
Teresa   Yo asistía a la Escuela _____.
Paco   Ay, no lo creo. Tú y yo asistíamos a la misma escuela y no nos conocíamos.

Ejercicio 5   Contesten según la conversación.

1. ¿A qué escuela elemental asistía Teresa?
2. ¿Y a qué escuela asistía Paco?
3. ¿Asistían ellos a la misma escuela?
4. ¿Se conocían ellos cuando estaban en la escuela elemental?

Ejercicio 6   Las asignaturas difíciles

Mi amigo Samuel nunca comprendía la geometría.
1. Y tú, ¿qué no comprendías?
2. Y tu amiga Teresa, ¿qué no comprendía?
3. Y tú y Teresa, ¿qué no comprendían Uds.?
4. Y el (la) profesor(a), ¿qué no comprendía?

Ejercicio 7   Vamos a hablar con nuestro(a) profesor(a) de español. Pregúntenle:

1. ¿Dónde asistía a la escuela superior?
2. ¿Cuántos años tenía?
3. ¿Qué clases prefería?
4. ¿Escribía mucho en la escuela?
5. ¿Leía mucho también?
6. ¿Qué tipo de libros prefería leer?
7. ¿Recibía buenas notas?
8. ¿Tenía un(a) novio(a)?
9. ¿Sabía que quería ser profesor(a)?

Ejercicio 8   Completen con el imperfecto.

Nos habla Lupita Salas.

Yo _____ (asistir) a la universidad en España. En España nosotros _____ (tener) clases seis días a la semana. Pero sólo _____ (haber) medio día los sábados. Los sábados por la tarde nosotros _____ (jugar) al fútbol o a otros deportes. Los domingos nosotros _____ (descansar) o nos _____ (sentar) en un café. En el café yo siempre _____ (pedir) un café y luego _____ (mirar) a la gente que _____ (pasar).

En Madrid siempre _____ (haber) muchas fiestas. Durante las fiestas las escuelas se _____ (cerrar). Todos los estudiantes _____ (poder) ir a las fiestas. Allí nosotros _____ (comer) de todo, _____ (bailar) y _____ (cantar) hasta no sé qué hora. Me _____ (gustar) las clases pero me _____ (gustar) más las fiestas.

¡Y el sereno! Cada vez que yo _____ (volver) tarde, yo _____ (dar) una palmada y en seguida él _____ (contestar) con un golpecito de su chuzo y allí _____ (estar). Me _____ (abrir) el portal y con una sonrisa me _____ (decir) «Buenas noches».

El imperfecto de los verbos *ir* y *ser*

Study the following forms of the irregular verbs **ir** and **ser** in the imperfect.

Infinitive	ir	ser
yo	iba	era
tú	ibas	eras
él, ella, Ud.	iba	era
nosotros, -as	íbamos	éramos
(vosotros, -as)	(ibais)	(erais)
ellos, ellas, Uds.	iban	eran

Ejercicio 9   Contesten según el dibujo.

1. ¿Qué era este señor?
2. ¿Cómo era? ¿Era alto o bajo?
   ¿Era delgado o gordo?
3. ¿Por dónde iba el sereno?
4. ¿Iba por la calle de día o de noche?

Ejercicio 10   Contesten personalmente.

1. En el quinto grado, ¿a qué escuela ibas?
2. ¿Quién era tu maestro(a)?
3. ¿Era simpático(a)?
4. ¿Y cómo eras tú en el quinto grado?
5. ¿Ibas a la escuela con tus amigos?
6. ¿Cómo iban Uds. a la escuela?
7. ¿Quiénes eran tus amigos en el quinto grado?

Los usos del imperfecto

As we have already learned, the imperfect tense is used to express continuous, repeated, or habitual actions in the past. Let's see what Juanito or Clarita has to tell us about some of the things he/she did (frequently, often) as a child.

Cuando yo **era** niño(a), yo siempre **me acostaba** muy temprano y **me levantaba** temprano también. Todos los días yo **aprendía** algo nuevo en la escuela. Los sábados mi madre o mi padre y yo siempre **hacíamos** algo distinto. A veces **íbamos** de compras y a veces **íbamos** al parque. De vez en cuando **jugábamos** al fútbol. Siempre **nos divertíamos**.

The imperfect is also used to describe persons, places, and things in the past.

El señor estaba en la calle Luna.	*location*
Tenía unos treinta años.	*age*
Era alto y tenía ojos azules.	*appearance*
Estaba muy cansado.	*physical condition*
Estaba triste.	*emotional state*
Tenía ganas de dormir.	
Quería volver a casa.	*attitudes and desires*
Eran las diez de la noche.	*time*
Hacía frío y nevaba.	*weather*

El pobre señor. ¿Por qué no podía ir a casa?

Ejercicio 11   Vamos a describir a don Quijote y a Sancho Panza.

1. ¿De dónde era don Quijote?   **de la Mancha**
2. ¿Cómo era don Quijote?   **alto y flaco**
3. ¿Cómo estaba el pobre don Quijote?
   loco
4. ¿Qué quería conquistar?   **los males del mundo**
5. ¿Cómo era el caballo de don Quijote?
   débil y viejo
6. ¿Cómo se llamaba su escudero?
   Sancho Panza
7. ¿Cómo era él?   **bajo y gordo**
8. ¿Qué tenía él siempre?   **hambre**
9. ¿Adónde quería ir?   **a casa**
10. ¿Tenía que salir con don Quijote cuando hacía mal tiempo?   **sí**

Después de las clases, unas amigas se encuentran y hablan, Madrid

conversación

Las fiestas de San Isidro*

Teresa	¿Qué tal te gustaron las fiestas de San Isidro?
Bárbara	Me gustaron mucho. Había muchas corridas de toros y yo iba todos los días.
Teresa	¡Caramba! Yo no sabía que eras tan aficionada a los toros.
Bárbara	Sí, sí. Lo soy.
Teresa	¡Oye! ¿Quién era ese muchacho con quien estabas?
Bárbara	¿Él? Él es mi primo, Alfonso. Es de Salamanca pero quería estar aquí en Madrid para las fiestas.
Teresa	¿Todavía está?
Bárbara	Sí, sí. Va a estar ocho días más. ¿Por qué me preguntas, Teresa?
Teresa	No está mal, ¿sabes?
Bárbara	Pues, te lo puedo presentar si quieres.

Ejercicio *¿Sí o no?*

1. Bárbara estaba en Madrid durante las fiestas de San Isidro.
2. A Bárbara no le gustaron nada las fiestas de San Isidro.
3. Durante las fiestas Bárbara dijo que había procesiones todos los días.
4. Bárbara iba a la corrida de toros todos los días.
5. Bárbara siempre iba sola a la corrida.
6. Teresa también estaba en Madrid durante las fiestas de San Isidro.
7. El muchacho que estaba con Bárbara era su novio.
8. Su primo se llamaba Alfonso y él era de Salamanca.
9. Cuando Bárbara hablaba con Teresa, Alfonso estaba todavía en Madrid.

---

*__San Isidro__ *Es el santo patrón de Madrid, la capital de España. Las fiestas patronales, o las fiestas en honor de San Isidro, son en mayo.*

Lectura cultural

El sereno

¿Qué significa la palabra «sereno»? Pues, tiene varios significados. Puede significar «tranquilo». Se usa también para describir el tiempo. Una noche serena es una noche clara. El cielo está despejado, sin nubes.

Hasta recientemente la palabra «sereno» refería también a una persona—al sereno. ¿Quién era el sereno y qué hacía? Pues, el sereno siempre trabajaba de noche. A eso de* las once de la noche se cerraban los portales de los edificios de las ciudades españolas. Luego salía a trabajar el sereno. Él vigilaba por la calle durante la noche. Él tenía las llaves de los portales de todos los edificios de la calle o de la manzana que él vigilaba.

Cuando un vecino volvía a casa después de las once de la noche, daba palmadas al llegar al portal de su casa. El sereno las oía y contestaba. ¿Cómo contestaba? ¿Decía o gritaba algo? No, él no decía nada. El sereno siempre llevaba un chuzo. Al oír las palmadas del vecino, el sereno daba unos golpes con su chuzo. Cuando el vecino los oía, sabía que el sereno iba a llegar dentro de unos momentos. Y así era. Casi en seguida el sereno aparecía de la oscuridad* con el chuzo y el gran llavero en la mano. Como el sereno conocía a todos los vecinos, siempre los saludaba cuando volvían a casa. Mientras les abría el portal, les decía «Buenas noches y gracias». ¿Por qué les daba las gracias? Los vecinos siempre sacaban de su bolsillo o de su portamonedas* una moneda de cinco pesetas—o mejor dicho—de un duro, y se lo daban al sereno. El sereno vivía de las propinas que recibía de los vecinos de «su manzana».

Antiguamente el sereno hacía más que vigilar la calle y abrir los portales. Él cantaba las horas también. Después de dar las horas él añadía el estado del tiempo—«¡Las cuatro en punto y *sereno*!»

Hoy en día no hay más serenos. La gente tiene que llevar sus llaves para abrir el portal de su casa. Cuando había serenos los vecinos se quejaban* un poco. ¿Por qué se quejaban? Porque creían que el sereno sabía demasiado de su vida. Hoy lamentan la desaparición del sereno. Dicen que sin la vigilancia del sereno hay más crímenes en las calles.

A eso de At approximately   *oscuridad* darkness   *portamonedas* change purse
se quejaban complained

34

Ejercicio Escojan las respuestas apropiadas.

1. ¿Cuál es un sinónimo de «sereno»?
   a. Tarde.
   b. Tranquilo.
   c. Oscuro.

2. Cuando no hay nubes, ¿cómo está el cielo?
   a. Despejado.
   b. Blanco.
   c. Extraño.

3. ¿Cuándo trabajaba el sereno?
   a. A la hora de la siesta.
   b. Ocho horas al día.
   c. Por la noche.

4. ¿Qué ocurría a las once de la noche?
   a. La gente terminaba de trabajar.
   b. Los edificios cerraban sus puertas.
   c. Se abrían los portales.

5. ¿Qué responsabilidad tenía el sereno?
   a. Tenía que hacer llaves.
   b. Cerraba todos los portales.
   c. Vigilaba las casas de su calle.

6. ¿Cómo llamaban los vecinos al sereno?
   a. Gritaban en voz alta.
   b. Daban palmadas.
   c. Hacían ruido con las llaves.

7. ¿Cómo contestaba el sereno cuando lo
   llamaba un vecino?
   a. Daba unos golpes con su chuzo.
   b. Decía «sereno».
   c. Tocaba a la puerta.

8. ¿Qué llevaba siempre el sereno?
   a. El portal y una llave.
   b. El bolsillo y la propina.
   c. El chuzo y el llavero.

9. ¿Por qué les decía gracias a los vecinos
   cuando les abría la puerta?
   a. Él los conocía a todos.
   b. Ellos le daban dinero.
   c. Ellos le daban las llaves.

10. ¿Qué se pone en un portamonedas?
    a. Dinero.
    b. Llaves.
    c. Chuzos.

11. ¿Qué era el salario del sereno?

    a. Cinco duros la hora.

    b. Manzanas y otra comida.

    c. Las propinas de los vecinos.

12. ¿Qué hacían los serenos antiguos?

    a. Cantaban las horas y el tiempo.

    b. Trabajaban por el estado.

    c. Vigilaban cuatro manzanas.

13. ¿Quién abre los portales ahora?

    a. Los serenos que vigilan las calles.

    b. La gente que vive en la casa.

    c. La policía que patrulla la calle.

14. ¿Por qué se quejaban los vecinos cuando había sereno?

    a. Era difícil tener secretos con un sereno.

    b. Los serenos ya no cantaban la hora.

    c. El sereno llevaba una vida muy dura.

15. ¿Cuál será un efecto de la desaparición del sereno?

    a. Mejor vigilancia de las casas.

    b. Menos ruido por la noche.

    c. Más crímenes en las calles.

Actividades

1 Nunca había serenos en las ciudades de los Estados Unidos. Pero había una época en que los policías caminaban por las calles. Conocían a los vecinos de las calles que vigilaban. Hoy los policías no andan a pie por las calles. Hoy están en carros de patrulla. ¿Qué sistema prefiere Ud.? ¿Puede Ud. decir por qué?

2 **Describa a una persona famosa del pasado.**

- ¿Quién era?
- ¿Cómo se llamaba?
- ¿De dónde era y dónde vivía?
- ¿Cómo era?

- ¿En qué trabajaba?
- ¿Qué hacía?
- ¿Por qué era famoso(a)?
- ¿Ud. lo (la) conocía?

3 Play a guessing game. Think of a famous person. Have your classmates ask you questions until one of them can guess the famous person you have selected.

4 **Describa todo lo que Ud. ve en el dibujo.**

Revista

París tiene su Torre de Eiffel. ¿Esta diosa es un símbolo de qué ciudad española?

¿Es un sereno moderno o antiguo? Él vigilaba por las calles. ¿Qué más hacía él?

Esta moneda vale 5 pesetas. ¿Cómo se llama? ¿Quién recibía esta moneda como propina por abrir el portal? ¿Sabes quién es la persona en la moneda? En inglés decimos *"heads or tails."* En español es «cara o cruz».

San Isidro es el santo patrón de Madrid. Uno de los dos cuadros en esta página es de 1.889 y el otro es de 1.955. ¿Cuál es cuál?

A San Isidro lo llaman «Labrador». ¿Qué se ve en los cuadros que indica que Isidro era labrador?

Madrid es la Villa del Oso y del Madroño. ¿Qué es un oso? Y el madroño, ¿qué es?

2 La tienda por departamentos

En la tienda por departamentos

el mostrador

el ascensor

la caja

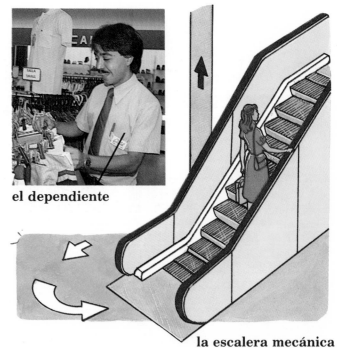

el dependiente

la escalera mecánica

Ejercicio 1 En una tienda por departamentos

1. En una tienda por departamentos, ¿qué puedes tomar para ir de un piso a otro?
2. Cuando llegas al mostrador, ¿quién te ayuda (atiende)?
3. Si compras algo, ¿dónde tienes que pagar?
4. ¿Quién trabaja en una tienda por departamentos?

el sótano

la planta baja

la liquidación

las joyas

los comestibles

las vasijas

los electrodomésticos

los juguetes

los muebles

Galerías Rodríguez

sótano	liquidación
planta baja	perfumes, joyas, zapatos
primer piso	pasteles, comestibles, vasijas, electrodomésticos
segundo piso	ropa para damas
tercer piso	ropa para señores
cuarto piso	ropa para niños, juguetes
quinto piso	libros, deportes, discos
sexto piso	electrónica, cámaras, película
séptimo piso	muebles

Ejercicio 2   Raúl está en Galerías Rodríguez. ¿A qué piso tiene que ir si quiere comprar . . .

1. una camisa
2. una cama
3. un balón
4. una blusa para su madre

5. un rollo de película
6. un televisor
7. una novela
8. una botella de agua de colonia

El dependiente hablaba con otro cliente cuando Paco llegó al mostrador.

Paco pagaba en la caja cuando vinieron sus amigos.

Ejercicio 3   Paco estaba en una tienda por departamentos.

1. ¿Fue Paco al mostrador?
2. ¿Trabajaba el dependiente?
3. ¿Hablaba el dependiente con otro cliente cuando Paco llegó al mostrador?
4. ¿Compró algo Paco?
5. ¿Pagó él en la caja?
6. ¿Pagaba él cuando vinieron sus amigos?

Ejercicio 4   ¿En qué piso estaba?

Raúl / un disco
*Raúl estaba en el quinto piso
donde compró un disco.*

1. Los señores Colón / unas perlas
2. Adela / arroz
3. Yo / un televisor
4. Los niños / una corbata para su papá
5. Nosotros / un sofá
6. Teresa / un guante de béisbol
7. Mis tías / unos platos
8. Don Avaro / cosas muy baratas

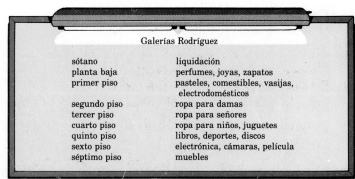

Galerías Rodríguez	
sótano	liquidación
planta baja	perfumes, joyas, zapatos
primer piso	pasteles, comestibles, vasijas, electrodomésticos
segundo piso	ropa para damas
tercer piso	ropa para señores
cuarto piso	ropa para niños, juguetes
quinto piso	libros, deportes, discos
sexto piso	electrónica, cámaras, película
séptimo piso	muebles

Estructura

El imperfecto y el pretérito

The choice of the preterite or imperfect depends upon whether the speaker is describing an action completed in the past or a continuous, recurring action.

The preterite is used to express actions or events that began and ended at a definite time in the past.

> **Yo pasé <u>el verano pasado</u> en la playa.**
> **<u>Ayer</u> yo fui de compras.**
> **Salí <u>anoche</u>.**

The imperfect, in contrast to the preterite, is used to express a continuous, habitual, or repeated action in the past. The moment when the action began or ended is unimportant.

> **Yo pasaba <u>todos los veranos</u> en la playa.**
> **Yo iba de compras <u>todos los días</u>.**
> **Yo salía <u>cada noche</u>.**

Contrast the following sentences.

Repeated, habitual action	*Completed action*
Él iba de compras todos los días	**y ayer también fue de compras.**
Él salía cada noche	**y anoche salió también.**
Él siempre llegaba tarde	**y esta mañana llegó tarde también.**

Ejercicio 1 ¿Una vez o frecuentemente?
Contesten.

1. ¿Jugaron los jóvenes al fútbol el otro día?
   ¿Cuándo jugaron al fútbol?
   ¿Jugaban los jóvenes al fútbol todos los días?
   ¿Cuándo jugaban al fútbol?

2. ¿Miró Anita la televisión anoche?
   ¿Cuándo miró ella la televisión?
   ¿Miraba Anita la televisión cada noche?
   ¿Cuándo miraba ella la televisión?

3. ¿Recibió Teresa buenas notas el año pasado?
   ¿Cuándo recibió ella buenas notas?
   ¿Siempre recibía Teresa buenas notas?
   ¿Cuándo recibía ella buenas notas?

4. ¿Hizo José un viaje a Puerto Rico el verano pasado?
   ¿Cuándo hizo José el viaje?
   ¿Hacía José un viaje a Puerto Rico todos los veranos?
   ¿Cuándo hacía José el viaje?

5. ¿Trabajó el señor una vez en una tienda por departamentos?
   ¿Cuándo trabajó el señor en una tienda por departamentos?
   ¿Trabajaba el señor de vez en cuando en una tienda por departamentos?
   ¿Cuándo trabajaba el señor en una tienda por departamentos?

Ejercicio 2   ¿Siempre o una vez?
Sigan el modelo.

Carlos

todos los días
el domingo pasado
Carlos, ¿jugabas al fútbol todos los días?
Carlos, ¿jugaste al fútbol el domingo
*   pasado?*

1.

Rosita

todos los días
el domingo pasado

2.

Paco

todos los veranos
ayer

3.

Margarita

todas las noches
anoche

4.

Elena

todas las tardes
esta mañana

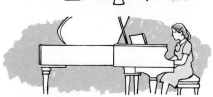

Ejercicio 3   Contesten personalmente.

Durante el verano . . .
1. ¿Dónde estabas?
2. ¿Nadabas todos los días?
3. ¿Qué hacías todos los días?
4. ¿Qué hacías por la noche? ¿Adónde ibas?
5. ¿Qué hacían los otros miembros de la familia?

Anoche . . .
6. ¿Dónde estuviste?
7. ¿Miraste la televisión?
8. ¿Saliste?
9. ¿Qué hiciste?
10. ¿A qué hora te acostaste?

Ejercicio 4   Lo que pasaba antes y lo que pasó ayer.
Sigan el modelo.

Pablo / comer chocolate
Antes Pablo siempre comía chocolate pero ayer no comió chocolate.

1. Pablo / ir de compras
2. Pablo / hacer las compras
3. Pablo / llevar dinero
4. Pablo / pagar

Ejercicio 5   Lo que yo hacía los jueves
Lean el párrafo.

Cada jueves yo me levantaba temprano. Me lavaba y me vestía rápido. Tomaba un café y corría a tomar el bus al centro. Cada jueves las grandes tiendas por departamentos ofrecían tremendas gangas. Yo compraba todo lo necesario y pagaba muy poco. Volvía a casa por la tarde con miles de paquetes. Yo recibía buen valor por lo que gastaba.

Ahora cambien *cada jueves* a *el jueves pasado* y hagan los cambios necesarios.

El jueves pasado yo . . .

Dos acciones en la misma oración

Many sentences in the past have two verbs which can either be in the same tense or in a different tense. Analyze the following sentences.

Juan salió y Elena entró.

In the sentence above, both verbs are in the preterite because they express two simple actions or events that began and ended in the past.

Durante las vacaciones Carlos iba a la playa y yo trabajaba.

In the sentence above, the two verbs are in the imperfect because they both express continuous actions, and it is not known if these actions have been completed.

Mi madre tocaba el piano cuando Nando entró en la sala.

In the sentence above, one verb is in the imperfect and the other is in the preterite. The verb in the imperfect (**tocaba**) describes what was going on. The verb in the preterite (**entró**) expresses the action or event that intervened and interrupted the first action.

Ejercicio 6   ¿Qué pasaba cuando . . . ?
Contesten.

1. ¿Miraba Juan la televisión cuando sonó el teléfono? ¿Contestó el teléfono?
2. ¿Leía su madre el periódico cuando Juan la llamó al teléfono? ¿Fue su madre al teléfono?
3. ¿Hablaba su madre por teléfono cuando Juan salió? ¿Fue Juan al café?
4. ¿Caminaba Juan al café cuando vio a su amiga Lola? ¿Fueron juntos al café?
5. En el café, ¿hablaban Juan y Lola cuando llegaron dos amigos más?
6. ¿Hablaban los amigos cuando el mesero vino a la mesa?

Ejercicio 7 ¿Qué hacían los jóvenes cuando llegaron los padres de Susana?

1.

2.

3.

4.

5.

6.

En el departamento de ropa del
Corte Inglés en Madrid, España

conversación

Yo estaba de compras.

Anita	Papá dijo que me llamaste anoche.
Carolina	Sí, te llamé y no estabas. ¿Qué hacías?
Anita	Pues, fui a Galerías Meléndez. ¿Y sabes lo que pasó?
Carolina	No, ¿qué pasó?
Anita	Pues, yo miraba unos *blue jeans* en el quinto piso cuando vino Adela.
Carolina	Estabas en el departamento de ropa para caballeros, ¿no?
Anita	Sí, iba a pagar mil pesos por los *blue jeans* y Adela me dijo que había una liquidación en el sótano.
Carolina	¿Bajaste al sótano?
Anita	¡Claro! Y los compré en el sótano por setecientos pesos.
Carolina	¡Setecientos pesos! ¡Fue una ganga!

Ejercicio Contesten.

1. ¿Quién llamó a Anita?
2. ¿Estaba Anita en casa?
3. ¿Dónde estaba?
4. ¿Qué quería comprar ella?
5. ¿Dónde miraba ella los *blue jeans*?
6. ¿Quién vino cuando ella los miraba?
7. ¿Cuánto iba a pagar Anita por los *blue jeans*?
8. ¿Qué había en el sótano?
9. ¿Bajó Anita al sótano?
10. ¿Cuánto pagó ella por los *blue jeans*?

---

ganga *bargain*

¡ectura cultural

En Galerías Rodríguez

Había una vez que la gente siempre iba
de una tienda a otra para hacer sus
compras. Cada tienda se especializaba en un
producto. Hoy las tiendas por departamentos
se encuentran* en todas partes, igual en
España o Hispanoamérica que en los
Estados Unidos. En una tienda por
departamentos se puede comprar de todo. No
es necesario ir de una tienda a otra para
comprar una cantidad de cosas distintas.

Anoche José y un grupo de amigos del
colegio en Santiago fueron a Galerías
Rodríguez a comprar un regalo de
cumpleaños para su amigo Antonio. José le
quería comprar un disco. Teresa le quería
comprar pelotas para el tenis y Marta le
quería comprar un libro. A Paco no le
gustaba nada ir de compras y él no sabía lo
que iba a comprar. Ahora vamos a ver quién
tuvo más éxito.

Cuando llegaron a Galerías Rodríguez
Paco bajó en seguida en la escalera
mecánica al sótano. Mientras él bajaba al
sótano los otros subían en el ascensor. Cada
uno salió (bajó) del ascensor en un piso
distinto. José fue al departamento de discos
en el tercer piso. Mientras él buscaba un
disco de Julio Iglesias, Teresa compraba
pelotas para el tenis en el departamento de
deportes en el cuarto piso. Marta encontró
una novela de Gabriel García Márquez en la
librería en el quinto piso.

Todos podían comprar lo que querían en la misma tienda. ¡Qué conveniente!
Después de unos quince minutos todos se reunieron de nuevo en la planta baja.
Pero no estaba Paco. Todos sabían que él todavía buscaba algo.

Los amigos bajaron al sótano. ¿Y dónde estaba Paco? Lo encontraron en la caja
donde él pagaba. En la mano él tenía un par de *blue jeans* y un *T-shirt*. Él tuvo
más éxito que nadie. Un par de *blue jeans* y un *T-shirt* por sólo mil pesos.

—Paco, ¿cuánto gastaste?*—le preguntaron todos.

—Hm. No mucho—les contestó Paco. —¿Quién no sabe que en el sótano siempre
hay liquidaciones? Si quieres una ganga, ¡al sótano!

---

se encuentran   *are found*   *gastaste*   *did you spend*

Ejercicio Escojan.

1. En el pasado, ¿cómo hacía la gente sus compras?
   a. Ellos iban de tienda en tienda.
   b. Ellos iban solamente al mercado.
   c. Los vendedores iban a las casas.

2. ¿Por qué era necesario ir a más de un lugar?
   a. Las tiendas eran demasiado pequeñas.
   b. La calidad de los productos variaba mucho.
   c. Cada tienda se dedicaba a un tipo de producto.

3. ¿Dónde se encuentran hoy las tiendas por departamentos?
   a. Solamente en los Estados Unidos.
   b. Sólo en los Estados Unidos y España.
   c. En casi todas partes del mundo.

4. ¿Por qué son convenientes las tiendas por departamentos?
   a. Siempre están en el centro de la ciudad.
   b. Llevan productos de todas clases.
   c. Los precios siempre son muy bajos.

5. ¿Con quién fue José a Galerías Rodríguez?
   a. Con unos estudiantes.
   b. Con Antonio.
   c. Con Julio Iglesias.

6. ¿Por qué fueron los muchachos a la tienda?
   a. Querían comprar regalos para Antonio.
   b. Necesitaban libros para la escuela.
   c. Iban a comprar discos para un baile.

7. ¿Quién compró algo para deportes?
   a. Teresa.
   b. Paco.
   c. José.

8. ¿Quién no subió en el ascensor con los otros?
   a. Teresa.
   b. Paco.
   c. José.

9. ¿Quién es Gabriel García Márquez?
   a. Un famoso deportista.
   b. Un cantante.
   c. Un autor.

10. ¿Cuánto tiempo les tomó a los muchachos hacer sus compras?
    a. Un cuarto de hora.
    b. Un par de días.
    c. Cuatro horas.

11. ¿Qué compró Paco?
    a. Libros.
    b. Discos.
    c. Ropa.

12. ¿Qué ocurre siempre en el sótano?
    a. Todo está a precio bajo.
    b. Hay mejor selección de productos.
    c. Hay un departamento de regalos.

Actividades

1 What do you think is sold in the following stores or departments? **¿Qué piensas? ¿Qué se vende en las siguientes tiendas o departamentos de una tienda grande?**

- la panadería
- la frutería
- la carnicería
- la camisería
- la zapatería
- la sombrerería
- la pastelería
- la cafetería

2 **Vamos a imaginar.** Ayer fuiste a una tienda por departamentos. Querías comprar una camisa o una blusa. La querías con rayas y con mangas largas. ¿Cuál era la conversación que tuviste con el (la) dependiente? Algunas expresiones que puedes usar son: **quisiera, por favor, mangas largas o cortas, con rayas, sin rayas, talla, ¿Cuánto es?, ¿Algo más?, Nada más, gracias.**

3 **Los tamaños en España son distintos de los tamaños de los Estados Unidos.**

¿Qué tamaño llevas según los tamaños estadounidenses? ¿Qué tamaño es en España?

Medidas

	Inglesa	Americana	Española
Trajes y Abrigos de Caballero	36 38 40 42 44 46	36 38 40 42 44 46	46 48 50 52 54 56
Camisas	14 14 1/2 15 15 1/2 16 16 1/2 17	14 14 1/2 15 15 1/2 16 16 1/2 17	36 37 38 39 41 42 43
Calcetines	09 1/2 10 10 1/2 11 11 1/2	09 1/2 10 10 1/2 11 11 1/2	38/39 39/40 40/41 41/42 42/43
Ropa de Señora	32 34 36 38 40 42	10 12 14 17 18 20	38 40 42 44 46 48
Medias	08 08 1/2 09 09 1/2 10 10 1/2	08 08 1/2 09 09 1/2 10 10 1/2	6 6 1/2 7 7 /2 8 8 1/2
Zapatos	03 04 05 06 07 08 09 10	03 04 05 06 07 08 09 10	36 37 38 39 41 42 43 44

4

¿Qué regalo le vas a comprar para quién?

- A mamá le gusta leer.
- A papá le gusta la música.
- A mi hermano le gusta nadar.
- A mi hermana le gustan los deportes.
- A mi amigo le gusta la fotografía.
- A mi amiga le gusta viajar.
- A mi primo le gusta comer.
- A mi prima le gusta el camping.

5

Describa todo lo que Ud. ve en el dibujo.

El Directorio nos dice lo que se vende en cada piso.

DIRECTORIO

7 PLANTA	CAFETERÍA
	WAGONS LITS VIAJE
6 PLANTA	OPORTUNIDADES
5 PLANTA	TIENDA JUVENIL
4 PLANTA	CANASTILLAS · COLEGIOS
	NIÑAS Y NIÑOS HASTA 15 AÑOS
ESTA VD EN LA PLANTA 3	SEÑORAS
	LA CALLE DE LA MODA
2	TEJIDOS · MESE
	LENCE

¿Adónde vamos primero? ¿Qué es lo que venden en el tercer piso?

En la tienda por departamentos venden de todo. Aquí hay discos. ¿Qué discos quieres comprar?

Suben y bajan en una plaza comercial de Puerto Rico con varias tiendas por departamentos. ¿Cómo suben y bajan los clientes?

GRAN VENTA DE RESTOS

PAIS, miércoles 28 de septiembre de 1983

en nuestro Almacén de Coslada

Avda. de las Américas, 4. Tels. 671 36 12 - 671 33 01

MUEBLES, ELECTRODOMESTICOS, T.V., DEPORTES, CAMPING.

- Cantidades limitadas.
- Correcto funcionamiento.
- Mecánicamente perfectos.
- Muestras de exposición.
- Con pequeños desperfec...
- transporte.

Sólo por 5 días
29 y 30 de Septiembre y 1, 3 y 4 de Octubre

HORARIO: De 10 de la mañana a 7 de la tarde.

AHORRE HASTA EL 70%

Dos o tres de éstos y algunos de los otros. Esos son restos. Y están en venta a precios muy bajos. ¿Hasta cuánto puedes ahorrar? ¿Quién los vende? ¿Dónde? ¿Cuándo? ¿Dónde apareció este anuncio?

Éste es el autor del libro que Marta compró. Él es colombiano. Él ganó el premio Nobel de Literatura en 1982. ¿Quién es?

¡Gangas!
¡Gangas!
¡Gangas!
Ya no podemos bajar más, ni en precio ni en la tienda. ¿Dónde estamos?

53

3 Al médico

En la consulta del médico

la médica
la garganta
las pastillas
el enfermero
la inyección
el médico
la receta
la fiebre
la enfermera
el paciente

Ramón no **se siente** bien.
Estaba **malo** ayer. Hoy está **peor**.
Tiene **fiebre** y **le duele la garganta**.

Ejercicio 1 Contesten.

1. ¿Dónde tiene dolor Ramón?
2. ¿Dónde está Ramón?
3. ¿Por qué está allí?
4. ¿Qué indica el termómetro?
5. ¿Qué le pone el enfermero?
6. ¿Qué escribe la médica?
7. ¿Qué tiene que tomar Ramón cada tres horas?

54

medir

pesar

auscultar

examinar

toser

¿Qué hizo el paciente?

tosió.

subió la manga.

El paciente

abrió la boca.

respiró hondo.

gritó.

Ejercicio 2 ¿Qué hizo el paciente?
Completen.

1. Cuando el médico le examinó la garganta, Ramón . . . .
2. Cuando el médico le tomó la presión, Ramón . . . .
3. Cuando el médico lo auscultó, Ramón . . . .
4. Cuando el médico le dio una inyección, Ramón . . . .

Ejercicio 3 **En la consulta del médico**
Contesten personalmente.

1. Cuando tú vas al médico, ¿quién te mide?
2. ¿Quién te pesa?
3. ¿Quién te ausculta?
4. ¿Quién te examina?
5. ¿Quién te toma la presión?

Ejercicio 4　Ud. es el (la) enfermero(a). Hágale preguntas al paciente.

1. ¿Sentir?
2. ¿Fiebre?
3. ¿Garganta?
4. ¿Toser?

5. ¿Dormir?
6. ¿Edad?
7. ¿Casa?
8. ¿Trabajar?

There are many cognates in medical terminology. Here are some whose meanings you can easily guess.

la temperatura	**la inyección**
la alergia	**la penicilina**
la medicina	**el antibiótico**

Expresiones útiles

In many societies it is polite to say something when someone sneezes. In English we say *God bless you!* Spanish speakers say either **¡Jesús!** or **¡Salud!**

A medical doctor is **el (la) médico(a).** However, when addressing the doctor, the title **doctor(a)** is used.

Buenos días, doctor Machado.
Buenas tardes, doctora Camba.

Estructura

El comparativo y el superlativo
Formas regulares

When we speak or write, we often wish to compare one item with another. In order to do so in English, we add *-er* to short adjectives or put the word *more* in front of longer adjectives.

Dr. Roberts is nicer than Dr. Clark.
Penicillin is more expensive than aspirin.

This construction is called the *comparative*. To form the comparative in Spanish, **más** is placed before the adjective. The word **que** follows the adjective.

La doctora Rosas es <u>más</u> simpática <u>que</u> el doctor Laureano.
La penicilina es <u>más</u> cara <u>que</u> la aspirina.

The *superlative* is used to express that which is the most—super—. In English we add *-est* to short adjectives and we put the word *most* before longer adjectives.

> *Dr. Roberts is the nicest of all the doctors.*
> *This medicine is the most expensive of all.*

In Spanish the superlative is formed by using the appropriate definite article (**el, la, los, las**) plus **más** before the adjective. The adjective is usually followed by **de**.

> **La doctora Rosas es la más simpática de todos los médicos.**
> **Esta medicina es la más cara de todas.**

Ejercicio 1   Vamos a comparar.

Sigan el modelo.

caro
Esta medicina es _____ que la otra.
Esta medicina es más cara que la otra.

Esta medicina es _____ todas.
Esta medicina es la más cara de todas.

1. **moderno**
   La Clínica Suárez es _____ que el Hospital Central.
   El Hospital Nacional es _____ de todos los hospitales del país.
2. **difícil**
   Roberto es estudiante de medicina. Él dice que la fisiología es _____ que la anatomía.
   Roberto cree que la química orgánica es _____ de todas las asignaturas.
3. **caro**
   Los cuartos para dos personas en el hospital son _____ que los cuartos para cuatro.
   Los cuartos privados son _____ de todos los cuartos.
4. **pobre**
   Los pacientes del doctor Ramírez son _____ que los pacientes míos.
   Tus pacientes son _____ de todos los pacientes de esta clínica.

Ejercicio 2   Haga comparaciones.

Sigan el modelo.

rápido   tren / autobús / avión
El tren es más rápido que el autobús.
El avión es el más rápido de todos.

1. grande   toro / mosquito / elefante
2. barato   camisas / trajes / calcetines
3. caro   Cadillac / Chevrolet / Rolls Royce
4. antiguo   Nueva York / Chicago / Roma

Formas irregulares

Very few Spanish adjectives have irregular forms in the comparative and superlative. However, just as in English, the adjectives *good* and *bad* are irregular.

bueno	mejor	el (la, los, las) mejor(es)
malo	peor	el (la, los, las) peor(es)

There are two other adjectives with irregular forms, **joven** and **viejo**. Their irregular forms are **menor** and **mayor**. **Menor** and **mayor** refer to age (*younger, older*).

Mi hermano menor (mayor) es Paco.
Teresa es la menor (la mayor) de la familia.

Ejercicio 3 Practiquen la conversación.

La familia Pereda

Tina Te vi con una muchacha ayer. ¿Quién era?

Ramón Era mi hermana mayor, Catalina.

Tina Yo siempre creía que tú eras el mayor de tus hermanos.

Ramón No, no. Todo lo contrario. Yo soy el menor. Mi hermano José es el mayor. Pero yo soy el mejor estudiante.

Ejercicio 4 En la familia Pereda
Contesten.

1. ¿Quién es menor, Ramón o Catalina?
2. ¿Quién es la hermana mayor de Ramón?
3. ¿Quién es el mayor de los hijos Pereda?
4. ¿Y quién es el menor?
5. ¿Quién es el mejor estudiante de los tres?

Ejercicio 5 ¿Qué sabe Ud.?

1. **Ciudades**
   - ¿Cuál de las ciudades es más grande, Chicago o Nueva York?
   - ¿Cuál es la ciudad más grande del mundo, Shanghai o Los Ángeles?
2. **La arquitectura**
   - ¿Cuál de los puentes es más largo, el puente Golden Gate o el puente de George Washington?
   - ¿Cuál de los edificios es el más alto del mundo, el Edificio Empire State o la Torre Sears en Chicago?
3. **La geografía**
   - ¿Qué río es más largo, el Misisipí o el río Grande?
   - ¿Cuál es el río más largo del mundo, el río Amazonas o el río Nilo?
   - ¿Cuáles son las montañas más altas del mundo?
4. **Los deportes**
   - ¿Cuál es el mejor equipo de béisbol?
   - ¿Cuál es el peor equipo de fútbol americano?
   - ¿Quién es la mejor tenista del mundo?
   - ¿Quién es el peor boxeador del mundo?

conversación

En la consulta del médico

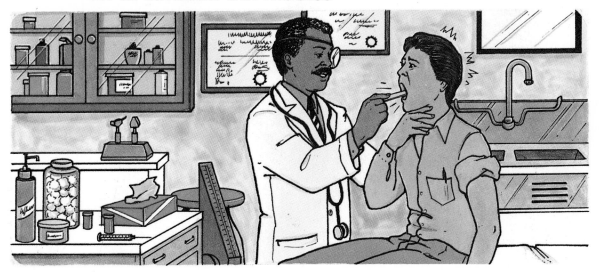

Tadeo	Buenos días, doctor.
Médico	Buenos días, Tadeo. ¿Qué tiene Ud.?
Tadeo	Ay, no sé. Tengo mala la garganta. Anoche no dormí nada y me dolía la cabeza. Tosía durante toda la noche.
Médico	¿Tiene Ud. fiebre?
Tadeo	No sé. Pero creo que sí. Tenía escalofríos. *
Médico	Favor de abrir la boca. Le quiero examinar la garganta. Es verdad que está bastante roja. Favor de respirar hondo. Le voy a auscultar.
Tadeo	¡Ay, qué enfermo estoy!
Médico	Sí, pero no es nada grave. Ud. tiene la gripe. No es la peor de las cosas. ¿Sabe Ud. si tiene alergia a la penicilina?
Tadeo	No, no lo creo.
Médico	Entonces le voy a dar una inyección.
Tadeo	¡Una inyección! ¿Me va a picar? *
Médico	No le va a picar nada. Y le voy a recetar también un antibiótico. Le pueden llenar la receta en la farmacia. Ud. tiene que tomar tres pastillas cada día.
Tadeo	Creo que voy a morir.
Médico	No, no, se lo aseguro. * Dentro de algunos días se sentirá mejor. Y antes de salir, favor de subir la manga. Le quiero tomar la tensión arterial. Catorce sobre ocho. Está normal.

---

* **escalofríos** *chills*　　* **picar** *sting*　　* **aseguro** *I assure*

Ejercicio 1   Contesten.

1. ¿Dónde está Tadeo?
2. ¿De qué sufre?
3. ¿Por qué no durmió anoche?
4. ¿Tiene fiebre Tadeo?
5. ¿Por qué tiene que abrir la boca Tadeo?
6. ¿Qué está bastante roja?
7. ¿Por qué tiene que respirar hondo?

Ejercicio 2   ¿Sí o no?

1. El médico le dice a Tadeo que tiene algo grave.
2. Tadeo tiene alergia a muchas medicinas.
3. El médico le da una inyección de penicilina.
4. El médico le llenó la receta.

Ejercicio 3   Escojan.

1. Tadeo tiene que tomar _____ cada día.
   a. tres inyecciones
   b. tres pastillas
   c. tres recetas

2. Dentro de algunos días el pobre Tadeo se sentirá _____.
   a. mal
   b. peor
   c. mejor

3. Tadeo tiene que subir _____.
   a. la manga
   b. la garganta
   c. el pantalón

4. La tiene que subir porque el médico le quiere _____.
   a. auscultar
   b. medir
   c. tomar la tensión arterial

5. Tadeo tiene la presión _____.
   a. baja
   b. alta
   c. normal

Lectura cultural

La asistencia médica

Todos los años miles de jóvenes de los Estados Unidos van a las universidades de España o de Latinoamérica para estudiar medicina. Mi hermano mayor siempre quería ser médico y él asistió a la Universidad de Guadalajara, México. Allí él recibió su doctorado en medicina y ahora él tiene una consulta en Long Island, Nueva York. Él me dijo que muchas universidades hispanoamericanas y españolas tienen excelentes facultades de medicina.

Yo le pregunté si los hospitales también eran muy buenos. Él me explicó que en las grandes ciudades hay hospitales excelentes. Estos hospitales tienen el equipo* más moderno y hay especialistas en todos los campos de medicina, por ejemplo, cirugía, radiología, ginecología, ortopedia. Pero me dijo que la situación en las zonas rurales no es la misma que en las ciudades. En Latinoamérica hay muchos pueblos que se encuentran en regiones muy aisladas. En estas zonas más remotas hay muy pocos médicos y tampoco hay suficientes hospitales. Es un problema porque hay mucha gente que tiene necesidad de mejor asistencia médica.

Mi hermano me dijo que en las ciudades hay también muchas clínicas. ¿Qué es una clínica? Pues, es un tipo de hospital pero es más pequeña que un hospital típico. Es también privada y frecuentemente lleva el nombre de un médico o de un grupo de médicos que son los dueños* de la clínica. En una clínica es obligatorio pagar por cualquier atención médica. En muchos hospitales los que no tienen suficientes fondos pueden recibir asistencia gratuita.

Ejercicio 1   Escojan.

1. ¿Para qué van muchos norteamericanos a universidades en España y en Latinoamérica?
   a. Para conocer la cultura.
   b. Para hacerse médicos.
   c. Para asistir a los jóvenes.

2. ¿Qué recibió en Guadalajara el hermano mayor del escritor?
   a. Un doctorado.
   b. Una medicina.
   c. Una consulta.

---

equipo *equipment*   **dueños** *owners*

3. ¿Dónde trabaja el hermano ahora?
    a. En España.
    b. En Guadalajara.
    c. En Long Island.

4. ¿Dónde hay hospitales muy buenos?
    a. En todas partes de Latinoamérica.
    b. En las grandes ciudades.
    c. En zonas remotas.

5. ¿Qué son «cirugía», «radiología», «ginecología» y «ortopedia»?
    a. Clases de hospitales.
    b. Tipos de médicos.
    c. Campos de medicina.

Ejercicio 2 Contesten.

1. ¿Qué tienen los mejores hospitales?
2. ¿Dónde hay necesidad de mejor asistencia médica?
3. ¿Qué faltan en las zonas rurales?
4. ¿Qué es una clínica en los países hispanos?
5. En los países hispanos, ¿por qué no van los pobres a las clínicas para asistencia médica?

Actividades

1 Here's a questionnaire concerning one's medical history. Note how much of it you can understand. Complete this medical history.

Un historial médico

¿Sufre Ud. o sufrió algún miembro de su familia de las siguientes enfermedades?

	Sí	No	¿Quién?
alergias			
artritis			
asma			
cáncer			
epilepsia			
tuberculosis			
una enfermedad del corazón			

2 Ud. tiene un(a) amigo(a) que tiene la gripe. ¿Cuáles son sus síntomas?

3 Cuando Tadeo habla con el médico en la consulta, ¿cómo está? ¿Está contento, triste o nervioso? ¿Cuáles son algunas cosas que dice que indican su estado mental?

4 Con un(a) amigo(a), discuta las distintas asignaturas que tiene este año. ¿Cuál es la más fácil, la más difícil, la más interesante, la más aburrida?

5 Describa lo que pasa en el dibujo. ¿Qué le hacen a la paciente en la consulta del médico?

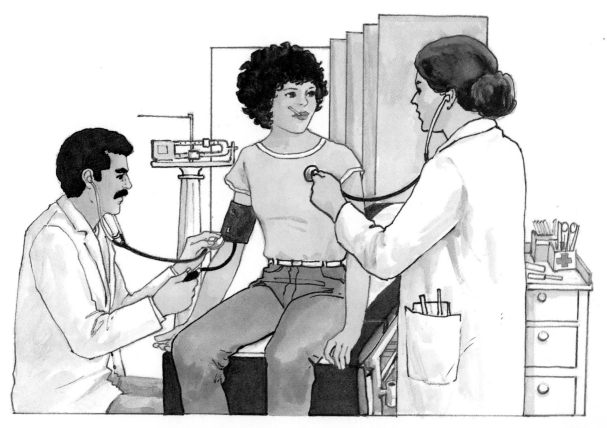

Revista

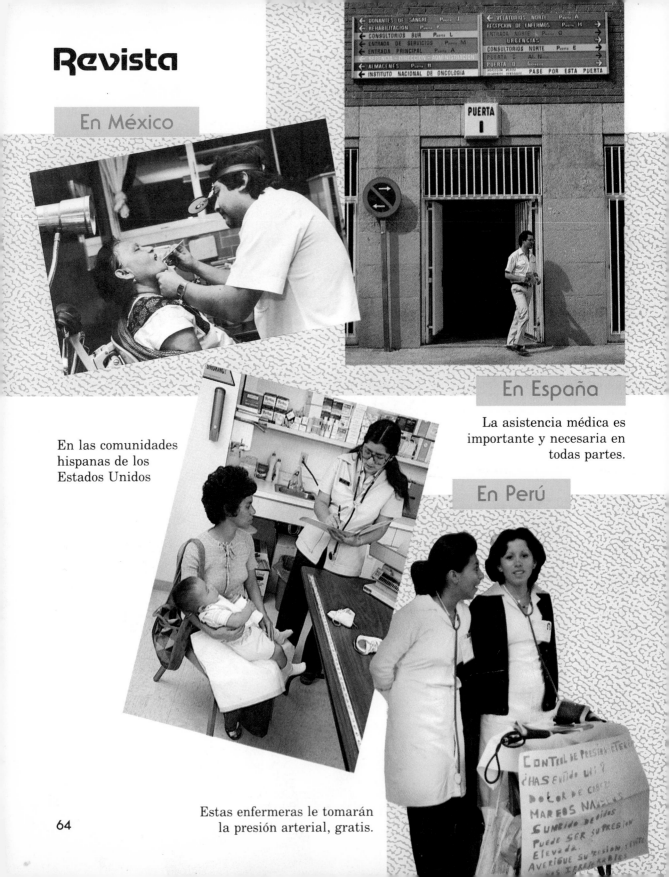

En México

En España

La asistencia médica es importante y necesaria en todas partes.

En las comunidades hispanas de los Estados Unidos

En Perú

Estas enfermeras le tomarán la presión arterial, gratis.

Formularios para recetas de medicina

FEDERACION MEDICA DE LA PROVINCIA DE BUENOS AIRES

RECETARIO

PARA PRESCRIPCIONES Y ORDENES

Hecho el Dep. de Ley R.N.P.I. Nº 1.091.116 Prohibida su reprod. total o par...

FIRMA DEL MED...

HOSPITAL DR. PILA

Teléfono 844-3300 - Marina esquina Jobos

Ponce, Puerto Rico

Edad

Fecha

Paciente

Dirección

Apellido   Nombre   Sexo

HISTORIAL MEDICO										Otras	ESPECIFIQUE		
Indique si algún familiar inmediato o que convive con la familia padece o ha padecido de alguna de las siguientes enfermedades.					Epilepsia ☐		Enfermedades mentales ☐				CLASE DE OPERACIONES	LESIONES EN ACCIDENTES	OTRAS
	Tuberculosis ☐		Enfermedades venéreas ☐			Difteria	Fiebre Reumatica	Tuberculosis ☐	Polio	Asma			
HISTORIAL PERSONAL ANTES DE INGRESO A ESCUELA	VARICELA	PAPERAS	SARAMPION	TOSFERINA	DIFTERIA								
INMUNIZACIONES RECIBIDAS AÑO	VIRUELA	TETANO	DIFTERIA	TOSFERINA	POLIO	OTRAS				RECOMENDACIONES MEDICAS			
EXAMEN MEDICO—CLAVE:- V—Satisfactorio X—Necesita observación XX—Necesita atención inmediata R—Referido a especialista													
GRADO:													
Apariencia general													
Nutrición													
Garbo													
Piel													
Ojos													
Oídos													

Este formulario es para un historial médico para estudiantes en las escuelas públicas de Puerto Rico.

¿Conoces las enfermedades en la lista? ¿Conoces las inmunizaciones? ¿Cómo se llaman en inglés? ¿De qué enfermedades sufriste? ¿Qué inmunizaciones recibiste?

¡También los médicos hacen publicidad!

4 La moda juvenil

vocabulario

los *blue jeans*
de *denim*

una camiseta
de algodón

las zapatillas de tenis

La publicidad
El *look* de hoy

un pulóver de lana

una gabardina

Juanita **acaba de** vestirse.
Se puso los *blue jeans*.
Se puso también **un polo de lana**.
Para ella los *blue jeans* están muy
de moda.

66

Ejercicio 1   ¿Qué lleva el muchacho?

Ejercicio 2   ¿Qué lleva la muchacha?

Ejercicio 3   ¿Sí o no?

1. Juanita lleva zapatillas de tenis.
2. Ella se puso el **pulóver**.
3. Lleva una falda azul.
4. Tiene un pantalón de *denim*.

9. El señor se puso unos tenis.
10. Lleva una gabardina.
11. Él se puso los *blue jeans*.
12. Hace mucho calor.

5. Pablo lleva una gabardina.
6. También lleva zapatillas de tenis.
7. Él se puso unos *blue jeans*.
8. Tiene un **pulóver** de lana.

Ejercicio 4   ¿Tiene más o menos de veinte años? ¿Qué crees?

1. Ella lleva un vestido negro.
2. Él lleva una camiseta de algodón y zapatillas de tenis.
3. Ella lleva botas, un pulóver viejo y un pantalón de *denim*.
4. Él lleva *blue jeans* y un pulóver de lana.
5. Él lleva un traje gris y una gabardina.
6. Ella lleva una falda de lana y una chaqueta.

Ejercicio 5   ¿Qué es o qué son?

1. Se llevan en los pies.
2. Los llevaban los *cowboys*.
3. Lo llevamos cuando llueve.
4. Esta tela es un producto vegetal.
5. Esta tela es un producto animal.

εstructura

Acabar de + infinitivo

The verb **acabar**, when used alone, means *to finish* or *to complete*. However, the verb **acabar** is often followed by **de** and an infinitive. **Acabar de** in the present tense followed by an infinitive means *to have just*.

Susana acaba de llegar.	*Susan (has) just arrived.*
Acabamos de comer.	*We have just eaten. (We just ate.)*
Ellos acaban de salir.	*They (have) just left.*

Ejercicio 1 ¿Quién acaba de hacerlo?
Contesten según se indica.

1. ¿Quién acaba de salir? **Teresa**
2. ¿Quién acaba de llamar? **el amigo de Teresa**
3. ¿Quién acaba de contestar el teléfono? **yo**
4. ¿Quién acaba de hablar? **tú y yo**

Ejercicio 2 Contesten según los dibujos.

1. ¿Qué acaba de hacer Luisa?

2. ¿Qué acaban de hacer los muchachos?

3. ¿Y mamá?

4. ¿Y nosotros?

5. ¿Y tú?

6. ¿Y Uds.?

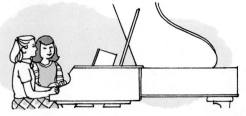

Expresiones útiles

> Spanish speakers use **si** the way we use *but* to indicate something that is contradictory or to remind or correct someone about a fact.
>
> | | |
> |---|---|
> | **Si ya lo sabes.** | *But you already know it.* |
> | **Si él acaba de salir.** | *But he just left.* |

Ejercicio 3 ¡Si acaba de hacer eso!
Contesten según el ejemplo.

¿Va a salir Carlos?
Si Carlos acaba de salir.

1. ¿Doña Josefina va a comprar unos *blue jeans*?
2. ¿Ella va a regalar los *blue jeans* a José?
3. ¿Juan va a ponerse los *blue jeans*?
4. ¿Uds. van a visitar a los Pérez?
5. ¿Uds. van a comer con ellos?
6. ¿Uds. van a ir al teatro con ellos?

Pronombres con la preposición

A *prepositional pronoun* is a pronoun that follows a preposition. Almost all prepositional pronouns are the same as the subject pronouns. The only exceptions are **yo** and **tú. Yo** becomes **mí** and **tú** becomes **ti.**

Subject	*Prepositional*
yo	**mí**
tú	**ti**
él, ella, Ud.	**él, ella, Ud.**
nosotros(as)	**nosotros(as)**
vosotros(as)	**vosotros(as)**
ellos, ellas, Uds.	**ellos, ellas Uds.**

¿Él lo compró para ti?
No, no lo compró para mí. Lo compró para ella.

Note that the pronouns **mí** and **ti** combine with the preposition **con** to form one word—**conmigo, contigo.**

¿Vas conmigo?
No, yo no voy contigo. José va contigo.

Ejercicio 4 Practiquen la conversación.

Rafael	¿Compraste los *blue jeans* para mí?
Elena	¿Para ti? Nunca. Son para Raúl.
Rafael	¿Para él? ¿Por qué?
Elena	A ti no te importa.

Ejercicio 5 Ud. no lo cree.

Contesten según el ejemplo.

Compré el libro para Juan.
¿Para él? ¿Por qué?

1. Compré las zapatillas para Tina.
2. Compramos camisetas para los chicos.
3. Ella compró un pulóver para ti.
4. Compramos regalos para Uds.

5. Tu papá compró libros para Luisa y para mí.
6. Compré botas para mi hermanito.

Ejercicio 6 Escriba con pronombres.

Fui al cine con **Jorge y Marta.** Me senté entre **Jorge y Marta.** Jorge compró dulces para **Marta.** Yo hablé mucho con **Marta.** No sé por qué él no dijo ni una palabra a **Marta** ni a mí.

Ejercicio 7 Completen la conversación con pronombres.

Anita José, ¿tú quieres ir _____ a comprar un regalo para papá?

José Anita, quisiera ir _____ pero no puedo.

Anita Otra vez no puedes. ¿Por qué no puedes ir _____? Yo siempre voy _____.

José Pero, Anita, acabo de comprar un regalo para papá.

Anita ¿Ya le compraste algo? ¿Qué compraste para _____? No le quiero comprar la misma cosa.

conversación

Ropa de moda

Antonia Emilio, ¿quieres ir conmigo? Tienen ropa muy de moda en almacenes González.

Emilio Lo sé. Acabo de leer los anuncios en «El Mundo».

Antonia Acaban de poner en venta unos pulóveres de lana. Para mí la lana es lo mejor.

Emilio Para ti y para todo el mundo. Pero, ¿qué tal los precios?

Antonia Según ellos, nadie vende a mejor precio.

Emilio Bueno. Pero, entre nosotros, no tengo ni un centavo.

Antonia	Pues, sin ti no quiero ir de compras. Te presto* el dinero.
Emilio	Eres un ángel. Voy contigo. Necesito unas zapatillas de tenis.
Antonia	Papá y mamá acaban de cumplir veinte años de matrimonio. Compraré algo para ellos.
Emilio	¿Por qué no les compramos unos *jeans* y unas camisetas de colores?
Antonia	¡Chist! Estás loco.

Ejercicio 1   Contesten en español.

1. What are several reasons why Antonia likes almacenes González?
2. What is Emilio's financial situation?
3. Why is Emilio able to go shopping after all?
4. What should both Antonia and Emilio buy?
5. Why does Antonia tell Emilio he is crazy?

Ejercicio 2   Lo vamos a decir de otra manera.

1. Hoy van a **empezar a vender** pulóveres de lana a precios muy bajos.
2. ¿**Cómo son** los precios en almacenes González?
3. Según lo que dicen en sus anuncios, nadie vende **más barato.**
4. Sin ti no quiero **hacer las compras.**
5. Bien. **Te acompaño.**

Lectura cultural

¿Cómo se visten los jóvenes hispanos?

Había una vez que podíamos decir o pensar que los jóvenes de España y de Latinoamérica eran mucho más formales que nosotros en su modo de vestir. Así era. Pero hoy no es verdad. Antes los muchachos siempre llevaban una camisa, una corbata, un pantalón y también un saco cuando iban a la escuela. Las muchachas llevaban una falda, una blusa y una chaqueta o un *blazer*.

Si les interesa saber cómo se visten los jóvenes hispanos de hoy, ¿por qué no hablamos un momentito con Cristina y Eugenio? Cristina es de Madrid, España, y Eugenio es de Lima, Perú.

Te presto   *I will lend you*

Cristina	Uds. me preguntan cómo nos vestimos en España. Pues, francamente no sé lo que les puedo decir porque con nosotros la moda cambia muy de prisa.
Eugenio	Pues, como acabas de decir, la moda cambia muy de prisa. Es igual con nosotros en el Perú. Pero yo creo que podemos generalizar un poco. ¿No es verdad que con Uds. también los *blue jeans* están muy de moda—para las muchachas y para los muchachos?
Cristina	Ay, sí. ¡Por supuesto! Tienes razón. Todo es *unisex.*
Eugenio	Si no llevamos un par de *blue jeans,* nos ponemos un pantalón de *denim.*
Cristina	Así es, un pantalón con un *T-shirt,* una camisa de lana o de algodón o una blusa. Cuando hace más frío nos ponemos un pulóver o un polo de lana.
Eugenio	Y cuando hace aún más frío me pongo una chaqueta o una gabardina.
Cristina	Como nos dice la publicidad en nuestras revistas, es «El *look* de la juventud».

Cristina y Eugenio acaban de describir la moda juvenil de sus países. Dicen que con ellos la moda cambia muy de prisa. Pero cuando la moda cambia en España o en el Perú cambia también en los Estados Unidos. Hoy en día hay muy poca diferencia entre los gustos de los jóvenes peruanos, españoles, americanos o japoneses . . . .

Ejercicio 1 ¿*Sí o no*?

1. Aún hoy los jóvenes hispanos son más formales en su modo de vestir que nosotros.
2. Antes los muchachos llevaban una camiseta y *blue jeans* a la escuela.
3. Cristina dice que la moda cambia muy despacio en España.
4. Eugenio dice que la situación en el Perú es completamente distinta de la situación en España.
5. Cristina está de acuerdo con Eugenio que hoy todo es *unisex.*

Ejercicio 2 Contesten.

1. ¿Cuáles son algunas cosas que a los jóvenes les gusta llevar en este momento?
2. ¿Cuáles son algunas telas que son populares con los jóvenes?
3. Según la publicidad, ¿cuál es «El *look* de la juventud»?

Ejercicio 3　Escojan.

¿Cuál es la idea principal de esta lectura?
a. Que la moda varía de un país a otro.
b. Que todos los jóvenes se visten más o menos igual.
c. Que la gran diferencia de moda es entre el Occidente y el Oriente.

Actividades

1 **¡Nola No!** Everything anyone suggests, Nola has just done.

- Nola, ¿quieres dormir? No, yo acabo de _____.
- Nola, ¿quieres comprar unos *jeans*? No, _____.
- Nola, ¿quieres cantar con Julio Iglesias? No, _____.
- Nola, ¿quieres comer caviar? No, _____.
- Nola, ¿quieres jugar al tenis con McEnroe? No, _____.
- Nola, ¿quieres conocer a Robert Redford? No, _____.
- Nola, ¿quieres volar a la luna? No, _____.

2 **Entrevista**
- ¿Qué llevas cuando vas a la escuela?
- ¿Te vistes igual cuando vas a una fiesta?
- ¿Qué llevas a una fiesta?
- ¿Hay ciertas ocasiones cuando te vistes un poco más elegantemente? ¿Cuáles son?

3 Answer according to the illustrations.

- ¿Qué tal se viste Juan Bobo?
- ¿A Ud. le gustan los colores?
- Describa cómo se ve Juan.
- ¿Qué debe hacer Juan para vestirse mejor?

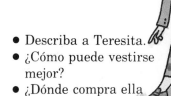

- Describa a Teresita.
- ¿Cómo puede vestirse mejor?
- ¿Dónde compra ella su ropa?

4 **Entrevista**
- ¿Dónde prefiere Ud. comprar su ropa?
- ¿La prefiere Ud. comprar en una gran tienda por departamentos o la prefiere comprar en una pequeña tienda de ropa para caballeros o señoras?
- ¿Prefiere Ud. ir a comprar su ropa con sus padres o con sus amigos? ¿Por qué?
- ¿Qué piensan sus padres de la manera en que Ud. se viste?

Revista

Podía ser cualquier ciudad del mundo.

Pero estas chicas caminan por una calle en Lima, Perú. ¿Qué llevan ellas? ¿Y en frente de qué caminan ellas?

A veces hacemos nuestra propia ropa. Es más barato así y más individual. ¿Qué venden las tiendas «STOP»? ¿Sabes «tricotar»? ¿Qué es «tricotar»?

¿Es guapo el chico?
¿Qué ropa lleva él?
¿Crees que él vive en un país tropical? ¿Por qué?
¿Por qué no?

Esta publicidad viene de la
Argentina. ¿Cómo se llama la marca?
¿Qué diferencia hay entre lo que
llevan los muchachos y las
muchachas? ¿Es éste el estilo unisex?
¿Te gusta?

NANQUE
DEPORTE EN MOVIMIENTO

NANQUE S.A. Av. H. Yrigoyen 10261
(1834) - Temperley - Pcia Bs. As.
Tel: 243-0215/4296/6194-9563

El control de calidad nos da confianza.
Sabemos que el artículo que
compramos estará en perfectas
condiciones. Esta tarjetita vino con un
pulóver nuevo. ¿Quién es «Otilia» y
qué hizo ella?

El haber contribuído para la fabricación de
esta prenda y posteriormente haber llegado
al gusto de Ud. nos hace sentir orgullosos.
Esperamos que disfrute el confort y durabili-
dad de esta prenda.

Inspeccionó	Planchó
OTILIA	

Gracias por su preferencia.

paco rabanne

PARIS

MODA DE
OTOÑO
PARA HOMBRES

Celso Garcia

EL ESTILO EN GRANDES ALMACENES
Serrano, 52 - Castellana, 85
y sucursales

Anuncio en un periódico español
Es para una tienda elegante. ¿Es para ropa
de damas o de caballeros? ¿Para qué
estación del año es esta ropa? ¿Cómo se
llama la tienda?

Repaso

¿Qué hacía Raúl?

Jorge   Acabo de ver a Raúl.
Martín   Y, ¿dónde estaba él? ¿Qué hacía?
Jorge   Yo lo vi en la calle. Subía y bajaba . . . y hablaba.
Martín   ¿Con quién? ¿Quién estaba con él?
Jorge   Pues, la verdad es que . . . nadie.
Martín   Pobre muchacho. Yo sabía que él no se sentía bien. Pero esto es serio.

Ejercicio 1   Contesten.

1. ¿Quién acaba de ver a Raúl?
2. ¿Por dónde subía y bajaba Raúl?
3. ¿Qué más hacía él?
4. ¿Con quién hablaba?
5. ¿Qué sabía Martín?

Ejercicio 2   Completen con el imperfecto del verbo.

Mis amigos _____ (hablar) de Raúl. Antes nosotros lo _____ (ver) todos los días. Él siempre _____ (divertirse) con nosotros. Yo _____ (ir) mucho al cine y Raúl me _____ (acompañar). Jorge _____ (decir) que Raúl _____ (tener) muchos problemas. Él _____ (recibir) muy malas notas. Además, su novia ya no lo _____ (querer). Todos nosotros _____ (querer) ayudar a Raúl. Pero no _____ (saber) cómo.

El imperfecto
Verbos regulares e irregulares

Review the following imperfect tense forms of regular **-ar, -er,** and **-ir** verbs.

Infinitive	comprar	vender	recibir
yo	compraba	vendía	recibía
tú	comprabas	vendías	recibías
él, ella, Ud.	compraba	vendía	recibía
nosotros, -as	comprábamos	vendíamos	recibíamos
(vosotros, -as)	(comprabais)	(vendíais)	(recibíais)
ellos, ellas, Uds.	compraban	vendían	recibían

Remember that **-er** and **-ir** verbs have the same endings in the imperfect tense in Spanish. Note also that the **yo, él, ella, Ud.** endings are the same in each conjugation in the imperfect tense.

Ser and **ir** are irregular in the imperfect tense in Spanish. Review the forms below.

Infinitive	ser	ir
yo	era	iba
tú	eras	ibas
él, ella, Ud.	era	iba
nosotros, -as	éramos	íbamos
(vosotros, -as)	(erais)	(ibais)
ellos, ellas, Uds.	eran	iban

Ejercicio 3 A los nueve años
Completen con el imperfecto del verbo.

Cuando yo _____ (tener) nueve años, yo _____ (asistir) a la escuela Rosales. Yo _____ (estar) en el cuarto grado. Diana Rodríguez _____ (vivir) cerca de nosotros. Diana y yo _____ (tomar) el autobús a la escuela. Los padres de Diana _____ (trabajar) en la ciudad. Ellos _____ (salir) de casa muy temprano. Ellos _____ (volver) de la ciudad por la tarde. Y tú, ¿dónde _____ (vivir) cuando _____ (tener) nueve años?

Ejercicio 4 Hagan preguntas con *¿cuándo?* o *¿adónde?*

Ahora Pablo va los sábados.
Y, ¿cuándo iba antes?

1. Ahora yo voy a Galerías Sánchez.
2. Ahora Luisa va a la clínica Romero.
3. Ahora Paco y yo vamos por la mañana.
4. Ahora la señora Pérez va al supermercado.
5. Ahora los niños van al mediodía.
6. Ahora mi hermano va al Instituto Tecnológico.

Ejercicio 5 Preguntas personales

Describa . . .
1. al profesor o a la profesora que le gustaba más. ¿Cómo era?
2. a su mejor amigo(a) en el sexto grado.
3. a una figura histórica famosa.

Ejercicio 6 Preguntas personales

¿Qué hora era . . .
1. cuando Ud. se levantó?
2. cuando almorzó?
3. cuando se acostó?

¿Dónde estabas cuando viste a Ramón?

Alicia	Yo estaba en la clínica cuando vi a Ramón.
Rita	¿Qué hacías tú allí?
Alicia	Visitaba a mi tío Gerardo. Le operaron el martes.
Rita	Ay, yo no lo sabía. ¿Por qué estaba Ramón allí?
Alicia	Pobrecito. Él se cayó de la motocicleta.
Rita	¿Y qué le pasó?
Alicia	Se rompió una pierna.
Rita	¡Qué lástima!

Ejercicio 7 Completen con la forma apropiada del verbo.

Alicia _____ (estar) en la clínica cuando _____ (ver) a Ramón. Alicia _____ (visitar) a su tío Gerardo. Ellos le _____ (operar) al tío el martes. Rita no lo _____ (saber). Ella le _____ (preguntar) a Alicia por qué Ramón _____ (estar) en el hospital. Alicia le _____ (decir) que Ramón _____ (caerse) de la motocicleta. ¡Pobre Ramón! Se _____ (romper) una pierna.

Usos del pretérito y del imperfecto

The preterite tense is used to describe an action in the past that has been completed. The imperfect tense—"imperfect" meaning *not finished*—is used by Spanish speakers to describe an action in the past that has not been completed—a repeated or continuous action in the past.

> **Él llamó mientras yo hablaba.**
> **Vivíamos en Chicago cuando**
> ** Teresa se graduó.**

Remember that the imperfect tense is used to describe people or objects in the past. It is also used to express time in the past.

> **Lincoln era alto y tenía barba.**
> **Eran las ocho de la noche.**

Ejercicio 8 Mi primo y su viaje
Completen con el pretérito o el imperfecto de los verbos.

_____ (Ser) las tres de la mañana. Yo _____ (oír) el teléfono. Yo _____ (contestar) en seguida. _____ (Ser) mi primo. Él _____ (estar) en el aeropuerto. La compañía aérea _____ (anunciar) que su vuelo no _____ (ir) a salir. Yo _____ (invitar) a mi primo a quedarse con nosotros.

¿Quién es el mejor grupo?

Bernabé   El mejor grupo de rock es «Maravilla».

Sarita   Tú eres el hombre más tonto del mundo.

Bernabé   ¿Y quién es mejor que «Maravilla»?

Sarita   «La Cumbre» es más famoso. Ellos tocan la mejor música. Y son más guapos que los muchachos de «Maravilla».

Bernabé   «La Cumbre» es el peor de todos los grupos.

Ejercicio 9   Contesten.

1. ¿Qué opinión tiene Sarita de «Maravilla»?
2. ¿Qué cree Sarita de Bernabé?
3. Según Sarita, ¿quiénes son más guapos?
4. ¿Qué cree Bernabé de la música de «La Cumbre»?

El comparativo y el superlativo

The comparative form of regular adjectives is formed by adding **más** before the adjective and **que** after the adjective.

> **Victoria es más inteligente que Pablo.**
> **Nosotros somos más altos que ellos.**

The superlative form of regular adjectives is formed by adding the appropriate definite article—**el, la, los, las**—and the word **más** before the adjective.

> **Ricardo es el más atlético.**

Note the use of the word **de** after the superlative form of the adjective below.

> **Ricardo es el más atlético de la clase.**

A few adjectives are irregular in the comparative and superlative in Spanish. Study the following.

	Comparative	*Superlative*
bueno	**mejor**	**el mejor**
malo	**peor**	**el peor**
joven	**menor**	**el menor**
viejo	**mayor**	**el mayor**

Note that **joven** and **viejo** also have regular comparative and superlative forms. For example:

joven	**más joven**	**el más joven**
viejo	**más viejo**	**el más viejo**

79

Ejercicio 10 Comparen a las siguientes personas.

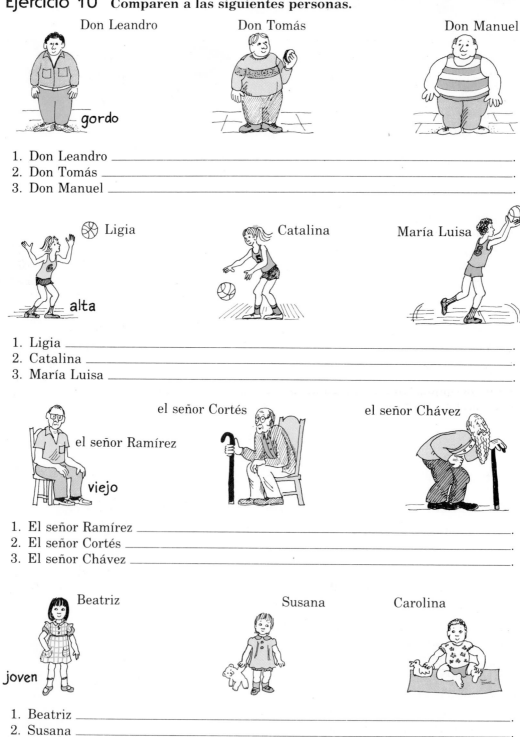

Don Leandro · Don Tomás · Don Manuel

gordo

1. Don Leandro _____.
2. Don Tomás _____.
3. Don Manuel _____.

Ligia · Catalina · María Luisa

alta

1. Ligia _____.
2. Catalina _____.
3. María Luisa _____.

el señor Ramírez · el señor Cortés · el señor Chávez

viejo

1. El señor Ramírez _____.
2. El señor Cortés _____.
3. El señor Chávez _____.

Beatriz · Susana · Carolina

joven

1. Beatriz _____.
2. Susana _____.
3. Carolina _____.

80

Acaban de llegar.

Señora Toral   Acabo de llegar del aeropuerto. Tengo una reservación.
Recepción   Sí, señora. Aquí está. El señor Toral acaba de llamar. Aquí tiene
el mensaje.
Señora Toral   Gracias. Dice que él también acaba de llegar a la estación.
Recepción   Estará aquí muy pronto. No queda lejos la estación.

Ejercicio 11   Contesten.

1. ¿De dónde acaba de llegar la señora Toral?
2. ¿Dónde está ahora?
3. ¿Quién acaba de llamar?
4. ¿De dónde llamó?
5. ¿Cuándo llegará el señor Toral al hotel?
6. ¿Por qué no tomará mucho tiempo en llegar
el señor Toral?

Acabar de + infinitivo

Acabar de means *to have just done something*. In this construction the verb
acabar is always conjugated like a regular **-ar** verb and is followed by the
preposition **de** and an infinitive.

Ellos acaban de salir.	*They have just left.*
Paco y yo acabamos de comer.	*Paco and I have just eaten.*
El tren acaba de llegar.	*The train has just arrived.*

Remember that in English the past participle—*left, eaten, arrived*—is used after
have just or *has just*. In Spanish the infinitive is always used after **acabar de**.

Ejercicio 12   No, hace poco tiempo.
Sigan el modelo.

¿Ellos llegaron hace mucho tiempo?
No, acaban de llegar.

1. ¿Uds. comieron hace mucho tiempo?
2. ¿Paco llegó hace mucho tiempo?
3. ¿Tú entraste hace mucho tiempo?
4. ¿Los niños llamaron hace mucho tiempo?
5. ¿Ud. hizo las camas hace mucho tiempo?
6. ¿Anunciaron el vuelo hace mucho tiempo?

Lectura cultural

opcional

el terremoto

el bateador

el jardinero

el guante

Roberto Clemente

El 23 de diciembre de 1972, dos días antes de Navidad, un terremoto destruyó°
la ciudad de Managua, Nicaragua. Por todo el centro de la ciudad se veía solamente
destrucción. Hoteles y comercios° se cayeron
como cajas de cartón.° Miles de personas
murieron en las ruinas de la capital. Otras
miles de personas que estaban fuera de los
edificios cuando ocurrió el terremoto se
salvaron la vida, pero perdieron todas sus
posesiones.

El gobierno de Nicaragua pidió ayuda.
Gobiernos, instituciones e individuos en
Europa y en las Américas respondieron en
seguida. Ellos mandaron medicinas y
alimentos a las víctimas.

° **destruyó** *destroyed*
° **comercios** *businesses*
° **cartón** *cardboard*

82

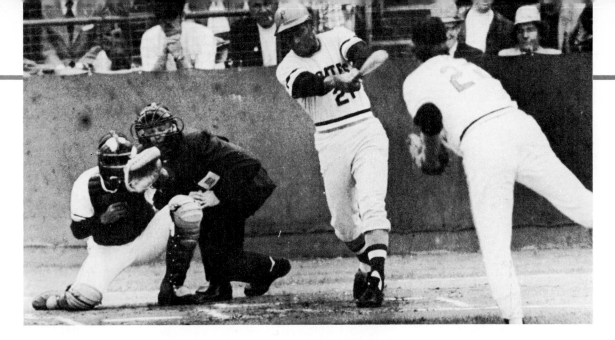

Una persona que oyó las noticias de la catástrofe y decidió hacer algo fue Roberto Clemente. ¿Quién era este hombre, este gran atleta, este héroe?

Roberto Clemente nació en 1934 en el pueblo de Carolina, Puerto Rico. Cuando tenía diecisiete años ya era jugador profesional de béisbol. Clemente estuvo con los Piratas de Pittsburgh por más de quince años. Su promedio° como bateador durante su carrera° fue de .317. Clemente fue campeón° de los bateadores cuatro veces con promedios de .351, .339, .329 y .357. Diez veces recibió el «guante de oro» como el mejor jardinero derecho de su liga. En la Serie Mundial de 1971 los Piratas representaban la Liga Nacional y los Orioles de Baltimore, la Liga Americana. Los Piratas perdieron los primeros dos juegos aunque Clemente tuvo cuatro *hits* en nueve oportunidades. Los Piratas, inspirados por Clemente, ganaron cuatro de los siguientes cinco juegos contra los Orioles. Y los Orioles eran los favoritos. En la Serie Mundial de 1971 Clemente bateó 29 veces y conectó 12 veces para un promedio de .414. ¡Y él ya tenía 36 años!

Era diciembre en Puerto Rico. El calor tropical era perfecto para el atleta cansado. Clemente acababa de° batear su *hit* número tres mil en la temporada de 1972. Ahora descansaba y se preparaba para la temporada de 1973. Pero la naturaleza tenía otros planes. En Centroamérica la tierra se abrió. Las víctimas necesitaban ayuda. Roberto oyó las noticias el día de Nochebuena.° Durante la próxima semana él se dedicó a organizar la ayuda para las víctimas

° **promedio** *batting average* ° **carrera** *career* ° **campeón** *champion* ° **acababa de** *had just* ° **Nochebuena** *Christmas Eve*

del terremoto. Los puertorriqueños contribuyeron generosamente.
El Comité de Auxilio, con Clemente como jefe,* encontró un avión. Llenaron
el avión de medicinas, comestibles y ropa. En una semana todo estaba listo.*

Nochevieja,* 1972. El avión viejo está en la pista del aeropuerto de Isla Verde
en San Juan. Roberto Clemente y el piloto están en la cabina de mando. El avión
corre lentamente por la pista y despega. Pero nunca llega a Managua. Momentos
después de dejar la pista el avión cayó al mar y Roberto Clemente murió.

Dijo un famoso *manager* de las grandes ligas: —Nunca podrán hacer una
película sobre la vida de Roberto Clemente, porque no hay nadie con bastante
talento para hacer el papel* de Roberto.

Hoy hay un gran centro deportivo en Puerto Rico para los niños de la isla.
Lleva el nombre de Roberto Clemente. El centro deportivo fue un sueño de Roberto.
El nombre de Roberto Clemente está en la lista de campeones del *Hall of Fame* del
béisbol. La calle en donde él vivía ahora lleva su nombre también. Pero la señora
de Clemente y sus hijos dicen que prefieren el nombre original de la calle. Porque
cuando la calle llevaba el otro nombre, Roberto Clemente vivía.

---

*jefe *leader, chief*   *listo *ready*   •Nochevieja *New Year's Eve*   *papel *role*

84

Ejercicio 1   Completen.

1. Los edificios en Managua se cayeron a causa de un _____.
2. La catástrofe ocurrió pocos días antes de la fiesta de _____.
3. Las personas que murieron estaban dentro de los _____.
4. El equipo con el que jugó Clemente por muchos años fue los _____ de _____.
5. El número .317 representa el _____ de Clemente como _____.
6. Él fue campeón de los bateadores _____ veces.
7. Clemente era gran bateador y también un excelente _____ _____.
8. Él recibió el premio como mejor jardinero derecho _____ veces.
9. La Serie Mundial de 1971 era entre los _____ y los _____.
10. La Serie de 1971 llegó a _____ juegos.
11. Durante su carrera profesional Clemente tuvo más de _____ *hits*.
12. El terremoto de Managua ocurrió en el mes de _____ de 1972.
13. Roberto Clemente era el _____ del Comité de Auxilio.
14. El comité iba a mandar ropa y comida a las _____.
15. En honor de Clemente le pusieron su nombre a la _____ donde vivía.

Ejercicio 2   Escojan.

1. En un equipo de béisbol hay _____ jardineros.
   a. tres
   b. cuatro
   c. seis
   d. nueve

2. Allí venden carne, fruta y otros _____.
   a. vegetales
   b. auxilios
   c. comercios
   d. comestibles

3. Hay que dividir el número de *hits* por el número de oportunidades para determinar _____.
   a. el juego
   b. el bateador
   c. las bases
   d. el promedio

4. _____ pueden destruir ciudades.
   a. Las cajas de cartón
   b. Las posesiones
   c. Los terremotos
   d. Las ruinas

5. El presidente es el _____ de su partido político.
   a. jefe
   b. jardinero
   c. jugador
   d. individuo

5 Una llamada telefónica

Vocabulario

Haciendo una
llamada telefónica

la cabina telefónica

la ranura

el auricular

el disco

el teléfono

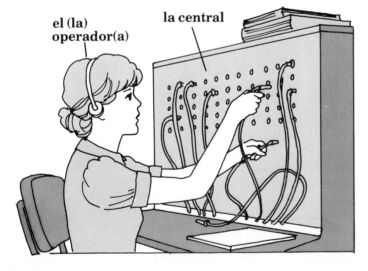

el (la)
operador(a)

la central

la clave
de área

608
494-1963

el número de teléfono

Ejercicio 1   Contesten personalmente.

1. ¿Tienes teléfono en casa?
2. ¿Cuál es tu número de teléfono?
3. ¿Cuál es tu clave de área?
4. ¿Tiene tu teléfono disco o botones?
5. ¿Tienes que hablar con el operador para hacer una llamada local?

Enrique está haciendo una llamada telefónica.
Está llamando a su novia.

¿Qué tiene que hacer?

 **introducir** la moneda

 **esperar la señal**

 **marcar** el número

 hablar con su novia

Ejercicio 2 Contesten.

1. ¿Qué está haciendo Enrique?
2. ¿A quién está llamando?
3. ¿En dónde entró Enrique?
4. ¿Dónde tiene que introducir una moneda?
5. ¿Qué hace con el disco?
6. ¿Qué tiene que esperar?
7. ¿Con quién va a hablar Enrique?

Ejercicio 3 Completen.

El señor entra en la _____ telefónica. Él introduce una _____ en la ranura.
Con el _____ él _____ el número. La primera parte del número es la _____
_____ _____. Todo es automático. El _____ no tiene que hacer nada. El
operador está en la _____.

Expresiones útiles

¿Qué tipo de llamada quieres hacer?

Here are some expressions that are slightly different in Spanish and English, but you can probably guess their meanings very easily.

> **una llamada local (urbana)**
> **una llamada interurbana**
> **una llamada de larga distancia**
> **una llamada de persona a persona**
> **una llamada de estación a estación**
> **una llamada por cobrar**

Ejercicio 4 *Help me, please. I can't speak Spanish. Please speak to the operator for me. Tell him or her that I want to make a local call.*

Operador, el señor quiere hacer _____.

1. a local call
2. a long-distance call
3. a call to another city
4. a collect call
5. a station-to-station call
6. a person-to-person call

Quisiera hablar con el señor Irizarry.

Sí, señor. ¿De parte de quién?

¿Qué digo cuando contesto el teléfono?

— ¡Aló!
— Buenos días, señora. Quisiera hablar con el señor Irizarry. ¿Está, por favor?
— Sí, señor. **¿De parte de quién?**
— De parte del señor Guillén.
— Un momentito, por favor.
— Lo siento, señor. **Están comunicando.**
— ¿Le puedo **dejar un mensaje,** por favor?
— Lo siento, señor, pero Ud. está hablando con la central.
— De acuerdo. Voy a **intentar** más tarde. Gracias, señora.

Ejercicio 5 Contesten según la conversación.

1. ¿Quién hace la llamada?
2. ¿Con quién quiere hablar?
3. ¿Está el señor Irizarry?
4. ¿Por qué no puede hablar el señor Irizarry?
5. ¿Por qué no puede dejar un mensaje el señor que está llamando?

Ejercicio 6 ¿Qué digo?

1. Hello.
2. Who's calling?
3. One moment, please.
4. It's busy.
5. May I leave a message?
6. I'll try again later.

Estructura

El presente progresivo

The present progressive is used in Spanish to express an action that is actually in progress.

The present progressive is formed by using the present tense of the verb **estar** and the present participle. Study the following forms of regular present participles.

llamar	**llamando**	**hacer**	**haciendo**	**recibir**	**recibiendo**
hablar	**hablando**	**comer**	**comiendo**	**salir**	**saliendo**

¿Qué está haciendo Elena?
Ella está hablando por teléfono.
Yo estoy hablando con la operadora.

Note that in the present progressive, the verb **estar** changes according to the subject. The present participle never changes. It is called *invariable*.

The present progressive tense is used less frequently in Spanish than in English. The present progressive is used in Spanish to express an action that is going on right now.

Ejercicio 1 Enrique el gordito
Practiquen la conversación.

Carolina ¿Por qué está corriendo Enrique?
Elena Están abriendo el comedor. Él quiere llegar primero.
Carolina ¡Qué comilón! Por eso se está poniendo tan gordo.

Ejercicio 2 Contesten según el modelo.

¿Cuándo van a abrir el comedor?
Ya están abriendo el comedor.

1. ¿Cuándo van a hacer la comida?
2. ¿Cuándo van a poner la mesa?
3. ¿Cuándo vas a escoger?
4. ¿Cuándo vas a comer?
5. ¿Cuándo vas a pagar la cuenta?

Ejercicio 3 Están estudiando español.
Completen con el presente progresivo.

Linda _____ (hablar) con su tía. Linda y su tía _____ (aprender) español.
Linda _____ (asistir) a un curso en la universidad. La tía _____ (recibir) clases
particulares.

Expresiones útiles

Spanish speakers will often indicate disbelief or need for confirmation by asking
¿De veras? This corresponds to the English *Really?* Often speakers will repeat the
statement they hear as a question. They will put **¿De veras que . . .?** in front of
the question.

Juan nos llama.
¿De veras que Juan nos está llamando?

Ejercicio 4 Contesten según el modelo.

Carlos llama.
¿De veras que Carlos está llamando?

1. Luisa llega.
2. Elena sale.
3. Tadeo espera.
4. Paquita conduce.

¿Qué quieren hacer los amigos?
Córdoba, España

90

Los participios presentes con -y

The following **-er** and **-ir** verbs have a **y** in the present participle.

creer	creyendo		oír	oyendo
leer	leyendo		construir	construyendo
traer	trayendo			

Ejercicio 5 La nueva central
Practiquen la conversación.

Martín   ¿Qué estás leyendo?

Inés   Un anuncio de la compañía telefónica.

Martín   ¿Qué dice?

Inés   Que están construyendo una nueva central.

Ejercicio 6 Contesten según la conversación.

1. ¿Quién está leyendo?
2. ¿Qué está leyendo ella?
3. ¿Qué está haciendo la compañía telefónica?

Ejercicio 7 Contesten con el presente progresivo según el dibujo.

1. ¿Qué construyen?

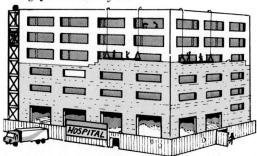

3. ¿Qué trae el mesero?

2. ¿Qué oye el señor?

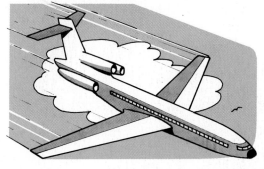

4. ¿Qué lees tú?

91

conversación

Ejercicio 1   Completen según la conversación.

Carlos está _____ de llamar a _____. El pobre Carlos tiene un problema porque la _____ siempre está _____. No le sorprende nada a Jesús porque él sabe que Antonio es muy _____. Siempre está hablando. Sin embargo, Carlos le quiere decir _____ muy importante. Así tiene que seguir _____.

Ejercicio 2   Imagínese que Ud. es Carlos. Por fin Antonio contesta. Complete la conversación.

Antonio	¿Aló?
Carlos	Hola, Antonio. Soy _____.
Antonio	¿Qué tal, Carlos? ¿Cómo estás?
Carlos	Bien. Oye, tengo algo muy _____ que decirte.
Antonio	¿Qué, hombre? ¿Qué pasa?
Carlos	Pues, _____

_____

Lectura cultural

Hablando por teléfono

Había una vez que era bastante difícil hacer una llamada telefónica en muchos países de habla española. Aun para hacer una llamada interurbana, era necesario comunicar con el operador. Para hacer una llamada de una cabina telefónica, uno tenía que comprar una ficha.° Después de introducir la ficha en la ranura y marcar el número, era necesario empujar° un botón cuando el interlocutor contestaba. Pero hoy todos estos trámites° van desapareciendo.° En los teléfonos públicos se puede introducir una moneda. No es necesario comprar una ficha. En muchas zonas se puede marcar aún los números de larga distancia. Pero hasta con la tecnología más avanzada, es posible tener un problema de vez en cuando.

Aquí está el pobre Enrique. Él está tratando de llamar a su novia que vive en otra provincia. Él está totalmente exasperado. Por fin decide comunicarse con el operador.

Operador	¡Diga!
Enrique	Sí, señor. ¿Me puede ayudar, por favor? Estoy tratando de llamar al 291-17-80. Y la clave de área es 25.
Operador	Ud. lo puede marcar directamente.
Enrique	Sí, señor, lo sé. Pero cada vez que llamo, estoy comunicando con un número equivocado.°
Operador	¿Tiene Ud. el número apropiado?
Enrique	Sí, señor. Es un número que sé de memoria. Pero en este momento lo estoy mirando en la guía telefónica, por si acaso.°
Operador	Muy bien. Voy a intentar. Está sonando.
Enrique	¡Ay, qué suerte!
Operador	Lo siento pero no contesta nadie.
Enrique	Gracias, señor. Voy a seguir intentando.

°**ficha** *token*   °**empujar** *to push*   °**trámites** *steps, procedures*   °**desapareciendo** *disappearing*   °**número equivocado** *wrong number*   °**por si acaso** *just in case*

93

Una hora más tarde Enrique llama de nuevo. Descuelga el auricular. Espera pacientemente la señal y luego marca el número. ¿Está sonando? Sí, sí. Está sonando. ¡Qué suerte!

Lupita	¡Aló!
Enrique	¡Aló, Lupita!
Lupita	Enrique, ¿cómo estás, mi amor?

Y luego nada. Silencio total y otra vez la señal.

Enrique	¡Ay de mí! Es increíble. Ahora se me cortó la línea. Me parece que nunca voy a hablar con Lupita. ¡Este bendito teléfono!

Ejercicio 1   ¿Es de hoy o de ayer?

1. Para hacer una llamada interurbana es necesario hablar con el operador.
2. Para hacer una llamada de un teléfono público se puede introducir una moneda en la ranura.
3. Hay que comprar una ficha antes de hacer una llamada de un teléfono público.
4. Se puede marcar muchos números de larga distancia.

Ejercicio 2   Completen.

1. Enrique está tratando de llamar . . . .
2. Enrique sabe el número de teléfono y también . . . .
3. El operador le dice que puede . . . .
4. Enrique lo sabe pero cada vez que llama están . . . .
5. El operador intenta el número y, ¡qué suerte! . . . .

Ejercicio 3   El pobre Enrique tiene un montón de problemas con el teléfono. Ponga en orden todo lo que está haciendo.

Le pide ayuda al operador.
Su amiga, Lupita, contesta.
Cada vez que llama, se comunica con un número equivocado.
Está sonando pero no contesta nadie.
El operador intenta hacer la llamada.
Enrique espera una hora y luego intenta de nuevo.
Se le cortó la línea.

Actividades

1 Here are some phone calls you have to make. Complete each telephone conversation.

Call a doctor to make an appointment.

Recepcionista	Aló, la consulta del doctor Maldonado.
Ud.	Soy _____. Quiero _____.
Recepcionista	¿Qué le pasa?
Ud.	Tengo _____.
Recepcionista	Bueno. El doctor le puede ver el jueves a las ocho.
Ud.	Muy bien. Yo _____.

Call a travel agent and make reservations.

Agente	Agencia de Viajes Altamar. Buenos días.
Ud.	Buenos días. Necesito un _____.
Agente	¿Cuándo quiere Ud. salir?
Ud.	_____.
Agente	¿Desea viajar en primera o en clase económica?
Ud.	_____.
Agente	¿Cómo quiere pagar?
Ud.	Con _____.

Tarjeta de crédito

Call the stadium for soccer tickets.

Agente	Estadio Metropolitano. Buenas tardes.
Ud.	Necesito _____ entradas para _____.
Agente	Tenemos de ochocientos y de mil pesos. ¿Cuál prefiere Ud.?
Ud.	_____.
Agente	Tenemos asientos en la fila 8 o en la fila 22 en el centro.
Ud.	Prefiero _____.
Agente	Podemos mandar las entradas por correo o Ud. puede venir aquí a buscarlos.
Ud.	_____.

FÚTBOL
JUEVES 8:30 P.M.
22 DE DICIEMBRE 1986

Revista

La joven está en la Puerta del Sol en Madrid. ¿A quién llamará?

¿Por qué habla tanto la gente cuando hay otros esperando? ¡Paciencia, paciencia! Un día terminarán de hablar.

Un teléfono moderno

¿Tiene un disco para marcar? ¿Qué monedas acepta el teléfono? ¿En qué país crees que está este teléfono? ¿Por qué?

Una ficha para el teléfono público. La ficha se usaba en Chile, España y otros países pero va desapareciendo.

¿Dos qué? ¿Qué le estará diciendo él a ella? ¿Y a quién estarán llamando desde este teléfono en Santo Domingo, República Dominicana?

Y estas dos chicas están
llamando desde un teléfono
público en Buenos Aires, Argentina.

Este teléfono público está en La
Paz, Bolivia. Y allí se quedará
porque nadie podrá llevárselo con
esa cadena.

Se puede llamar y hablar. Pero hay
que pagar. ¿Cuándo hizo la llamada?
¿Dónde estaba cuando llamó? ¿A qué
número llamó? ¿Qué clase de llamada
era? ¿Cuánto le costó?

6 LOS ALIMENTOS

el cordero

la carne de res

el trigo

la lechuga

las especias

el maíz

el ganado

las vacas

las ovejas

los caballos

Los vaqueros estaban cuidando el ganado.

Los pastores estaban vigilando las ovejas.

98

Los animales estaban comiendo **la hierba**.

El indio estaba **cultivando** el maíz.

Ejercicio 1 Contesten.

1. ¿Quiénes estaban cuidando el ganado?
2. ¿Y qué estaban vigilando los pastores?
3. ¿Qué estaban comiendo los animales?
4. ¿Y qué estaba cultivando el indio?
5. ¿Estaban comiendo los animales el maíz que el indio estaba cultivando?

Ejercicio 2 ¿Animal o vegetal?

	Animal	Vegetal		Animal	Vegetal
1. el cordero	_____	_____	5. el caballo	_____	_____
2. el maíz	_____	_____	6. la especia	_____	_____
3. la lechuga	_____	_____	7. el ganado	_____	_____
4. la vaca	_____	_____	8. el trigo	_____	_____

In English the verb *to grow* is used to mean: 1) to cultivate as in *to grow corn, wheat, or other vegetables;* 2) to raise animals as in *to grow cattle or chickens;* 3) to increase in size and shape as in *to grow tall or to grow big;* and 4) to rear children or to grow up as in *to grow up in the city.*

In Spanish there are three verbs used to convey these different ideas.

- **Cultivar** is used for growing vegetables.
  Ellos cultivaban trigo.

- **Crecer** is used to indicate the increase in size or age.
  El trigo estaba creciendo.

- **Criar** is used for raising animals.
  Allí ellos crían ovejas.

  Criar is used also to mean rearing children, or growing up.

  Mis abuelos criaron a ocho hijos.
  Yo me crié en la ciudad.

Ejercicio 3 La finca de mis tíos
Escojan.

1. Mis tíos estaban _____ arroz.
   a. cultivando
   b. criando

2. Ellos también estaban _____ pollos.
   a. cultivando
   b. criando

3. Yo me _____ en el campo.
   a. crié
   b. cultivé

4. Allí yo _____ legumbres.
   a. cultivaba
   b. crecía

5. Yo comía muy bien y _____ mucho.
   a. crecí
   b. me crié

Estructura

El imperfecto progresivo

We have just learned that the present progressive is used to express an action that is actually in progress now. The imperfect progressive can be used to describe an action that was going on in the past.

The imperfect progressive is formed by using the imperfect of the verb **estar** and the present participle.

> **Los vaqueros estaban cuidando el ganado.**
> **Nosotros estábamos visitando la hacienda.**

Ejercicio 1 Mi tío estaba construyendo un hotel.
Contesten según el modelo.

¿Está trabajando Jorge?
No, pero estaba trabajando antes.

1. ¿Estás trabajando con tu tío?
2. ¿Él está construyendo un hotel?
3. ¿Están Uds. ganando mucho dinero?
4. ¿Tu tío te está pagando bien?
5. ¿Uds. están volviendo tarde a casa?
6. ¿Estás aprendiendo mucho de la construcción?

Ejercicio 2 La vida en el campo
Contesten según se indica.

¿Dónde trabajaba Luis? **campo**
Luis estaba trabajando en el campo.

1. ¿Dónde vivían tus padres? **campo**
2. ¿Qué cultivaban ellos? **maíz**
3. ¿Criaban animales también? **sí, ovejas**
4. ¿Ellos trabajaban mucho? **sí, demasiado**
5. ¿Llovía mucho donde vivían? **sí, siempre**

El participio presente de los verbos de cambio radical

The same verbs that have a stem change in the preterite also have a stem change in the present participle. Study the following.

decir	diciendo
pedir	pidiendo
servir	sirviendo
repetir	repitiendo
medir	midiendo
preferir	prefiriendo
sentir	sintiendo
dormir	durmiendo
morir	muriendo

Ejercicio 3 Contesten con *nada, nadie, nunca* o *ninguno.*

¿Qué pide Luis?
Luis no está pidiendo nada.

1. Y tú, ¿qué dices?
2. ¿Quién duerme?
3. ¿Qué repiten Uds.?
4. ¿Qué siente Ud.?

5. ¿Quién sirve?
6. ¿Qué miden Uds.?
7. ¿Quién muere?

Ejercicio 4 ¿Qué hacían?
Contesten según el dibujo.

¿Qué hacía el señor?
El señor estaba sirviendo la comida.

1. ¿Qué hacía la enfermera?

3. ¿Qué hacían las plantas?

2. ¿Qué hacían los niños?

4. ¿Qué hacías tú?

¡Menú!

conversación

Comimos en un restaurante mexicano.

Tomás   Sabes, anoche Carolina y yo comimos en un restaurante mexicano.

Maripaz   A ti te gusta mucho la comida mexicana, ¿no?

Tomás   De veras que me gusta. Cuando llegamos al restaurante, me estaba muriendo de hambre.

Maripaz   ¿Qué pidieron Uds.?

Tomás   Pedimos de todo: enchiladas de carne de res, tacos de pollo, tamales, guacamole y chiles rellenos.

PANCHO

APERITIVOS

NACHOS   melted cheese on tortilla chips with jalapeno pepper slice
CEVICHE   white fish marinated in lemon, onion, tomato, fresh coriander
GUACAMOLE   mashed avocado, onion, tomato, fresh coriander
AGUACATE RELLENO   half avocado stuffed with shrimp, creamy dressing
ENSALADA   lettuce, onions, tomatoes, egg and avocado, in a house dressing
small

QUESADOS   mangles of flour tortillas stuffed with cheese and onions
topped with sour cream and guacamole

SOPAS

SOPA A LA CHARRA   pinto bean soup
SOPA DE POLLO   chicken soup
SOPA DE FRIJOL NEGRO   black bean soup

ESPECIALIDADES

1 TACOS (3)   crisp folded corn tortillas stuffed with ground beef or chicken
2 ENCHILADAS (3)   stuffed cheese, beef, or chicken tortillas stuffed with ground beef or chicken
3 ENCHILADAS SUIZAS (3)   stuffed chicken tortillas, sour cream, green tomato sauce
4 BURRITOS (3)   rolled flour tortillas stuffed with chunks of beef
5 TOSTADAS (3)   open crisp corn tortillas topped with beans, ground beef, lettuce
6 MOLE POBLANO   portions of chicken cooked in bitter chocolate base and dry red pepper sauce
7 MOLE VERDE   portions of chicken cooked in a green pepper, green tomato and pumpkin seed sauce
8 CHILES RELLENOS   green peppers lightly fried in egg batter, stuffed with cheese and pumpkin seed sauce
9 CARNE A LA TAMPIQUENA   shell steak, tomato onion sauce
10 POLLO A LA MEXICANA   chicken with tomato, tomato onion sauce
11 STEAK RANCHERO   thin sliced steak sauteed with tomatoes, onion, green peppers
12 FLAUTAS (3)   crisp rolled corn tortillas stuffed with shredded beef or chicken
13 CHIMICHANGAS (3)   deep-fried flour tortillas stuffed with shredded beef
14 QUESADILLAS (3)   soft folded corn or flour tortillas stuffed with melted cheese
15 CAMARONES VERACRUZANA   shrimp sauteed in margarine with tomatoes, onion, and peppers in a deep fried flour shell

COMBINACIONES

16 FLAUTA, CHIMICHANGA, QUESADILLA
17 TACO, ENCHILADA, QUESADILLA
18 TACO, ENCHILADA, TAMAL
19 CHILE RELLENO, TACO, ENCHILADA
20 VEGETARIAN   cheese tostada, bean burrito, guacamole taco
21 KING CRAB MEAT ENCHILADAS   green sauce and sour cream
22 FAJITAS   marinated skirt steak

ALL ABOVE ORDERS SERVED WITH RICE AND BEANS

Ejercicio Contesten personalmente.

1. ¿Hay un restaurante mexicano donde tú vives?
2. ¿Cómo se llama?
3. ¿Vas al restaurante con frecuencia?
4. ¿Te gusta la comida mexicana?
5. ¿Por qué te gusta o no te gusta?

Lectura cultural

Los alimentos y la historia

Cuando estamos en un restaurante y estamos pidiendo un biftec o unos tacos no pensamos en su historia. Pero la historia de los alimentos es interesante y también importante. Vamos a ver por qué.

El taco de carne es una combinación de tortilla de maíz y carne de res con tomate y lechuga. El taco de carne representa también la combinación de dos civilizaciones y culturas.

La tortilla de maíz es del continente americano. Los aztecas, los indios de México, estaban comiendo tortillas de maíz siglos antes de la llegada de los españoles. La tortilla era de maíz porque en América había maíz, pero no había trigo. Así, mientras los europeos comían pan de trigo, los indios comían tortillas de maíz. Eran los españoles que introdujeron el trigo en el Nuevo Mundo. También trajeron ganado: vacas, ovejas y caballos. Antes de la llegada de los españoles no había ganado en nuestro continente.

Es verdad que los españoles trajeron muchos productos a nuestro continente, pero ellos encontraron también muchas cosas nuevas en América. Los españoles no conocían el maíz, ni el tomate, ni la papa, ni el tabaco. Los indios cultivaban el «tomatl». Los españoles lo llevaron a Europa. Allí lo cultivaban como decoración. ¿Pueden Uds. creer que ellos tenían miedo a los tomates? Pues, así era. Ellos creían que si comían tomates iban a morir.

El mismo descubrimiento de América se debe a la comida. Cristóbal Colón estaba buscando una nueva ruta a Asia. En Asia estaban las especias. Las especias eran necesarias para conservar la comida. Muchas personas en Europa se estaban muriendo de hambre porque no tenían especias. No las tenían porque eran caras. Eran caras porque venían de Asia por tierra, en caravanas, en viajes que duraban años. Colón estaba diciendo que por mar podía llegar al Oriente. Quería ir a la India porque allí estaban las especias que buscaba, pero Colón nunca llegó a la India. Llegó a las Indias—en el Nuevo Mundo.

«Favor de pasar la sal». La sal. ¡Qué cosa más sencilla! Pero había una vez que los hombres se estaban matando por sal. Los soldados romanos recibían su pago en sal y de allí viene la palabra «sal*ario*»—o en inglés *sal*ary.

No hay duda que la comida tiene mucho que ver con la historia. Pero, mientras tanto, a comer y ¡buen provecho!

Ejercicio   Escojan.

1. ¿Qué es el taco?
   a. Una tortilla de maíz con carne, lechuga y tomate.
   b. Un tipo de ensalada con tomate y lechuga.
   c. Una variedad de carnes y legumbres.

2. El europeo comía trigo. ¿Qué grano comía el indio?
   a. Arroz.
   b. Pan.
   c. Maíz.

3. Antes de la llegada de los españoles, ¿dónde había ganado?
   a. Solamente en España.
   b. En muchos sitios, pero no en las Américas.
   c. En Norteamérica y también en Centroamérica.

4. ¿Qué creían los europeos del tomate?
   a. Que no se podía comer.
   b. Que era muy bueno para la ensalada.
   c. Que las plantas morían fácilmente.

5. ¿Qué estaba buscando Colón?
   a. Un mercado para el ganado europeo.
   b. Una ruta más corta, por mar, a Asia.
   c. Más comercio con los indios americanos.

Cultivan tomates en el valle de Azapa en Chile.

104

6. ¿Por qué eran necesarias las especias?

   a. Se usaban para mantener la comida en buenas condiciones.
   b. Eran necesarias para cambiar por otros productos.
   c. La comida en Europa no tenía mucho sabor.

7. ¿Para qué servían las caravanas?

   a. Para llevar a los españoles al Nuevo Mundo.
   b. Para llevar las especias de Asia a Europa.
   c. Para introducir el ganado en América.

8. ¿Cuál es la diferencia entre «la India» y «las Indias»?

   a. Las Indias están en el Nuevo Mundo. La India está en Asia.
   b. Las Indias son personas. La India es un país.
   c. La India está en América. Las Indias están en Europa.

9. ¿A quiénes les pagaban con sal?

   a. A los soldados indios.
   b. A los hombres en las caravanas.
   c. A los legionarios romanos.

10. ¿Cuál es el mensaje principal de este artículo?

   a. Que se comen las mismas cosas en todo el mundo.
   b. Que la comida tuvo mucha influencia en la historia.
   c. Que los viajes por mar son más rápidos que los viajes por tierra.

Una india recogiendo el maíz en Otavalo, Ecuador

Actividades

1 Algunos comestibles son de Europa y otros son del continente americano.

¿De dónde son éstos?

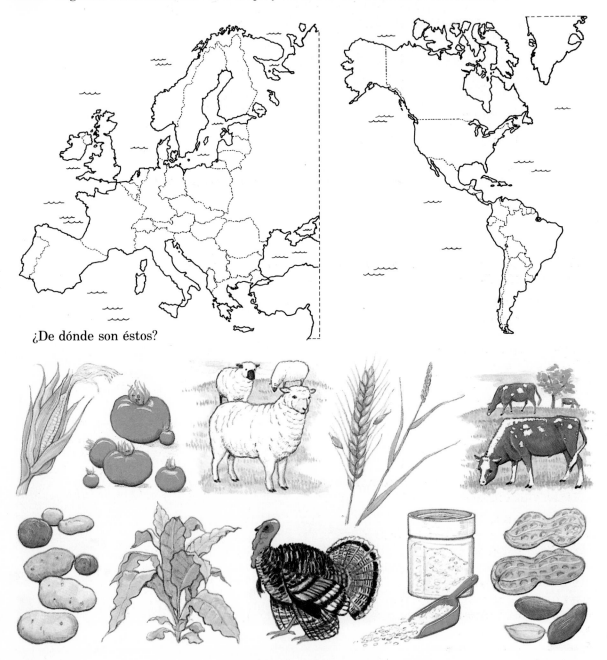

2 Ud. es el cocinero en un restaurante
famoso. Prepare un menú para un almuerzo.

3 Indiquen si los siguientes platos se podían comer en América
antes de 1492. *¿Sí o no?*

- una hamburguesa
- una ensalada de tomates
- un biftec
- unas chuletas de cordero
- una tortilla de maíz
- un taco de tomate
- un sándwich de tomate

4 ¿Cuáles de estos platos son una combinación de las culturas
europea y americana?

- un taco de carne de res
- una hamburguesa con papas fritas
- un sándwich de carne
- una ensalada del chef con tomate, lechuga y carne
- un biftec con maíz y ensalada
- una tortilla de maíz con tomate
- chuletas de cordero y pan con mantequilla
- una sopa de pescado
- papas y tomates fritos

Revista

Un pastor
español con su ganado.
¿Qué clase de ganado es? ¿Te
gusta la carne de estos animales?

Arroz y | habichuelas | son la dieta básica en muchos países hispanoamericanos.
| frijoles |
| fréjoles |
| judías |
| porotos |

¡Y los *beans* llevan muchos nombres!

	Aceite girasol KOIPESOL 1 litro	62	57
Atún claro CALVO 92 grs.	Tomate frito ORLANDO 1/2 Kg.	590	229
Queso SPAR 1 Kg.	Espárragos SPAR 8/11 piezas 1/2 Kg.	36	980
Sopas GALLINA BLANCA sobre	Jamón SPAR 1 Kg.	208	465
Aceite ELOSUA 0,8°, 1 litro	Café soluble MONKY, 200 grs.	64	
Leche SPAR brik, 1 litro			

La tienda se llama **SPAR**. ¿Y
qué significa el pino verde a
mano derecha? Es una tienda
cooperativa. ¿Y eso qué es?
¿Sabes?

El aceite «Elosúa» es de oliva y
es más caro que el aceite
«Koipesol». ¿Qué clase de aceite
es «Koipesol»? ¿Sabes lo que es
en inglés?

¿Cuánto es el pescado?
¿Cuántos espárragos hay en una
lata de medio kilo?
¿Qué quiere decir «GRS.»?

Los productos importados siempre
son caros. ¿De dónde serán las
manzanas que vemos en el anuncio?
¿Cuál es el precio regular? ¿Qué
quiere decir «KG.»? ¿Y «C/U.»?

Los aztecas las usaban como plato
y tenedor y luego las comían. ¿Qué
podemos preparar con ellas?

¿Qué son y de qué son? ¿Te gustan?

MIERCOLES DE PLAZA

MANZANA
ROME BEAUTY
DE $ 159.80 A SOLO
$99.80 KG.

GUAYABA
DE $ 96.80 A SOLO
$54.80 KG.

CAMOTE
BLANCO
DE $ 41.80 A SOLO
$24.80 KG.

CHAYOTE
CON ESPINAS
DE $ 34.80 A SOLO
$18.80 Kg.

TODOS LOS MANOJOS
DEL DEPARTAMENTO
DE FRUTAS
Y VERDURAS A SOLO
$7.80 C/U.

VALIDO
SOLO HOY
AREA
METROPOLITANA

LAS MEJORES COMPRAS SE HACEN EN
comercial mexicana

¿Qué clase de chuletas se
venden aquí? Esta carne no se
vende por kilo sino por libra.
¿De dónde crees que es el
anuncio?

CARNES

Chuletas Cortadas
(U.S. Frozen Pork Chops)
Caja 10 lbs.
Reg. 15.99
13.99

Savoy
JAMON PARA COCINAR
(Cooking Ham)
Reg. 1.00 lb.
85¢ lb.

109

7 BUENOS MODALES

Formas de saludar
y de despedirse

vocabulario

abrazar   besar   dar la mano

Ejercicio 1   Contesten según el dibujo.

1. ¿Quiénes se dan la mano?
2. ¿Quiénes se besan?

3. ¿Quiénes se abrazan?

Daniel **se fija** en Lola.
Ella es **una belleza.**

Cupido le pone **una flecha** en su **corazón.**
Él **se enamora** de Lola.

Ella le da **un besito** en **la mejilla.**   El besito es **una señal** de «adiós».

Ejercicio 2 Contesten.

1. ¿Quién se fijó en Lola?
2. ¿Cómo era ella?
3. ¿Qué le hizo Cupido a Daniel?
4. ¿Quién se enamoró de quién?
5. ¿Lola le dio un besito a Daniel?
6. ¿Dónde le dio un besito?
7. ¿Qué opina Ud.? ¿Se enamoró Lola de Daniel también?

Estructura

Repaso de los pronombres de complemento directo

A *pronoun* is a word that replaces a noun. A *direct object* is the word in the sentence that receives the action of the verb. Very often a pronoun is used as the direct object of a sentence. Review the following examples.

Object noun	*Object pronoun*
María lee el libro.	María lo lee.
María lee la revista.	María la lee.
María tiene los libros.	María los tiene.
María tiene las revistas.	María las tiene.

Remember that the direct object pronouns precede the conjugated form of the verb.

The pronouns **me, te,** and **nos** can be used as either direct or indirect object pronouns.

¿Te ve Ricardo? Sí, me ve.
¿Te trae un regalo? Sí, me trae un regalo.

Ejercicio 1 Emilio prepara el almuerzo.
Contesten con *lo, la, los* o *las.*

1. ¿Viste a Emilio?
2. ¿Él compraba **los comestibles**?
3. ¿Él llevó **los comestibles** a casa?
4. ¿Emilio compró **la ensalada** también?
5. ¿Él pagó **la cuenta**?
6. ¿Emilio pidió **las especias**?
7. ¿Ellos tenían **las especias** en la tienda?
8. ¿Compró **la sal** también?
9. ¿Emilio prepara **el almuerzo** hoy?

Ejercicio 2 Elena te llamó.
Completen la conversación.

Tomás	¡Oye, Pedro! Elena _____ llamó por teléfono pero no estabas.
Pedro	¿Cuándo _____ llamó ella?
Tomás	A las tres. Ella _____ invitó a ti y a mí a una fiesta.
Pedro	¡Qué bien! ¿_____ puedes decir cuándo será?
Tomás	Sí, ella _____ dijo que será esta noche a las nueve.

Ejercicio 3 ¡Pobrecitos!
Contesten con *nadie*.

1. ¿Quién me busca?
2. ¿Quién te llama?
3. ¿Quién los ayuda a Uds.?
4. ¿Quién te comprende?
5. ¿Quién nos espera?
6. ¿Quién los invita a Uds.?

Ejercicio 4 La familia Ramírez
Completen la siguiente conversación.

— ¿Conoces a los Ramírez?
— No, _____.

— ¿Miraste la televisión anoche?
— No, _____.

— Tina Ramírez estuvo en la televisión. ¿No la viste?
— No, _____.

— ¿Escuchas los discos de Tina Ramírez?
— No, _____.

— Son muy buenos. ¡Oye! ¿Tú me haces caso?
— No, _____.

Repaso de los pronombres de complemento indirecto

We have already reviewed the pronouns **me, te,** and **nos** which can be used either as direct or indirect object pronouns.

The pronouns **lo, la, los, las** can be used as direct object pronouns only. The indirect object pronouns are **le** and **les.** Remember that the indirect object of the sentence is the indirect receiver of the action of the verb. Let us analyze the following sentence.

Juan le escribió una carta a Lupita.

What John actually wrote is the direct object of the sentence. The person to whom John wrote is the indirect object. What is the direct object of the sentence above? What is the indirect object?

Note that the indirect object pronouns **le** and **les** can be used with a noun or a pronoun phrase.

Noun phrase	*Pronoun phrase*
María le dio un regalo a Juan.	**María le dio un regalo a él.**
Juan le dio un regalo a María.	**Juan le dio un regalo a ella.**
Juan les dio un regalo a sus amigos.	**Juan les dio un regalo a ellos.**
María les dio un regalo a sus amigas.	**María les dio un regalo a ellas.**
	Juan le dio un regalo a Ud.
	María les dio un regalo a Uds.

112

Ejercicio 5 Sancho te compró un regalo.

Tell if the underlined pronoun is a direct or indirect object.

1. Sancho me pidió un favor.
2. Él te quería comprar un regalo.
3. Él lo compró en la capital.
4. Yo le dije a Sancho lo que te gustaba.
5. Él compró otros regalos y los llevó a casa.
6. Nos dio un regalo a Tina y a mí.
7. Yo le di las gracias.
8. Sancho nos invitó a todos a su casa.

Ejercicio 6 Francisco y sus cartas
Completen.

1. _____ mandamos una carta a Francisco.
2. Él también _____ escribió (a nosotros).
3. ¿Francisco _____ escribió (a ti) también?
4. ¿Qué _____ dijo (a ti) en su última carta?
5. Yo _____ dije a mis hermanos que ellos _____ deben escribir a Francisco.
6. Él siempre _____ manda cartas a ellos.
7. Ellos nunca _____ mandan nada al pobre Francisco.
8. Francisco siempre _____ dice (a mí) que a él _____ gusta mucho recibir cartas.

Dos complementos en una oración

We often use both a direct and an indirect object pronoun in the same sentence. In Spanish the indirect object pronoun always precedes the direct object pronoun. Both pronouns precede the conjugated form of the verb.

Juan tiró la pelota a mí.   **Juan me la tiró.**

Teresa tiró la pelota a nosotros.   **Teresa nos la tiró.**

The indirect object pronouns **le** and **les** change to **se** when used with **lo, la, los,** or **las.**

El mesero les dio el menú. El mesero se lo dio.
La Sra. Vargas le dejó la propina. La Sra. Vargas se la dejó.

Just as the pronouns **le** and **les** are often accompanied by a prepositional phrase, so is the pronoun **se**. The prepositional phrase is used when it is necessary to clarify to whom the pronoun refers or to add emphasis.

Él se los dio	**a él.**
	a ella.
	a Ud.
	a ellos.
	a ellas.
	a Uds.

Ejercicio 7   Lo que necesité para esquiar
Contesten según el modelo.

¿Los esquís?
¿Quién te los compró?
Mamá me los compró.

1. ¿Los esquís?
2. ¿El anorak?
3. ¿Las botas?
4. ¿Los bastones?
5. ¿El suéter?
6. ¿La gabardina?

Ejercicio 8   Josefina va a esquiar.
Practiquen la conversación.

Federico   ¿Qué hiciste con los esquís?
Nilda   Se los di a Josefina.
Federico   ¿Por qué?
Nilda   Ella me los pidió.

Ejercicio 9   Contesten según la conversación.

1. ¿Quién pidió los esquís?
2. ¿A quién se los pidió?
3. ¿Le dio los esquís Nilda?
4. ¿Quién le preguntó a Nilda lo que hizo con los esquís?

Ejercicio 10   ¿De veras?
Contesten según el modelo.

Juan me compró el billete.
¿De veras que él te lo compró?

1. Ellos te mandaron saludos.
2. Ella te escribió la carta.
3. Paco les mandó los paquetes a Uds.
4. María les dio los sellos a los niños.

Adverbios en *-mente*

An *adverb* is a word that modifies a verb. Many Spanish adverbs end in **-mente**. In order to form an adverb, you add **-mente** to an adjective that ends in **-e** or a consonant.

Adjective	+	**mente**	=	*Adverb*
general				**generalmente**
principal				**principalmente**
triste				**tristemente**
humilde				**humildemente**

For adjectives that end in **-o**, the **-mente** ending is added to the feminine or the **-a** form of the adjective.

Feminine adjective + **mente** = *Adverb*
loca   **locamente**
cariñosa   **cariñosamente**

Ejercicio 11   Enrique, el enamorado
Practiquen la conversación.

Enrique   Teresita me saludó cariñosamente.
Roberto   Ella te saludó cordialmente y nada más.
Enrique   ¿Qué sabes tú?
Roberto   Sé que tú estás locamente enamorado.

Ejercicio 12   Formen adverbios de los siguientes adjetivos.

1. rápido
2. económico
3. fabuloso
4. cariñoso
5. triste
6. elegante
7. débil
8. formal

Los jóvenes se dan la mano, España

conversación

¿Está locamente enamorado?

Gabriela Velarde es de Panamá. Recibió una beca y estudió un año en los Estados Unidos. Ella vivió en casa de Tony con los padres y hermanos de Tony. Una vez su prima la visitó y todos fueron a comer en un restaurante. ¿Qué pasó?

Tony Gabriela, tu prima Lupita es una belleza. ¡Esos enormes ojos negros que tiene!

Gabriela Yo me fijé en que tú estabas muy entusiasmado.

Tony ¿Yo? Es que ella está locamente enamorada de mí.

Gabriela ¿Ella locamente enamorada de ti? ¿Cómo puedes decir eso? Eres tú el enamorado.

Tony ¿Cómo puedo decir eso? Ella me besó cuando salimos del restaurante.

Gabriela ¡Tony!

Tony ¡Qué va! Y no me besó sólo una vez, sino dos veces.

Gabriela Tony, esos besitos no tienen importancia. Es una costumbre nuestra. Ella te besó en cada mejilla como señal de cariño y amistad. No tiene nada que ver con el amor.

Tony No me vas a convencer. Yo sé que me quiere.°

Gabriela No te voy a convencer porque no quieres estar convencido. Cupido te metió una flecha.

Ejercicio 1 Contesten.

1. ¿De dónde es Gabriela?
2. ¿Qué recibió?
3. ¿Dónde estudió?
4. ¿Con quiénes vivió?
5. ¿Quién la visitó?
6. ¿Adónde fueron Gabriela, su prima y la familia de Tony?

Ejercicio 2 Completen.

1. Tony cree que la prima de Gabriela es . . . .
2. Él cree que su prima está . . . .
3. Gabriela no está de acuerdo. Ella dice que el enamorado es . . . .
4. Tony sabe que la prima está enamorada de él porque . . . .
5. Según Gabriela, los besitos que ella le dio . . . .
6. Estos besitos son solamente . . . .

°**quiere** *loves*

116

Costumbres de cortesía

En todas las sociedades del mundo hay convenciones de cortesía que uno debe adoptar si quiere tener buenos modales. Si tú viajas por el mundo hispánico y no quieres parecer mal educado(a), ¿cuáles son algunas convenciones de cortesía que debes conocer?

Hay que tener mucho cuidado con el uso de «tú» y «Ud.». La forma de «Ud.» es una señal de cortesía y de respeto. Así, ¿a quién le debes dirigir la palabra* con la forma de «Ud.»?

Le hablas de Ud. a una persona mayor.

Le hablas de Ud. a un(a) profesor(a).

Le hablas de Ud. a tu jefe(a).

Le hablas de Ud. a un(a) comerciante.*

Le hablas de Ud. a una persona que tú no conoces muy bien.

---

* **dirigir la palabra** *address*   * **comerciante** *business person*

Luego, ¿a quién le puedes hablar de «tú»? Puedes tutear a un buen amigo o a un pariente. Y los jóvenes de la misma edad casi siempre se tutean. Hoy día la gente se tutea más fácilmente que antes pero depende del país. Tú no debes tutear primero. Cuando alguien te tutea, es como una invitación. Luego tú lo (la) puedes tutear también.

Los hispanos suelen ser un poco más formales que nosotros. Por ejemplo, cuando un hispano encuentra a un(a) amigo(a), casi siempre le da la mano. No son sólo los mayores de edad que se dan la mano. Los jóvenes lo hacen también.

El abrazo es también una costumbre muy hispana. ¿Y qué es el abrazo? Pues, en las sociedades hispánicas los hombres que se conocen bien se abrazan. Un señor rodea˚ a otro con los brazos mientras le da unos golpes en la espalda. Los hombres se abrazan cuando se encuentran o cuando se despiden el uno del otro. Entre hombres es el abrazo. Pero, ¿qué hace una mujer? Ahora vamos a comprender el problema del pobre Tony. Una mujer le da un besito a una amiga o a un amigo en cada mejilla. El abrazo o el besito es una señal de cariño y amistad˚ entre amigos y parientes.

¡Y una cosita más! Como señal de respeto los hispanos suelen usar los títulos más que nosotros. Por ejemplo, en los Estados Unidos, si una persona es médico(a), lo (la) llamamos «doctor(a)». En muchos países hispanos usan otros títulos también, como «profesor» o «abogado». Si la persona tiene la licenciatura, le dirigirán la palabra con el título «licenciado(a)».

En cuanto a las costumbres y las convenciones de cortesía, es siempre una buena idea fijarse en lo que hacen los otros.

Ejercicio 1   Contesten.

1. ¿Con quiénes debes usar «Ud.»?
2. ¿Con quiénes puedes usar «tú»?

Ejercicio 2   *¿Sí o no?*

1. Generalmente nosotros somos un poquito más formales que los hispanos.
2. Los hispanos casi siempre le dan la mano a un(a) amigo(a).
3. En las sociedades hispánicas, los mayores de edad se dan la mano pero los jóvenes no lo hacen.
4. En nuestro país, los hombres siempre se abrazan cuando se encuentran.
5. En los países hispanos, las señoras siempre se abrazan también.
6. El besito que una señora hispana le da a un amigo en la mejilla es una señal de amor.
7. Nosotros usamos títulos como «profesor(a)» más frecuentemente que los hispanos.

˚**rodea** *surrounds*   ˚**amistad** *friendship*

Actividades

1 Look at the following photographs. From the actions of the people, do you think the people are from an Hispanic country or from the United States? Tell why.

2 Juanito, el caballero.
Vamos a decir si Juanito tiene buenos modales o si parece mal educado.

	mal educado	buenos modales
• Él se levanta cuando una persona mayor entra en la sala.	☐	☐
• Cuando una persona mayor está de pie en el autobús, él le ofrece su asiento.	☐	☐
• Él hace mucho ruido cuando come.	☐	☐
• Él no habla con palabras. En vez de usar palabras, él hace ruidos.	☐	☐
• Él siempre dice «gracias» cuando alguien le da algo.	☐	☐

119

Revista

Los jóvenes son menos formales que los viejos. Estos dos muchachos son de Sevilla, España. ¿Crees que son buenos amigos? ¿Por qué? ¿Cómo sabes que son españoles?

¡Dame la mano, amigo! Así se dan la mano muchos jóvenes latinoamericanos. ¿Conoces esa forma de dar la mano? ¿Lo viste alguna vez? ¿Dónde?

¡Se marcha el tren y se va mi amor!
¿Estarán locamente enamorados?

Quiz de selección múltiple
Estos dos son . . .
a. madre e hijo.   c. novios.
b. hermanos.   d. enemigos.

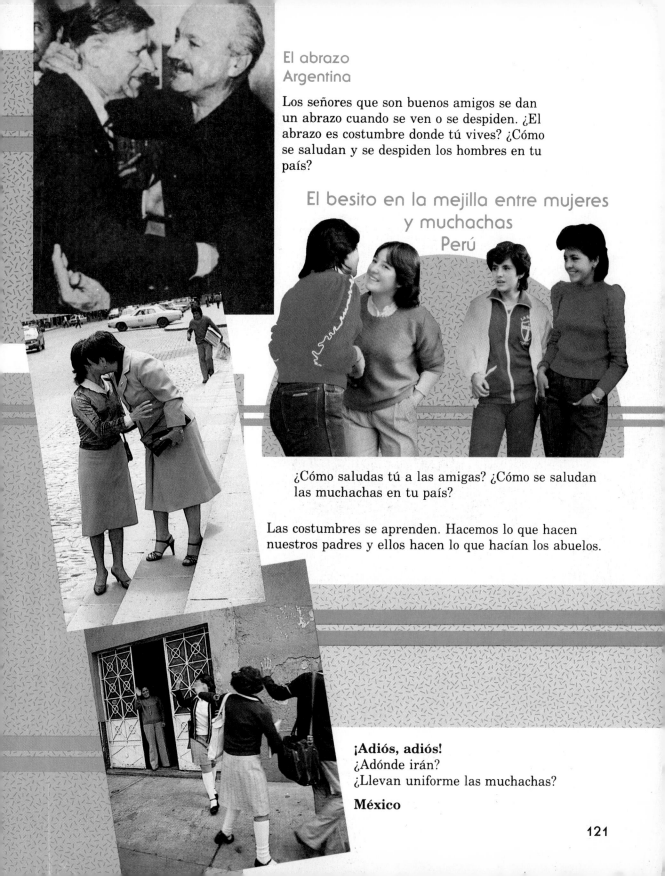

El abrazo
Argentina

Los señores que son buenos amigos se dan un abrazo cuando se ven o se despiden. ¿El abrazo es costumbre donde tú vives? ¿Cómo se saludan y se despiden los hombres en tu país?

El besito en la mejilla entre mujeres y muchachas
Perú

¿Cómo saludas tú a las amigas? ¿Cómo se saludan las muchachas en tu país?

Las costumbres se aprenden. Hacemos lo que hacen nuestros padres y ellos hacen lo que hacían los abuelos.

¡Adiós, adiós!
¿Adónde irán?
¿Llevan uniforme las muchachas?

México

121

8 Ciudades latinoamericanas

el teatro

el cine

el estadio

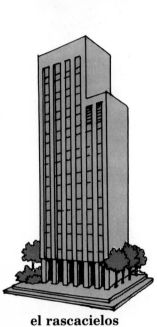
el rascacielos

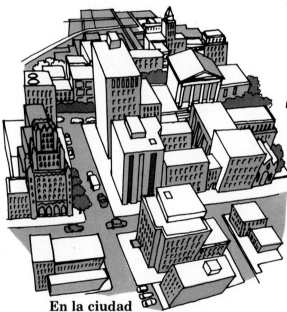
En la ciudad

el museo

las viviendas

Algunas diversiones

la obra teatral

la exposición de pinturas

la película

el partido de fútbol

Ejercicio 1   ¿Dónde tiene lugar?

1. una obra teatral
2. una exposición de arte
3. una película
4. una corrida de toros
5. un partido de fútbol
6. un banquete

   a. en un cine
   b. en un restaurante
   c. en un estadio
   d. en un museo
   e. en un teatro
   f. en la plaza de toros

Aquí está Teresa Villaverde.
Teresa está mirando una obra teatral.
Está mirándola en el teatro «Miranda».

Son **artefactos indígenas.**
Están **presentando** (poniendo) una
  exposición.
Están presentándola en el Museo de
  Antropología.

Aquí está Carlos Grávalos.
Carlos está viendo una película.
Está viéndola en el cine Goya.

Los aficionados acuden al estadio.
Van a ver un partido de fútbol.
Van a verlo en el estadio Azteca.

Ejercicio 2   Contesten.

1. ¿Dónde está Teresa Villaverde?
2. ¿Qué está mirando ella?
3. ¿Dónde está mirándola?
4. ¿Qué está viendo Carlos?
5. ¿Dónde está viéndola?
6. ¿Están poniendo una exposición?

  7. ¿Dónde están poniéndola?
  8. ¿Cómo se llama el estadio?
  9. ¿Quiénes acuden al estadio?
10. ¿Qué van a ver?
11. ¿Dónde van a verlo?

Ejercicio 3 Completen.

Hay muchos _____ indígenas en el _____. Están presentándolos en una _____ importante. Todo el mundo _____ al museo a ver esta exposición. Los artefactos _____ son de muchas tribus.

El tráfico en la ciudad

Hay mucho tráfico en la ciudad. Las calles están **atascadas.** Es la hora **de mayor afluencia.** Todos estos **carros** y **camiones contaminan el aire.**

Ejercicio 4 Contesten.

1. ¿Qué hay en la ciudad?
2. ¿Cómo están las calles?
3. ¿Cuándo hay mucho tráfico?
4. ¿Qué le hacen al aire todos los carros y camiones?

Estructura

La colocación de los pronombres de complemento

As we have already learned, direct and indirect object pronouns precede the conjugated form of a verb.

> **Él me mandó la carta.**
> **¿Ah, sí? ¿Cuándo te la mandó?**
> **Me la mandó ayer.**

The placement of the object pronouns with either the present participle (**mandando, comiendo**) or the infinitive (**mandar, comer**) is variable. The pronouns can either precede the helping verb used with the participle or infinitive, or the pronouns can be attached to the present participle or infinitive.

Before helping verb	*Attached*
Me está mandando la carta.	**Está mandándome la carta.**
¿Cuándo te la está mandando?	**¿Cuándo está mandándotela?**
Me la está mandando hoy.	**Está mandándomela hoy.**
Él me va a mandar la carta.	**Él va a mandarme la carta.**
¿Cuándo te la va a mandar?	**¿Cuándo va a mandártela?**
Me la quiere mandar hoy.	**Quiere mandármela hoy.**

Note that in order to maintain the same stress, a present participle carries a written accent mark when either one or two pronouns is added to it. An infinitive carries a written accent mark only when two pronouns are added to it.

Ejercicio 1 Contesten según el modelo.

¿Lo están mirando?
Sí, sí. Están mirándolo.

1. ¿Lo están mirando?
2. ¿Lo están buscando?
3. ¿Lo están comprando?
4. ¿Lo están pagando?
5. ¿Lo están llevando?

Ejercicio 2 Contesten según el modelo.

¿Van a mirarlos?
Sí, los van a mirar.

1. ¿Van a mirarlos?
2. ¿Van a buscarlos?
3. ¿Van a comprarlos?
4. ¿Van a pagarlos?
5. ¿Van a llevarlos?

Ejercicio 3 En el cine
Contesten con pronombres.

1. ¿Quiere ver **la película** Anita?
2. ¿Va a ver **la película**?
3. ¿Está comprando **las entradas** ahora?
4. ¿Está comprando **las entradas** en la taquilla?
5. En el cine, ¿quiere Anita ver **la película** desde la primera fila?
6. Desde la primera fila, ¿puede ver **la película** bien?

Ejercicio 4 En el estadio
Contesten con pronombres.

1. ¿Están viendo el partido los espectadores?
2. ¿Están divirtiéndose?
3. ¿Están perdiendo el partido los Osos?
4. ¿Está metiendo goles González?
5. ¿Es él el que está marcando los tantos?

Ejercicio 5 En el museo
Contesten.

1. ¿La guía está hablándoles a los turistas?
2. ¿Ella está describiéndoles los artefactos?
3. ¿Ella está explicándoles todo?
4. ¿Ella está dándoles información?

Ejercicio 6 Unas entradas para Yolanda
Cambien los nombres en pronombres.

1. Yo estoy comprando **las entradas para Yolanda**.
2. El agente va a darme **las entradas**.
3. Yo le voy a pagar **las entradas**.
4. El agente me está diciendo **el precio**.
5. Yo le voy a regalar **las entradas a Yolanda**.

Ejercicio 7 Contesten con la hora indicada.

1. ¿A qué hora te vas a levantar?

2. ¿A qué hora te vas a bañar?

3. ¿A qué hora se van a desayunar Uds.?

4. ¿A qué hora vas a vestirte?

5. ¿A qué hora vas a acostarte esta noche?

conversación

En la Ciudad de México

Gerardo ¿Cómo estás pasándolo aquí en México?

Rosa ¡Ay, hombre! No tienes que preguntarme. Es una ciudad fabulosa.

Gerardo ¿Conoces el Museo de Antropología? Si no, tienes que visitarlo.

Rosa Desde luego, fui hoy. La exposición de artefactos de los indígenas es fantástica.

El Palacio de Bellas Artes en la Ciudad de México

Gerardo   ¡A propósito! Hoy nos compré dos entradas para el Palacio de Bellas Artes.

Rosa   ¿El Palacio de Bellas Artes? ¿Es otro museo?

Gerardo   No, no. Es un teatro. Mañana vamos a ver el ballet folklórico de México.

Ejercicio   Escojan.

1. _____ conoce mejor la ciudad.
   a. Gerardo
   b. Rosa

2. A Rosa _____ la ciudad.
   a. le gusta mucho
   b. no le gusta

3. Rosa _____ visitar el Museo de Antropología.
   a. va a
   b. acaba de

4. En el museo Rosa vio _____.
   a. artefactos indígenas
   b. el ballet folklórico

5. Mañana Gerardo y Rosa van a ir al _____.
   a. teatro
   b. museo

6. Gerardo dice que _____ las entradas.
   a. ya compró
   b. va a comprar

Lectura cultural

Lima

Buenos Aires

Santo Domingo

Santiago de Chile

ciudades coloniales

ciudades europeas

Un viaje fotográfico

Aquí tiene Ud. algunas fotografías de varias ciudades de Latinoamérica. ¿Por qué no sigue Ud. mirándolas un momentito? Después de mirarlas, ¿puede Ud. contestar a la siguiente pregunta? ¿Cómo son las ciudades latinoamericanas? Es difícil contestarla, ¿no? Es difícil porque no son todas iguales. Cada una tiene sus propias˚ características. Caracas no es Lima, que no es Buenos Aires, que no es San Juan. Las diferencias entre las ciudades de Latinoamérica son mucho más grandes que las diferencias entre las ciudades de los Estados Unidos. Aunque˚ tienen sus diferencias, se puede decir que también tienen algo en común. Cada una con su propio sabor˚ es una maravilla.

Las grandes capitales de Latinoamérica son verdaderas metrópolis. Como cualquier metrópoli, ofrecen˚ una cantidad de diversiones. Si quiere comer bien, no faltan restaurantes de todas las categorías. Hay restaurantes elegantes y caros. Hay también muchos restaurantes económicos muy buenos que no son de *fast food*. En estos restaurantes uno puede pedir una buena comida completa a un precio muy

---

˚**propias** *own, unique*   ˚**Aunque** *Although*   ˚**sabor** *flavor*   ˚**ofrecen** *they offer*

Caracas

San Juan

Ciudad
de México

Santo
Domingo

**ciudades modernas con
grandes rascacielos**

**ciudades tropicales
y modernas**

razonable. Pero como cada ciudad tiene su propio sabor, tiene también su propia
cocina. El menú sanjuanero no es el menú porteño.* Vamos a ver algunos platos
típicos.

Buenos Aires   **un churrasco**
México   **chiles rellenos**
Lima   **anticuchos**
San Juan   **asopao de camarones**
Santiago   **pastel de choclo**

¿Le interesan las diversiones culturales? ¿Quiere Ud. ver una obra teatral, una
película o una exposición de arte? Pues, no hay problema porque en cada ciudad de
Latinoamérica hay teatros, cines y museos. Si le gustan más los deportes cada
ciudad tiene por lo menos un estadio enorme. Los porteños, como los limeños o los
caraqueños, acuden al estadio a ver un buen partido de fútbol.

---

* **porteño**   *of or from Buenos Aires*

129

Si las ciudades ofrecen una cantidad de diversiones y oportunidades, tampoco están libres de los problemas urbanos de los que están sufriendo muchas ciudades del mundo. Muchas de las calles de estas maravillosas ciudades están atascadas de tráfico, sobre todo durante las horas de mayor afluencia. La gran cantidad de carros, camiones y autobuses están contaminando el aire. La contaminación del aire es un problema serio en muchas ciudades.

Casi todos los países de Latinoamérica sufren de la sobrepoblación.* Hoy día millones de campesinos* están saliendo de las zonas rurales en busca de oportunidades en las ciudades. Esta migración del campo a la ciudad está creando* muchos problemas urbanos. Desgraciadamente no hay bastante trabajo para todos los que vienen buscándolo. Tampoco hay suficientes viviendas para todos los que vienen buscándolas. Como consecuencia mucha gente desempleada* tiene que vivir en los arrabales* que se encuentran en todas las ciudades de Latinoamérica. Están allí esperando el momento cuando ellos también pueden disfrutar de las oportunidades de la ciudad.

Ejercicio Escojan.

1. ¿De qué son las fotografías?
   a. De grandes ciudades norteamericanas.
   b. De zonas rurales de Latinoamérica.
   c. De metrópolis de las Américas.

2. ¿Cómo compara el autor las ciudades de Latinoamérica con las norteamericanas?
   a. Hay más diferencias entre las ciudades latinoamericanas.
   b. Las ciudades de Latinoamérica y Norteamérica son muy similares.
   c. Las ciudades norteamericanas son más grandes.

3. ¿Qué se encuentra en las grandes ciudades?
   a. Muchas diversiones.
   b. Una falta de restaurantes económicos.
   c. Muy pocas diferencias entre ellas.

4. ¿Dónde se puede ir para una comida completa y barata en Latinoamérica?
   a. A un restaurante de *fast food*.
   b. A uno de los restaurantes elegantes.
   c. A un restaurante económico.

5. Cada país tiene su propia cocina. ¿Qué quiere decir «cocina»?
   a. El cuarto donde se prepara la comida.
   b. Los platos típicos de una ciudad.
   c. El sabor propio de una metrópoli.

---

sobrepoblación overpopulation   *campesinos* farmers   *creando* creating
desempleada unemployed   *arrabales* slums

6. Entre los platos que se presentan, ¿de qué país es típica la carne?

   a. De la Argentina.
   b. De Puerto Rico.
   c. De México.

7. ¿De dónde viene el plato de arroz con mariscos?

   a. De la Argentina.
   b. De Puerto Rico.
   c. De México.

8. ¿Cuáles son las tres ciudades donde se menciona que la gente va al estadio para ver un partido de fútbol?

   a. San Juan, México, Santiago.
   b. Buenos Aires, Lima, Caracas.
   c. México, Lima, Santiago.

9. ¿Qué ciudades están libres de los problemas urbanos?

   a. Las ciudades de Latinoamérica.
   b. Las ciudades maravillosas.
   c. Ninguna.

10. ¿Qué pasa cuando las calles están atascadas de tráfico?

    a. No hay vehículos en las calles.
    b. Nada se mueve.
    c. Es fácil viajar por la ciudad.

11. ¿Cuál es un problema importante en las grandes ciudades?

    a. La calidad del aire.
    b. La falta de autobuses.
    c. La falta de diversiones culturales.

12. ¿Por qué va la gente del campo a las ciudades?

    a. Quieren salir de la contaminación.
    b. Buscan los centros culturales.
    c. Creen que hay mejores oportunidades allí.

13. ¿Qué les pasa a muchos campesinos cuando llegan a la ciudad?

    a. No encuentran trabajo.
    b. Reciben una buena educación.
    c. Sufren del aire y del tráfico.

14. ¿Cuál es el problema de la vivienda?

    a. Las viviendas están en el centro de las ciudades.
    b. No hay casas para la gente que las necesita.
    c. Las viviendas están contaminadas.

Actividades

1 Vamos a ver si conocemos el mundo.

- ¿Qué es esto?
- ¿En qué ciudad está?
- ¿En que país está la ciudad?
- ¿Es la capital del país?
- ¿Qué idioma hablan allí?
- ¿Cómo se llama el jefe de estado?

- Y esto, ¿qué es?
- ¿En qué ciudad se encuentra?
- ¿En qué país está?
- ¿Qué idioma hablan allí?
- ¿Quién vive allí?
- ¿De dónde es él?

- ¿En qué ciudad está el reloj?
- ¿Cómo se llama el reloj?
- ¿En qué país está la ciudad?
- ¿Cuál es el idioma del país?
- ¿Tienen un rey, una reina o un presidente?
- ¿Cómo se llama?

- ¿En qué ciudad está la fuente?
- ¿De qué país es la capital?
- ¿Hablan inglés en esta ciudad?
- ¿Quién es el jefe de estado?
- ¿En qué continente está?

2 ¿Dónde puedes o podías verlos?

en un estadio   en un cine   en un teatro

en un museo   en una sala de conciertos   en una ópera

- Los Cowboys de Dallas
- Muhammed Alí
- Robert Redford
- La Mona Lisa
- La obra de Goya

- Aída
- Los Beatles
- El Rey Lear
- Roberto Durán
- Sir Laurence Olivier

- La obra de Picasso
- Los Yanquis
- Julio Iglesias
- Carmen
- *Man of la Mancha*

3 Un «tour» gastronómico

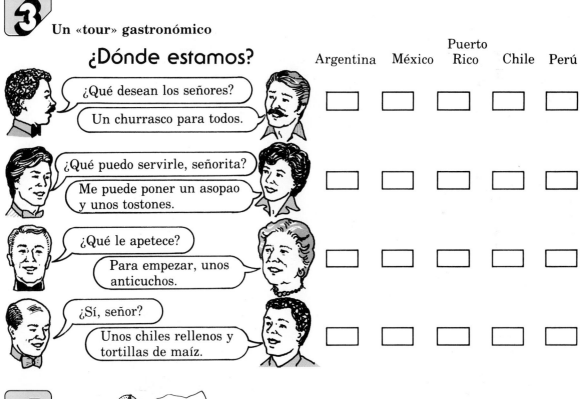

¿Dónde estamos?

	Argentina	México	Puerto Rico	Chile	Perú
¿Qué desean los señores? / Un churrasco para todos.	☐	☐	☐	☐	☐
¿Qué puedo servirle, señorita? / Me puede poner un asopao y unos tostones.	☐	☐	☐	☐	☐
¿Qué le apetece? / Para empezar, unos anticuchos.	☐	☐	☐	☐	☐
¿Sí, señor? / Unos chiles rellenos y tortillas de maíz.	☐	☐	☐	☐	☐

4 Entrevista

- ¿Prefieres ir al cine o a un museo?
- ¿Qué película están poniendo en el cine ahora? ¿La viste o vas a verla?
- ¿Visitas museos con la clase? ¿Qué museo visitaste?

- ¿Qué estaban presentando en el museo?
- ¿Te gustó la exposición?
- A veces, ¿vas al teatro? ¿A qué teatro vas?
- ¿Qué obra teatral viste?
- ¿Cuál es tu obra teatral favorita?

Revista

Ballet Folklórico, México

INBA
PALACIO DE BELLAS ARTES
BALLET FOLKLORICO DE MEXICO
Directora General y Coreógrafa
AMALIA HERNANDEZ

TEATRO DE LA CIUDAD

Ballet Folclórico Nacional AZTLAN
National Folk Ballet of Mexico

Son programas de teatro para dos teatros diferentes. ¿Cuáles son los dos teatros? ¿Es la misma compañía de ballet en los dos teatros? ¿Cuál es la diferencia?

Este precioso teatro es el Teatro Nacional de Costa Rica en San José. Es una copia, en miniatura, de la Ópera de París.

MUSEO NACIONAL DE ANTROPOLOGIA

¿En qué país están estos museos? Rufino Tamayo era un famoso pintor mexicano. Pero el museo de Oaxaca que lleva su nombre exhibe otra clase de arte. ¿Qué es?

134

Aquí hay vistas de dos ciudades—
San Juan, Puerto Rico y Bogotá,
Colombia. ¿Cuál es Bogotá? ¿Cuál
es San Juan? ¿Cómo lo sabes?

¿Qué es ese
edificio redondo en la
esquina inferior a
la derecha?

Las grandes ciudades:
desde casitas a condominios
¿Cuántos pisos tendrán esos edificios?

El restaurante está en
Argentina. ¿Pero qué clase de
comida sirven?

También en Latinoamérica hay hamburguesas.
¿Cómo se llama el payaso?

Ronald McDonald

Nuestro payaso
mundialmente
famoso.

McDonald's®

Hay una diferencia en McDonald's. Disfrútela

Quarter Pounder
con Queso

Restaurante LAR GALLEGO MENU

museo de arte
prehispánico
de méxico
rufino tamayo

Nº 060053

precio $ .00   morelos 503 oaxaca, oax.

Repaso

Juana, la estudiosa

Timoteo   Los caballos están corriendo. ¿Quieres verlos?

Juana   No, gracias. Estoy leyendo. Van a darnos un examen mañana.

Timoteo   ¿Sigues asistiendo a la escuela?

Juana   No, hombre. Estoy tomando unos cursos especializados en la ciudad.

Timoteo   A ti te gusta estudiar. A mí, no.

Ejercicio 1   **Completen con el presente progresivo de los verbos.**

1. Los caballos _____.   **correr**
2. Juana _____.   **leer**
3. Ella no _____ a la escuela.   **asistir**
4. Juana _____ cursos en la ciudad.   **tomar**

El presente progresivo

Review the forms of the present progressive tense of regular **-ar**, **-er**, and **-ir** verbs. The present progressive tense is formed with the present tense of the verb **estar** and the present participle of the verb.

Infinitive	presentar	poner	acudir
yo	estoy presentando	estoy poniendo	estoy acudiendo
tú	estás presentando	estás poniendo	estás acudiendo
él, ella, Ud.	está presentando	está poniendo	está acudiendo
nosotros, -as	estamos presentando	estamos poniendo	estamos acudiendo
(vosotros, -as)	(estáis presentando)	(estáis poniendo)	(estáis acudiendo)
ellos, ellas, Uds.	están presentando	están poniendo	están acudiendo

Remember that **creer, leer, construir, traer,** and **oír** have a **y** in the present participle.

creer	creyendo	**construir**	construyendo
leer	leyendo	**traer**	trayendo
oír	oyendo		

Note that the following stem-changing **-ir** verbs also have a stem change in the present participle. The **e** of the infinitive changes to **i** and the **o** changes to **u**.

decir	diciendo	**dormir**	durmiendo
pedir	pidiendo	**morir**	muriendo
servir	sirviendo		
repetir	repitiendo		
preferir	prefiriendo		
sentir	sintiendo		

Ejercicio 2 La Compañía Manresa
Completen con el presente progresivo.

La Compañía Manresa _____ (construir) un rascacielos en la ciudad.
Cuatrocientas personas _____ (trabajar) allí. Ellos _____ (recibir) unos salarios
muy buenos. Mis amigos y yo vamos allí todos los días. Nosotros vemos cómo ellos
_____ (levantar) el edificio un poco más cada día. Los trabajadores _____
(cubrir) los pisos con cemento. Hoy Manresa _____ (traer) más trabajadores al
edificio. Ellos _____ (hacer) todo lo posible para terminar pronto. Yo _____
(pensar) estudiar arquitectura.

Ejercicio 3 ¿Qué están construyendo?
Preguntas personales

1. ¿Qué están construyendo cerca de Ud.?
2. ¿Hay muchas personas que están trabajando allí?
3. ¿Qué están haciendo?
4. ¿La construcción está atascando el tráfico?
5. ¿Están terminando la construcción pronto?

Ejercicio 4 Benito y Carolina van a comer.
Completen con el presente progresivo

Benito	¡Ay, me _____ (morir) de hambre!
Carolina	Allí hay un restaurante económico. Ya _____ (abrir) las puertas.
Benito	¿Ellos _____ (servir) ahora?
Carolina	Creo que sí. Alguien _____ (pedir) el menú.
Benito	Ahora yo _____ (sentirse) mejor.

Ejercicio 5 Completen

Benito _____ (morirse) de hambre. Él y Carolina _____ (caminar) enfrente
de un restaurante. Las puertas _____ (abrirse). Los clientes _____ (entrar). Los
camareros _____ (servir). Alguien _____ (pedir) un menú. ¡Vamos!—le _____
(decir) Benito a Carolina. Benito _____ (sentirse) mejor porque _____ (ver)
comida ahora.

¿Le gustó el rascacielos?

Arturo	Le enseñé el rascacielos a Luisín.
Julia	¿Cuándo se lo enseñaste?
Arturo	Ayer. Los guías nos trataron muy bien.
Julia	¿Y a Luisín le gustó? ¿Qué te dijo?
Arturo	Me dijo que era una maravilla.

Ejercicio 6 Luisín va a la ciudad.
Completen con pronombres apropiados.

Ayer Arturo llevó a Luisín al centro. Arturo _____ enseñó el rascacielos. _____ vieron de afuera y de adentro. Los guías _____ llevaron a los dos hasta arriba. Luisín _____ preguntó a un guía si el edificio era nuevo. El guía _____ contestó que sí. _____ construyeron en 1985. Arturo y Luisín _____ dieron las gracias a los guías.

Los pronombres de complemento directo e indirecto

Review the following direct and indirect object pronouns.

Direct object	Indirect object	Direct object	Indirect object
me	me	nos	nos
te	te	(os)	(os)
lo	le	los	les
la	le	las	les

Remember that a direct object is the person or thing that receives the action of the verb in a sentence. An indirect object is the indirect receiver of the action of the verb.

Note that **le** and **les** become **se** when they are used with **lo, la, los,** or **las** in a sentence.

Le di el libro a Paco.	**Les compré la casa a los Pérez.**
Se lo di a Paco.	**Se la compré a los Pérez.**

Ejercicio 7 En el museo
Sigan el modelo.

¿Conoces a Marta?
Sí, la conozco.

1. ¿Vieron Uds. la exposición?
2. ¿Llevaron Uds. a Paco y a María?
3. ¿Me invitaron a mí?
4. ¿Vimos los artefactos?
5. ¿Explicaron la historia?
6. ¿Pagamos las entradas?
7. ¿Tocamos las armas?
8. ¿Conocimos al guía?

Ejercicio 8 Unas entradas para el fútbol
Completen con un pronombre de complemento indirecto.

1. A mí _____ dieron una entrada.
2. También _____ dieron una a Nicanora.
3. _____ dieron las entradas a nosotros para hoy.
4. Yo _____ di las gracias a mis tíos.
5. Yo _____ dije a la tía Rosa que me encantaba el fútbol.
6. ¿A ti _____ dieron una entrada también?
7. Va a ser un partido bueno. ¿Sabes que _____ pagan a Rivas más de ocho millones?
8. Cuando yo juego no _____ pagan nada.

Ejercicio 9 La nota para Teresa
Contesten con los pronombres apropiados.

1. ¿Cuándo le diste la nota a Teresa?
   Yo _____ _____ di anoche.
2. ¿Ella te leyó la nota?
   No, no _____ _____ leyó.
3. ¿Ella te contó los chistes (*jokes*)?
   No, no _____ _____ contó.

4. ¿Ella te compró el pastel?
   Sí, _____ _____ compró.
5. ¿Y te pagó las trescientas pesetas?
   Sí, _____ _____ pagó.
6. ¿Me vas a decir lo que ella dijo?
   No, no _____ _____ voy a decir.

Colocación de los pronombres de complemento directo e indirecto

Direct and indirect object pronouns always precede a conjugated form of the verb in a sentence.

> **Carlos prepara los anticuchos.**
> **Carlos los prepara.**

> **Carlos te prepara los anticuchos.**
> **Carlos te los prepara.**

With a present participle and an infinitive, the direct and indirect object pronouns can either precede the auxiliary verb or be attached to the infinitive or present participle.

> **Voy a comprar la casa.**
> **La voy a comprar.**
> **Voy a comprarla.**
>
> **Estoy comprando la casa.**
> **La estoy comprando.**
> **Estoy comprándola.**

> **Le voy a dar el dinero a Susana.**
> **Voy a darle el dinero a Susana.**
> **Se lo voy a dar.**
> **Voy a dárselo.**

Ejercicio 10 Pedro quiere un coche.
Formen nuevas oraciones usando los pronombres apropiados.

1. Pedro está mirando **el carro.**
2. Él piensa comprar **el carro.**
3. Necesita 8.000 pesos y no sabe dónde encontrar **los pesos.**
4. Un amigo piensa ayudar **a Pedro.**
5. Él tiene el dinero y está prestando **el dinero a Pedro.**
6. Pedro va a pagar **el dinero al señor Ruiz.**

Ejercicio 11 Sigan el modelo.

Van a dar el dinero a Luis.
Van a dárselo.
Se lo van a dar.

1. Estoy regalando la corbata a Marcos.
2. ¿Vas a darme la carta?
3. Te estoy recomendando el cordero.
4. Ella piensa venderte las entradas.

5. ¿Tú no vas a aceptarle las entradas?
6. Ella me estaba cantando la canción.
7. Don Álvaro va a darnos el puesto.
8. ¿Le estás leyendo el artículo a Ramona?

Lectura cultural

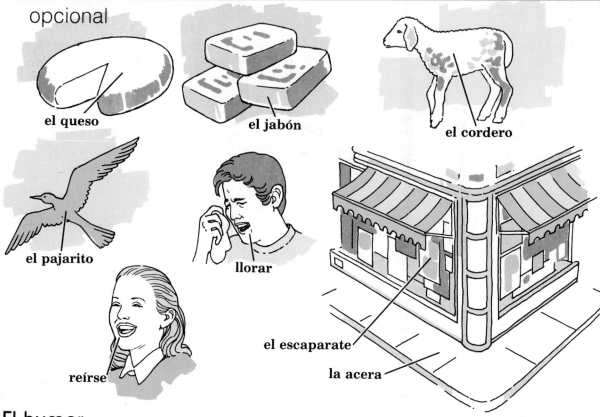

el queso

el jabón

el cordero

el pajarito

llorar

el escaparate

la acera

reírse

El humor

¿Cuántas veces escuchamos un chiste* que no tiene gracia?* Por lo menos para nosotros no tiene gracia. Otro escucha el mismo chiste y se ríe a carcajadas.*

Cualquier actor te dirá que es más fácil hacer llorar que hacer reír. La edad, la clase social, las costumbres y las características nacionales o regionales influyen en el humor. Lo que le hace al alemán morirse de risa* puede dejar al mexicano sin una sonrisita.*

A continuación hay algunos chistes españoles. Si no te mueres de risa, ¿es porque no tienes ningún sentido de humor? ¿O es que los chistes no son muy chistosos?* Tú dirás.

La fuente favorita de chistes para los españoles son las características de la gente de las distintas regiones de España. Desde hace siglos varias regiones tienen su estereotipo. «Baturro» es el nombre que los españoles le dan al aragonés rústico. Viene de Aragón, una región en el norte de España. Según la tradición, el baturro es muy noble, pero muy terco.* Cuando tiene una idea, nunca la cambia.

---

chiste *joke*   *gracia* *humor*   *se ríe a carcajadas* *bursts out laughing*
risa *laughter*   *sonrisita* *little smile*   *chistosos* *funny*   *terco* *stubborn*

El baturro y el jabón

Cuentan que un baturro está andando por la ciudad. Tiene hambre. Pasa por enfrente de un escaparate. En el escaparate hay jabones. Los jabones le parecen quesos. Entra en la tienda y le pregunta al dependiente:

¿Están Uds. vendiendo esos quesos?

¿Quesos? Esos no son quesos, señor. Son jabones.

El baturro está perdiendo la paciencia.

Yo sé lo que es queso. Y sé lo que es jabón. Quiero un cuarto de kilo de ese queso.

El dependiente le da el cuarto de kilo del «queso». El baturro le paga y sale de la tienda. El baturro está en la acera. Está comiendo el jabón. El dependiente sale de la tienda y le pregunta:

¿Qué tal el queso?

Tiene gusto a jabón, pero es buen queso.

‧ **gusto** *flavor, taste*

141

Se dice que la mejor cocina en España es la vasca. Los vascos tienen clubes dedicados al comer. Los vascos tienen fama de comer mucho y hablar poco.

El vasco y los pajaritos fritos

Un periodista* madrileño visita un club vasco y habla con uno de los socios:*

En los Estados Unidos no es muy común hacer víctimas de los chistes a compatriotas de otras regiones del país, pero hay una excepción. Todos hemos oído chistes sobre las exageraciones de los tejanos. Pues, si Norteamérica tiene sus tejanos, España tiene sus andaluces.

El andaluz y el tejano

Un turista tejano está paseando° por Sevilla. Un sevillano lo está acompañando de guía. El tejano ve la Torre del Oro. (Construyeron la torre en tiempos de Cristóbal Colón.) El tejano le pregunta al guía:

Más tarde están caminando delante de la Real Maestranza, la plaza de toros más bella del mundo.

° **paseando** *strolling*

143

Están subiendo y bajando las calles de Sevilla. Están viendo las bellezas de la ciudad. Se encuentran delante de la Catedral de Sevilla y la Giralda, la torre al lado de la catedral. Miles de artesanos árabes construyeron la torre de la Giralda entre 1184 y 1196. La catedral es la segunda más grande después de San Pedro en Roma. ¿Y qué dice el tejano?

Ejercicio 1   Escojan.

1. ¿Quieres un sándwich de _____?
   a. jabón
   b. queso
   c. tostada
   d. caballo

2. Vimos unas blusas muy bonitas en _____.
   a. la acera
   b. la catedral
   c. la iglesia
   d. el escaparate

3. Tú debes andar por _____ y no en la calle.
   a. la acera
   b. el camino
   c. el carril
   d. la torre

4. Paco es muy cómico; siempre nos hace _____.
   a. llorar
   b. andar
   c. reír
   d. preguntar

5. ¿Me puede dar _____? Quiero lavarme las manos.
   a. el queso
   b. el jabón
   c. la comida
   d. la sopa

144

Ejercicio 2 Completen.

1. Trabajo con el *Times* de Nueva York y «El Mundo» de San Juan; hace cinco años que soy _____.
2. Las chuletas de _____ son deliciosas, pero yo no como esos animalitos tan blancos y bonitos.
3. Los canarios y los cardenales son _____ preciosos.

Ejercicio 3 Apareen.

1. una iglesia muy grande
2. una persona que enseña un museo o una ciudad a otra persona
3. una persona experta en un arte manual
4. un edificio más alto que ancho

a. el (la) guía
b. la catedral
c. la torre
d. el, la artesano(a)

Ejercicio 4 *¿Sí o no?*

1. Todo el mundo se ríe de las mismas cosas.
2. Alemania es un país.
3. El baturro es de Andalucía.
4. Los aragoneses tienen fama de buenos cocineros.
5. Los periodistas tienen clubes dedicados al comer.
6. Los andaluces tienen fama de exagerar un poco.
7. La Real Maestranza es la catedral de Sevilla.
8. La catedral de Sevilla es la más grande del mundo.
9. Aragón está en el norte de España.
10. Algunos chistes no tienen gracia.

Ejercicio 5 Contesten.

1. ¿Cuál es el estereotipo del aragonés?
2. ¿Por qué creen los actores que la tragedia es más fácil que la comedia?
3. ¿Qué cosas tienen influencia sobre el humor?
4. ¿Cuál es la confusión que tiene el baturro del chiste?
5. ¿Adónde va el baturro para comerse el jabón?

Ejercicio 6 Escojan.

1. «Cocina» quiere decir el cuarto donde se prepara comida. ¿Qué otro sentido tiene?
   a. Es el arte de preparar la comida.
   b. Es la persona que hace la comida.
   c. Es un tipo de carne.
   d. Es una clase de restaurante.

2. ¿De dónde es el hombre que habla con el vasco?
   a. De Vascongadas.
   b. De Aragón.
   c. De Madrid.
   d. De Texas.

3. ¿Cuál de los animales se come en más grandes cantidades en el club del vasco?
   a. Pajaritos.
   b. Reses.
   c. Corderos.
   d. Burros.

4. ¿Cuál de los animales que van a comer es el más grande?
   a. El pajarito.
   b. La res.
   c. El cordero.
   d. El burro.

9 El hotel

En el hotel

el recepcionista

la cliente

la llave

la cuenta

la ficha

la tarjeta de crédito

la recepción

el botones

limpio(a)

sucio(a)

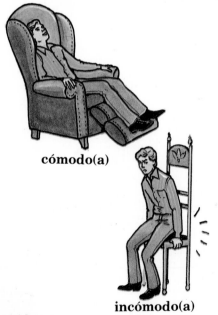

cómodo(a)

incómodo(a)

el baño

el cuarto

146

Ejercicio 1 ¿Qué es, o quién es?

1. lo que usamos para abrir la puerta
2. la persona que trabaja en la recepción de un hotel
3. lo que tenemos que pagar cuando salimos de un hotel
4. la persona que ayuda con las maletas en un hotel
5. lo que podemos usar para pagar la cuenta

Sylvia Newman ha llegado al hotel.
Ella **ha reservado** un cuarto.
En la recepción ella **llena** una ficha.

El cuarto de Sylvia **da al patio.**
El botones llama a la puerta.
Él **ha subido** las maletas.

¡El pobre Antonio!
No **recuerda** el número de su cuarto.
Lo ha olvidado.

Ejercicio 2 ¿*Sí* o *no*?

1. La señorita Newman ha salido del hotel.
2. Ella tiene una reservación.
3. Ella ha llenado la ficha en el cuarto.
4. Su cuarto da a la calle.
5. El botones le ha subido el equipaje.
6. La recepcionista llama a la puerta.

Ejercicio 3 En el hotel
Completen.

1. Marta Sánchez ha reservado un _____ en el hotel.
2. Ella entra en el hotel y va a la _____.
3. Allí ella llena una _____.
4. La recepcionista le ha pedido su _____ de crédito.
5. Entonces la recepcionista ha llamado al _____ para subir las maletas.
6. Marta sube a su _____.
7. El botones abre la puerta con la _____.
8. El cuarto es grande. Tiene un _____ privado.
9. El cuarto parece muy _____ y limpio.

147

Ejercicio 4 Un cuarto, por favor.
Completen la conversación.

Recepcionista Buenas tardes. ¿En qué puedo servirle?
Ud. Necesito _____.

Recepcionista ¿Para cuántas personas?
Ud. _____.

Recepcionista ¿Cuántos días va a estar con nosotros?
Ud. _____.

Recepcionista ¿Qué piso prefiere Ud.?
Ud. _____.

Recepcionista ¿Quiere Ud. un baño privado?
Ud. _____.

Recepcionista ¿Cómo desea pagar la cuenta?
Ud. _____.

Recepcionista ¿Tiene Ud. equipaje?
Ud. _____.

Recepcionista ¿Dónde están las maletas, por favor?
Ud. _____.

Expresiones útiles

Many times we can express the same idea in more than one way. Here are some examples.

Estoy contento(a) de estar en este hotel.
Me alegro de estar en este hotel.

Quiero volver a este hotel. Me gusta.
Tengo ganas de volver a este hotel. Me gusta.

Estructura

El presente perfecto

The present perfect tense is formed in Spanish by using the present tense of the helping verb **haber** and the past participle. Note the forms of the present tense of **haber**.

Infinitive	haber
yo	he
tú	has
él, ella, Ud.	ha
nosotros, -as	hemos
(vosotros, -as)	(habéis)
ellos, ellas, Uds.	han

Note the formation of the past participle of regular verbs.

hablar	**hablado**	**comer**	**comido**	**recibir**	**recibido**
reservar	**reservado**	**vender**	**vendido**	**subir**	**subido**

The present perfect is called a *compound tense* because it consists of two words.

present of **haber** + past participle = present perfect

Infinitive	hablar	comer	recibir
yo	he hablado	he comido	he recibido
tú	has hablado	has comido	has recibido
él, ella, Ud.	ha hablado	ha comido	ha recibido
nosotros, -as	hemos hablado	hemos comido	hemos recibido
(vosotros, -as)	(habéis hablado)	(habéis comido)	(habéis recibido)
ellos, ellas, Uds.	han hablado	han comido	han recibido

In compound tenses the verb **haber** and the past participle are never separated. All object pronouns or negative words come before the verb **haber.**

María ha llegado al hotel.	*Mary has arrived at the hotel.*
Su prima no ha llegado.	*Her cousin has not arrived.*
El botones ha subido las maletas.	*The bellhop has taken up the suitcases.*
Él las ha subido al cuarto.	*He has taken them up to the room.*

Note too that the past participle never changes. It always ends in **-o.**

María ha llegado.
Ella se ha divertido.
Sus amigos han llegado también.
Ellos se han divertido.

Ejercicio 1 En el hotel
Contesten.

1. ¿Ha llegado María al hotel?
2. ¿Ha ido a la recepción?
3. ¿Ha llenado la ficha?
4. ¿Han llegado sus amigos también?
5. ¿Han subido ellos a su cuarto?
6. Y tú, ¿has estado alguna vez en un hotel?
7. ¿En qué hotel has estado?

Ejercicio 2 Marta ha llegado.
Completen con el presente perfecto.

Marta te _____ (llamar). Ella _____ (llegar) al hotel y _____ (bañarse). Yo le _____ (explicar) que tú _____ (estar) en clase todo el día y que no la _____ (poder) ver. Pero yo la _____ (asegurar) que tú no la _____ (olvidar).

Ejercicio 3 ¿Qué problema ha tenido el señor Ortiz?
Completen con el presente perfecto.

1. El señor Ortiz no _____ suerte. **tener**
2. Él _____ un cuarto en el octavo piso. **pedir**
3. Ellos le _____ un cuarto en el segundo piso. **ofrecer**
4. El señor Ortiz _____ en el octavo. **insistir**
5. Ortiz y el botones _____ al octavo. **subir**
6. El señor Ortiz no _____ comprender el problema. **poder**
7. Hay algo que ellos no le _____ en el hotel. **explicar**
8. Es verdad que él _____ en el ascensor. **subir**
9. Pero él no _____ en el ascensor porque el ascensor no baja. **bajar**

Ejercicio 4 He pedido una cosa y me han traído otra.
Contesten con el presente perfecto según los dibujos.

1. ¿Qué pediste?

2. ¿Qué te trajeron?

3. ¿A quién le gritaste?

4. ¿Quién vino a la mesa?

5. ¿Qué te preguntó?

6. ¿Qué le explicaste?

7. Y por fin, ¿qué comiste?

150

Expresiones útiles

Several time expressions convey the message of any time in the past up to the present. They are not very precise. Some such expressions are:

alguna vez, jamás   *ever, never*   **todavía no**   *not yet*
ya   *already, yet*

Note that such time expressions are almost always used with the present perfect.

> **¿Jamás has estado en México?**
> **Sí, yo he estado dos veces en México.**
> **Pero todavía no he ido a Taxco.**

Ejercicio 5   Mis viajes
Contesten personalmente.

1. ¿Has estado alguna vez en un país extranjero?
2. Si todavía no has estado en un país extranjero, ¿has estado en otro estado de los Estados Unidos?
3. ¿Qué estados o países has visitado?
4. ¿Te han gustado?
5. ¿Ya has viajado en avión?
6. ¿Adónde has ido en avión?
7. Hasta ahora, ¿cuántas veces has viajado en avión?

La comparación de igualdad con adjetivos y adverbios

Very often we wish to compare the characteristics of two items that are the same—that have equal qualities. Such a comparison is called the *comparison of equality*. Note that in English we use *as . . . as*.

> *I am as smart as my brother.*

In Spanish **tan . . . como** is used.

> **Yo soy tan inteligente como mi hermano.**
> **El tren no es tan rápido como el avión.**

Note that **tan . . . como** can be used with an adjective or an adverb.

Ejercicio 6   Comparen.

El hotel y el cine son nuevos.
El hotel es tan nuevo como el cine.

1. El botones y el recepcionista son simpáticos.
2. El cine y el teatro son caros.
3. El cuarto y el baño están sucios.
4. El motel y el hotel son cómodos.
5. El cliente y el empleado están contentos.
6. Esta llave y esa llave son pequeñas.
7. Mi silla y tu sofá son incómodos.
8. Los cuartos en el octavo piso y los cuartos en el noveno piso son baratos.

Ejercicio 7 ¿Como qué?

1. alto
Paco es tan alto
como el árbol.

2. gordo

3. fuerte

4. bobo

5. elegante

6. guapo

7. rubio

8. inteligente

La comparación de igualdad con sustantivos

When we compare like quantities in English, we use *as much . . . as* or *as many . . . as*.

> *He has as much money as I.*

In Spanish **tanto . . . como** is used. Note that when we compare quantities, **tanto** is always followed by a noun. **Tanto,** like any other adjective, must agree with the noun it modifies.

> **Ella tiene tanto dinero como yo.**
> **Ella lleva tantas maletas como yo.**

Note that **tanto como** can also be used alone.

> **Él estudia tanto como yo.**   *He studies as much as I.*

152

Ejercicio 8 No hay ninguna diferencia.
Comparen.

Él / dinero / yo
Él tiene tanto dinero como yo.

1. El Hotel Imperial / restaurantes / el Hotel Omega
2. El cliente / derechos / el empleado
3. Este motel / empleados / un hotel
4. El hotel / reservaciones / el motel
5. Mi cuarto / comodidades / tu cuarto
6. El botones / experiencia / el recepcionista

Ejercicio 9 Tú y Ramón
Completen.

1. Ramón tiene _____ libros como tú.
2. Él es _____ inteligente _____ tú.
3. Y también estudia _____ _____ tú.
4. Yo trabajo _____ _____ Ramón.
5. Pero no recibo notas _____ buenas _____ él.
6. Quizás no trabajo _____ dedicadamente _____ él.
7. Además, Ramón no se divierte _____ _____ nosotros.
8. Pero yo quisiera ser _____ buen estudiante _____ él.

Este hotel en Marbella tiene
balcones muy bonitos.

conversación

En la recepción del hotel

Recepcionista	Buenos días, señorita.
Sylvia	Buenos días, señor. He reservado un cuarto de dos camas con baño.
Recepcionista	Sí, señorita. ¿Cuál es el nombre, por favor?
Sylvia	Newman.
Recepcionista	De acuerdo, señorita. ¿Han estado Uds. con nosotros antes?
Sylvia	Yo, sí. Pero mi amiga, no. Yo he estado por lo menos tres veces y siempre lo he pasado muy bien.
Recepcionista	Pues, me alegro. Tengo un cuarto muy lindo en el cuarto piso que da al patio. Allí no hay tanto ruido.
Sylvia	¿Es acaso° el 411?

° **acaso** *perhaps*

Recepcionista	Sí, señorita, precisamente.
Sylvia	Pues yo he tenido ese cuarto y siempre me ha gustado. ¿Cuál es el precio del cuarto?
Recepcionista	Mil cuatrocientos pesos al día con el servicio y los impuestos incluidos.
Sylvia	Está bien.
Recepcionista	¿Cuántos días van a estar Uds. con nosotros?
Sylvia	Vamos a estar hasta el viernes—cuatro días.
Recepcionista	De acuerdo, señorita. Favor de llenar esta ficha.
Sylvia	Perdón, me he olvidado. ¿Acepta Ud. tarjetas de crédito?
Recepcionista	Sí, señorita, ¡cómo no! Y aquí tiene Ud. su llave. El botones les subirá las maletas en cinco minutos.
Sylvia	Gracias, señor.
Recepcionista	A sus órdenes, señorita.

Ejercicio 1 Contesten.

1. ¿Dónde está Sylvia?
2. ¿Con quién está hablando?
3. ¿Qué ha reservado ella?
4. ¿En qué nombre ha reservado el cuarto?
5. ¿Ha estado antes en el mismo hotel?
6. ¿Qué tal le ha gustado?
7. ¿Dónde tiene el recepcionista un cuarto para Sylvia?
8. ¿Ha tenido ella este cuarto antes?

Ejercicio 2 *¿Sí o no?*

1. El precio del cuarto es mil cuatrocientos pesos al día.
2. Es necesario pagar también los impuestos y el servicio.
3. Sylvia va a estar una semana entera en el hotel.
4. Sylvia recuerda que el hotel no acepta tarjetas de crédito.
5. Sylvia sube sus maletas al cuarto.

Lectura cultural

Los hoteles en España

Sylvia Newman ha viajado varias veces a España. Cada vez que ella ha estado en España se ha divertido tanto que siempre tiene ganas de volver. Como ella conoce bastante bien el país, un grupo de amigos piensan ir con ella. En este momento están discutiendo dónde van a hospedarse.°

Sylvia les habla:

—En las grandes ciudades de España hay hoteles de todas categorías. Hay hoteles de gran lujo° que no nos van a interesar porque cuestan mucho. Pero al contrario a la situación en los Estados Unidos hay también muchos pequeños hoteles cómodos y limpios. Son muy buenos y no cuestan mucho. Hay también pensiones que son casas privadas donde uno puede alquilar un cuarto a un precio muy razonable.

—Cada vez que yo he viajado en los Estados Unidos, me he alojado en un motel—dice Susana.

—Pues, es una cosa interesante. En España hay muy pocos moteles. En las ciudades no existen. Hay algunos en las playas pero no son tan populares como aquí. En el campo podemos alojarnos en un parador. Los paradores son del gobierno y son fantásticos. Tienen habitaciones° muy cómodas y ofrecen muchos servicios para los turistas. Los paradores siempre tienen un restaurante bastante bueno. Pero sobre todo en el verano hay tantos turistas que tendremos que hacer una reservación. Así, tenemos que decidir muy pronto si vamos a hacer el viaje. Y yo espero que sí.

° **hospedarse** *to lodge at*   ° **de gran lujo** *deluxe*   ° **habitaciones** *rooms*

Ejercicio 1   Según la lectura, completen la conversación con Sylvia.

Yo   Sylvia, ¿has estado alguna vez en España?
Sylvia _____
Yo   ¿Y lo has pasado bien en España?
Sylvia _____
Yo   ¿Tienes ganas de volver?
Sylvia _____
Yo   ¿Has pensado volver con un grupo de amigos?
Sylvia _____

Ejercicio 2   Contesten.

1. ¿Qué hay en las grandes ciudades de España?
2. ¿Por qué no nos interesan los hoteles de gran lujo?
3. ¿Hay muchos pequeños hoteles cómodos y limpios en España?
4. ¿Qué es una pensión?
5. ¿Cuesta mucho hospedarse en una pensión?

Ejercicio 3   Según Sylvia, ¿es una característica de España o de los Estados Unidos?

1. En las afueras de las ciudades y también en las ciudades hay muchos moteles.
2. En las ciudades hay muchos pequeños hoteles que son muy buenos y que no cuestan mucho dinero.
3. En el campo hay muchos hoteles que son del gobierno.

157

Actividades

1 Explain to a friend some of the things that you would want in a hotel room. Which of the following would you consider necessary?

Quisiera . . .

un balcón

la calefacción

el aire acondicionado

la radio

un cuarto de baño privado

el servicio de cuartos

la televisión

2 **Aquí tenemos la cuenta de un hotel. Contesten según los informes en la cuenta.**

- ¿Cómo se llama el (la) cliente?
- ¿Cuántas noches estuvo en el hotel?
- ¿Cuál era el número de su cuarto?
- ¿Cuánto ha pagado por el cuarto?
- ¿Cuánto pagó de impuestos?
- ¿Tuvo que pagar «extras»?
- ¿Cómo se llama el hotel?
- ¿Dónde está?
- ¿En qué fecha llegó el (la) cliente?
- ¿En qué fecha salió?

Hotel Acueducto
SEGOVIA

B N.º 05393

Sr. D. .... Mr. Woodard

Habitación n.º 219-220

		Fecha	Conceptos	Importe	Conceptos
Ha.-Habitación	1				
Pe.-Pensión					
De.-Desayuno	2				
Re.-A.-Almuerzo	3				
Re.-C.-Comida	4				
Re.-E.-Extras	5				
Bo.-Bodega	6				
Ba.-Bar	7				
La.-Lav.-Planch.	8				
Te.-Teléfono	9				
Di.-Diversos	10				

SERVICIO E IMPUESTOS
INCLUIDOS, EXCEPTO I.T.E.

FECHA ENTRADA

Servicio e impuestos incluidos - Service charge and taxes included
Service et taxes compris - Bedienungszuschlag und Gebühren

Describa Ud. todo lo que ve en el dibujo.

Revista

El Parador de Carmona en España

Éste no es un hotel típico. ¿Qué crees tú que era este parador en otros tiempos?

La cuenta—Un hotel chileno

¿Qué habitación tenía la cliente? ¿La propina está incluída? ¿Cuánto es la cuenta en total?

Un hotel modesto en el Perú

Aquí puedes pagar la cuenta con tarjeta de crédito. ¿Qué tarjetas aceptan?

Los jóvenes pueden viajar barato. Los albergues y residencias juveniles son exclusivamente para jóvenes y son muy baratos. En España hay más de 118. ¿Qué es el edificio en la foto? ¿Qué llevan los chicos?

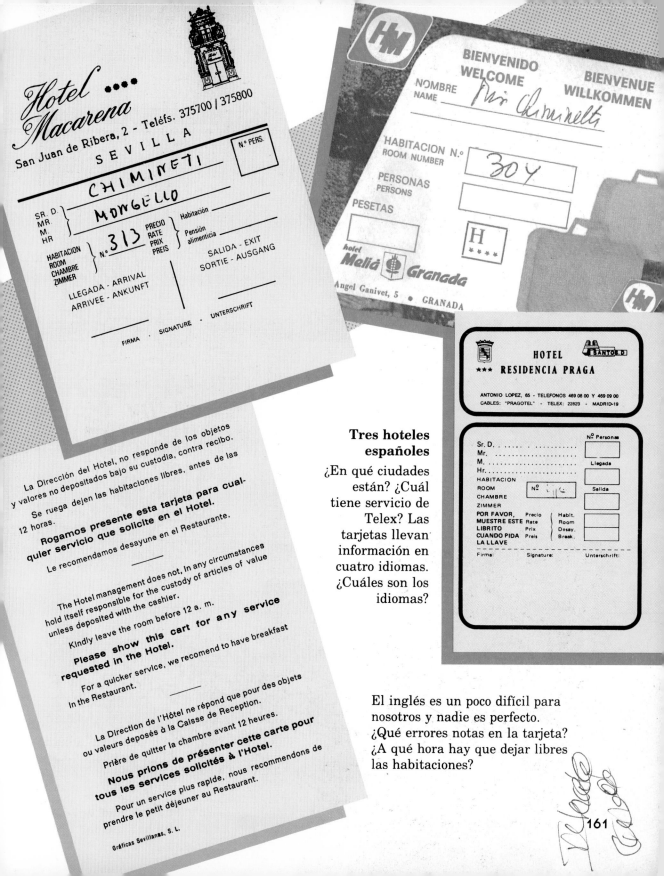

Hotel **** Macarena
San Juan de Ribera, 2 - Teléfs. 375700 / 375800
SEVILLA

N° PERS.

CHIMINETI
MONGELLO

SR. D.
MR.
M.
HR.

HABITACION N° 313
ROOM
CHAMBRE
ZIMMER

PRECIO
RATE } Habitación
PRIX
PREIS } Pensión alimenticia

SALIDA - EXIT
SORTIE - AUSGANG

LLEGADA - ARRIVAL
ARRIVEE - ANKUNFT

FIRMA · SIGNATURE · UNTERSCHRIFT

BIENVENIDO
WELCOME
BIENVENUE
WILLKOMMEN

NOMBRE
NAME   Mr Chiminelti

HABITACION N.°
ROOM NUMBER   304

PERSONAS
PERSONS

PESETAS

H.
****

hotel Meliá Granada

Angel Ganivet, 5 ● GRANADA

La Dirección del Hotel, no responde de los objetos y valores no depositados bajo su custodia, contra recibo.

Se ruega dejen las habitaciones libres, antes de las 12 horas.

Rogamos presente esta tarjeta para cualquier servicio que solicite en el Hotel.

Le recomendamos desayune en el Restaurante.

The Hotel management does not, In any circumstances hold itself responsible for the custody of articles of value unless deposited with the cashier.

Kindly leave the room before 12 a. m.

Please show this cart for any service requested in the Hotel.

For a quicker service, we recomend to have breakfast In the Restaurant.

La Direction de l'Hôtel ne répond que pour des objets ou valeurs deposés à la Caisse de Reception.

Prière de quitter la chambre avant 12 heures.

Nous prions de présenter cette carte pour tous les services solicités à l'Hotel.

Pour un service plus rapide, nous recommendons de prendre le petit déjeuner au Restaurant.

Gráficas Sevillanas, S. L.

HOTEL
*** RESIDENCIA PRAGA

ANTONIO LOPEZ, 65 - TELEFONOS 469 08 00 Y 469 09 00
CABLES: "PRAGOTEL" - TELEX: 22823 - MADRID-19

N° Personas

Sr. D. . . . .
Mr. . . . .
M. . . . .
Hr. . . . .

Llegada

HABITACION
ROOM   N°
CHAMBRE   Salida
ZIMMER

POR FAVOR,   Precio   Habit.
MUESTRE ESTE Rate   Room
LIBRITO   Prix   Desay.
CUANDO PIDA Preis   Break.
LA LLAVE

Firma: Signature: Unterschrift:

Tres hoteles españoles

¿En qué ciudades están? ¿Cuál tiene servicio de Telex? Las tarjetas llevan información en cuatro idiomas. ¿Cuáles son los idiomas?

El inglés es un poco difícil para nosotros y nadie es perfecto. ¿Qué errores notas en la tarjeta? ¿A qué hora hay que dejar libres las habitaciones?

161

Vocabulario

conquistar

el conquistador

reinar

el emperador

descubrir

el descubridor

los enemigos

luchar, pelear

Ejercicio 1 Contesten.

1. ¿Quién está en su palacio?
2. ¿Qué ha descubierto el descubridor?

3. ¿Qué hace el conquistador?
4. ¿Quiénes están luchando?

Los soldados habían quemado los barcos.

Los conquistadores **habían huído** de los indios.

Ejercicio 2 Contesten.

Los soldados habían quemado sus barcos en la costa y luego huyeron hacia el interior del país.

1. ¿Quiénes habían quemado los barcos?
2. ¿Qué habían quemado?
3. ¿Dónde los habían quemado?
4. Luego, ¿adónde huyeron?
5. ¿Habían quemado los barcos antes o después de huir hacia el interior?

Nota

The ending **-dor(a)** is often used to make a noun from a verb. The **-dor(a)** ending indicates the person who carries out the action of the verb.

descubrir drop the **r,** add **-dor(a)** = **el (la) descubridor(a)**

Ejercicio 3 ¿Quién lo hace?

1. descubrir
2. matar
3. luchar
4. jugar

5. quemar
6. pensar
7. bailar

estructura

El pluscuamperfecto

The pluperfect tense is formed by using the imperfect of the helping verb **haber** and the past participle.

imperfect of **haber** + past participle = pluperfect

Infinitive	luchar	comer	vivir
yo	había luchado	había comido	había vivido
tú	habías luchado	habías comido	habías vivido
él, ella, Ud.	había luchado	había comido	había vivido
nosotros, -as	habíamos luchado	habíamos comido	habíamos vivido
(vosotros, -as)	(habíais luchado)	(habíais comido)	(habíais vivido)
ellos, ellas, Uds.	habían luchado	habían comido	habían vivido

The pluperfect tense is used in Spanish the same way as the past perfect is used in English. It describes an action in the past that was completed prior to another action.

Él ya había salido cuando yo lleguè.

He had already left when I arrived.

Ellos ya habían quemado los barcos cuando salieron para el interior.

They had already burned the ships when they left for the interior.

Ejercicio 1   ¿Quién había estudiado?
Contesten que sí.

1. Ya habías hablado con José, ¿no?
2. Antes, él no había sabido nada del examen, ¿verdad?
3. Él no había estudiado nada, ¿verdad?
4. Pero él ya había leído algo sobre la conquista de México, ¿no?
5. Tú también habías leído sobre la conquista, ¿no?
6. Uds. habían estudiado la historia de México en la clase de español, ¿no?

Ejercicio 2   ¿Quién lo hizo primero?
Contesten que sí.

1. ¿Quién se había levantado primero? ¿Tú?
2. ¿Quién se había vestido primero? ¿Tu primo?
3. ¿Y quién había comido primero? ¿Papá?
4. ¿Y quién había salido primero de casa? ¿Tu hermana?

5. ¿Y quién había llegado a la escuela primero? ¿Tú?
6. ¿Y quién había regresado a casa primero? ¿Yo?
7. ¿Y quién se había acostado primero? ¿Tu hermano?

Los participios pasados irregulares

The following verbs have irregular past participles.

volver	vuelto	abrir	abierto
devolver	devuelto	cubrir	cubierto
ver	visto	descubrir	descubierto
escribir	escrito	morir	muerto
romper	roto	poner	puesto
decir	dicho		
hacer	hecho		

Ejercicio 3   Ya lo habían hecho.
Contesten según el modelo.

¿Escribirlo?
Pero ya lo habían escrito.

1. ¿Escribirlo?
2. ¿Devolverlo?
3. ¿Romperlo?
4. ¿Verlo?
5. ¿Abrirlo?
6. ¿Cubrirlo?
7. ¿Descubrirlo?
8. ¿Ponerlo?
9. ¿Decirlo?
10. ¿Hacerlo?

Ejercicio 4   El periodista Gómez
Completen.

Salvador Gómez había _____ (escribir) un artículo para el periódico. En el artículo había _____ (decir) que el gobernador no había _____ (hacer) nada bueno. Gómez ha _____ (descubrir) casos de criminales que habían _____ (volver) a la ciudad después de las elecciones. «El gobernador ha _____ (abrir) las puertas de las prisiones,» ha _____ (escribir) Gómez. «Nunca hemos _____ (ver) tanto crimen como ahora. Hemos _____ (poner) a un incompetente en el palacio». Esto es lo que ha _____ (descubrir), ha _____ (decir), ha _____ (escribir) y ha _____ (poner) en el periódico Gómez.

conversación

¿Cuánto sabes de la historia del Nuevo Mundo?

Andrea Hoy el señor Barrera nos ha dicho mucho sobre Cortés y Diego Colón.

Francisco ¿Diego Colón? ¿El descubridor del Nuevo Mundo?

Andrea No, chico. El que había descubierto el Nuevo Mundo era el padre de Diego, Cristóbal Colón.

Francisco Claro. Y Cortés es el que había visto por primera vez el Océano Pacífico, ¿verdad?

Andrea Ay, Francisco. ¿Cuántas veces te he dicho que Cortés es el conquistador de México?

Francisco Y el descubridor del Océano Pacífico, ¿quién es?

Andrea Balboa, bobo.

Francisco ¿Balboa Bobo? ¿Nos habían hablado de él en clase? ¿Qué han escrito sobre él?

Andrea Paco, Paco. Balboa es Vasco Núñez de Balboa. El bobo eres tú.

Francisco ¡Qué simpática eres! Nunca han hecho otra como tú. Contigo han roto el molde.

Andrea Mira, chico. Te había llamado «bobo» con cariño, no para ofenderte. Y tú, ¡a casa! ¡A estudiar! Mañana es el examen.

Ejercicio Francisco y sus errores
Nuestro amigo Francisco ha hecho o cometido muchos errores. Lo vamos a ayudar.

1. No, Paco. Diego Colón no había descubierto el Nuevo Mundo. _____ lo había descubierto.
2. No, Paco. Cortés no había visto por primera vez el Océano Pacífico. _____ lo había visto por primera vez.
3. No, Paco. Diego Colón no había conquistado a México tampoco. El conquistador de México fue _____.
4. No, Paco. El descubridor del Océano Pacífico no se llama Balboa Bobo. Se llama _____.

Una conquista llena de intrigas

En el año 1511 Diego Colón, el hijo del famoso descubridor de América, Cristóbal Colón, decidió conquistar a Cuba. Diego Colón le nombró a Diego Velázquez jefe de la expedición. Un cierto Hernán Cortés acompañó a Velázquez en la expedición a Cuba como secretario. Después de la conquista de Cuba, Velázquez nombró a Cortés alcalde° de Santiago de Cuba. Siete años más tarde, en 1518, Velázquez nombró a Cortés capitán de una expedición para conquistar a México. Pronto empezaron a surgir° muchos problemas y muchas intrigas entre estos dos señores.

Aun antes de la salida de Cortés de Cuba, Velázquez había oído rumores que Cortés no le iba a ser fiel.° Así Velázquez trató de parar la expedición de Cortés pero no pudo. Como Velázquez estaba en la Habana y Cortés estaba en Santiago, Cortés ya había salido antes de la llegada de Velázquez a Santiago. Cortés salió de Cuba en febrero de 1519 con sólo once barcos y unos quinientos hombres.

- El Viernes Santo° de 1519 Cortés y sus hombres llegaron a la costa de México. Cortés nombró el pueblo Veracruz. Cortés era un hombre valiente y no había duda que él quería emprender° la conquista de México por su cuenta.° Él había oído que algunos de sus hombres querían volver a Cuba. Él sospechaba° que estaban con Velázquez y no con él. Así, al llegar a México, Cortés decidió quemar los barcos y así hizo. Quemó todos los barcos para hacer imposible el regreso° de sus hombres a Cuba. Luego empezó la marcha hacia el interior del país.

Durante esta marcha pasaron por muchos pueblos indios. En aquel entonces el emperador de los aztecas era Moctezuma. Su capital era Tenochtitlán, hoy la Ciudad de México. Muchos de los indios fuera de la capital eran enemigos de Moctezuma y ellos se unieron a Cortés y le dieron ayuda. Así Cortés pudo marchar a la capital sin mucha dificultad.

Cuando Cortés llegó a la capital, Moctezuma en persona salió a recibirlo. ¿Por qué había decidido recibir a un enemigo? Pues, Moctezuma había oído que venía un hombre blanco. Él creía que este hombre extraño tenía que ser Quetzalcóatl. Entre los indios había una leyenda° que decía que el dios Quetzalcóatl había salido

Moctezuma

°**alcalde** *mayor* °**surgir** *to emerge* °**fiel** *faithful*
°**Viernes Santo** *Good Friday* °**emprender** *to undertake*
°**por su cuenta** *on his own*
°**sospechaba** *suspected*
°**regreso** *return* °**leyenda** *legend*

de Tenochtitlán con algunos hombres hacia el golfo de
México. Según la leyenda Quetzalcóatl había dicho
a los indios que iba a regresar a Tenochtitlán en el año
de «acatl». En el calendario azteca el año «acatl» era
el año 1519, el año en que Cortés llegó a México. Para
no ofender al «dios», Moctezuma le dio regalos a Cortés
y lo alojó en un gran palacio en la magnífica capital
azteca de Tenochtitlán.

    La ciudad de Tenochtitlán estaba completamente
rodeada de ˙ agua. Dentro de la ciudad había muchos
canales. Cortés, que ahora tenía menos de quinientos
hombres, se veía a la merced ˙ de más de trescientos
mil habitantes de Tenochtitlán. Así, él decidió
capturar al emperador y le prendió ˙ a Moctezuma
como rehén ˙ en su propio palacio. Poco después de
tomar a Moctezuma, Cortés recibió noticias de que
Velázquez había mandado una expedición dirigida ˙
por Pánfilo de Narváez a prender a Cortés. Ya
habían llegado a la costa de México. Cortés volvió a
Veracruz donde él y los doscientos cincuenta hombres
que lo habían acompañado derrotaron ˙ a los
ochocientos hombres de Velázquez y le hicieron
prisionero a Narváez. En seguida Cortés volvió a
Tenochtitlán.

    Durante su ausencia de Tenochtitlán Cortés había
puesto a cargo a Pedro de Alvarado. Los indios de
Tenochtitlán no podían aceptar las crueldades de los
españoles, sobre todo las de Alvarado. Tampoco podían aceptar lo que ellos
consideraban la cobardía ˙ de su monarca. Las relaciones entre los españoles
y los indios eran malísimas. A su regreso Cortés persuadió a Moctezuma
a hablar con sus capitanes para calmarlos. Moctezuma trató de hablarles
desde la azotea ˙ de su palacio pero sus hombres le dieron una pedrada ˙
tan grande en la cabeza que a los tres días él murió. Después de su
muerte los indios atacaron a los invasores. La noche del 30 de junio de 1520
murieron más de cuatrocientos españoles. Cortés y los pocos hombres que
quedaban tuvieron que huir de Tenochtitlán. Se llama la «Noche triste».
Se dice que aquella noche Cortés se sentó debajo de un árbol en las
afueras de Tenochtitlán y lloró ˙ la pérdida de la ciudad.

    ¿Terminó así la conquista de México por los españoles? No. Cortés
esperó refuerzos ˙ y el 21 de mayo de 1521 él comenzó de nuevo el sitio ˙
de Tenochtitlán. Fue una batalla horrible. Murieron más de ciento
cincuenta mil indios, y el emperador Cuauhtémoc fue bárbaramente
torturado por no revelar dónde tenía escondidos ˙ sus tesoros. Él prefería
morir a ser traidor. Hoy Cuauhtémoc es un gran héroe del pueblo mexicano.

Cuauhtémoc

˙**rodeada de**	*surrounded by*	˙**merced**	*mercy*	˙**prendió**	*took*	˙**rehén**	*hostage*
˙**dirigida**	*led*	˙**derrotaron**	*destroyed*	˙**cobardía**	*cowardice*	˙**azotea**	*flat roof*
˙**pedrada**	*stoning*	˙**lloró**	*he mourned*	˙**refuerzos**	*reinforcements*	˙**sitio**	*siege*
˙**escondidos**	*hidden*						

Vasco Núñez de Balboa

La flota de Cortés sale de Santiago de Cuba.

Hernán Cortés

Quetzalcóatl

169

Actividades

1 Figuras históricas

Empareen la figura de la Columna A con su descripción en la Columna B.

A	B
1. Diego Colón	a. emperador de los aztecas cuando los invasores españoles llegaron por primera vez a la capital azteca
2. Diego Velázquez	b. señor enviado a México por Velázquez para prender a Cortés
3. Hernán Cortés	c. el hijo del descubridor de América que decidió conquistar a Cuba
4. Moctezuma	d. dios blanco de los aztecas que, según una leyenda, iba a regresar a la capital
5. Pánfilo de Narváez	e. emperador de los aztecas que fue torturado por los españoles; hoy un gran héroe del pueblo mexicano
6. Quetzalcóatl	f. señor que fue nombrado jefe de la expedición a Cuba por Diego Colón
7. Pedro de Alvarado	g. señor puesto a cargo de Tenochtitlán por Cortés mientras Cortés fue a luchar contra las tropas de Narváez
8. Cuauhtémoc	h. señor que acompañó a Velázquez como secretario en la expedición a Cuba; fue nombrado alcalde de Santiago y más tarde decidió conquistar a México

2 Lugares

Pareo

1. España	a. isla del Caribe conquistada por los hombres de Velázquez
2. Cuba	b. capital y ciudad más importante de Cuba
3. Santiago	c. gran capital de los aztecas; hoy la Ciudad de México
4. la Habana	d. ciudad de Cuba que una vez tenía como alcalde Hernán Cortés
5. Veracruz	e. puerto adonde llegaron Cortés y sus hombres en la costa de México
6. Tenochtitlán	f. país europeo de donde salieron muchos descubridores y conquistadores del Nuevo Mundo

3 Fechas

Pareo

1. 1511	a. año en que Cortés salió de Cuba para conquistar a México
2. 1519	b. año en que Cortés conquistó a México; perdieron la vida miles y miles de indios y fue bárbaramente torturado el emperador
3. 1519	c. año en que perdieron la vida muchos españoles cuando los indios les hicieron huir de Tenochtitlán
4. 1520	d. año en que Diego Colón decidió conquistar a Cuba
5. 1521	e. año en que Cortés llegó a Veracruz, quemó sus barcos y se marchó al interior

4 **Pongan los siguientes sucesos en orden cronológico.**

- Diego Colón decidió conquistar a Cuba. 1
- Cortés quemó sus barcos en el puerto de Veracruz. 7
- Hernán Cortés salió de España como secretario de Velázquez en la expedición a Cuba. 3
- Cortés salió de Santiago para ir a conquistar a México. 5
- Diego Colón nombró a Diego Velázquez jefe de la expedición a Cuba. 2
- Velázquez nombró a Cortés alcalde de Santiago. 4
- Cortés y sus hombres se marcharon a Tenochtitlán para tomar la capital de los aztecas. 6
- Cortés y sus hombres llegaron a un puerto en la costa de México que él nombró Veracruz. 8

5 **Contesten a las siguientes preguntas en español.**

- Velázquez tried to stop Cortés' expedition to Mexico. Why did he try to stop it?
- When Cortés arrived on the shores of Mexico, he burned his ships. Why did he do that?
- Even though Cortés was an enemy, Moctezuma, the emperor of the Aztecs, received Cortés, gave him gifts, and put him up in a magnificent palace. Why did Moctezuma receive Cortés in such a way?
- Even though Moctezuma received Cortés with open arms, Cortés decided to capture him and make him a hostage in his own palace. Why did Cortés do this to Moctezuma?
- Why did Cortés have to leave Tenochtitlán to go back to the coast of Mexico?
- The Aztecs themselves finally killed their leader Moctezuma. Why did they kill him?
- After the death of Moctezuma, the Spaniards had to flee from Tenochtitlán. Why?
- Almost one year after they fled, the Spaniards returned to Tenochtitlán with reinforcements. At that time Cuauhtémoc was the emperor of the Aztecs. The Spaniards tortured him in a most barbarous way. Why?
- Why is Cuauhtémoc a great hero of the Mexican people?

Revista

El conquistador del imperio de los aztecas—
Hernán Cortés (1485–1547). Este cuadro de
Cortés se encuentra en una galería en
Florencia, Italia. ¿Puedes describir a Cortés?

Cortés y Velázquez

¿Dónde están ellos cuando esta
conversación tiene lugar? ¿Qué
le estará diciendo Velázquez a
Cortés. ¿Qué le promete?

Este descubridor español entra por primera
vez en las aguas de un gran océano en 1513.
¿Quién es él? ¿Qué océano es? ¿Cómo se
llama el país?

172

Las Pirámides de Teotihuacán

Éste es el Dios de los Vientos—Quetzalcóatl. Quetzalcóatl había sido hombre antes de ser un dios. Los aztecas creían que Quetzalcóatl iba a volver. Cuando llego Cortés ellos creían que era la reencarnación del Dios de los Vientos. ¿Qué tiene en una mano que es parte del símbolo de México?

Miren el mapa:
- ¿Adónde llegó Cortés con sus hombres y quemó los barcos?
- ¿Dónde estaban Moctezuma y Cuauhtémoc?
- ¿Qué representan los nombres en mayúsculas como OAXACA, GUERRERO, HIDALGO, etc.?

173

11 «MENUDO»

VOCABULARIO

Un pequeño diccionario

el (la) cantante	una persona que canta Julio Iglesias es un cantante famoso de España. Él da muchos conciertos en muchos países del mundo.
el cartel	el póster Luisa López decora las paredes de su cuarto con los carteles de sus ídolos.
la gira	el viaje El grupo de cantantes canta en muchas ciudades diferentes. Así, tienen que hacer muchas giras.
la voz	lo que se usa para cantar o hablar Olivia Newton John es una cantante muy conocida. Tiene una voz maravillosa.
detenerse	el contrario de **seguir andando**; pararse Los *Rolling Stones* siempre están viajando. No se detienen nunca.
entrevistar	hacerle preguntas a alguien para un artículo de periódico, programa de televisión, etc. Un reportero del periódico *Hoy* entrevistó (dio una entrevista) al cantante cuando llegó al aeropuerto.

Ejercicio 1 Contesten.

1. ¿Quién es un famoso cantante español?
2. ¿Dónde da él conciertos?
3. ¿Qué pone Luisa en sus paredes?
4. ¿De quiénes son los carteles?
5. ¿Adónde van los cantantes en sus giras?

Ejercicio 2 Completen.

1. Estos músicos nunca se _____. Siempre están viajando.
2. Pronto harán una _____ por todo el mundo.
3. Los reporteros siempre les están _____.
4. El cantante principal tiene una _____ fabulosa.
5. En mi escuela tenemos un _____ en la pared
   con todo el grupo de cantantes.

Esta noche los Rolling Stones **darán un concierto** en el Teatro Metropolitano.

Se venderán muchas **localidades** para **la función**.
No **quedará** ninguna **entrada**.
Estarán **agotadas**.

El concierto de los Rolling Stones empezará en cinco minutos.
Los fanáticos **oirán** el concierto.

Ejercicio 3 Den Uds. un sinónimo.

1. un boleto de teatro
2. interviú
3. pararse
4. asientos (en el teatro)
5. un viaje largo

Ejercicio 4 Escojan.

1. Los Rolling Stones darán _____ en el teatro esta tarde.
   a. un concierto
   b. una exposición

2. Sin duda venderán todas las _____.
   a. entradas
   b. giras

3. Habrá dos _____ hoy, una a las 19:00 y otra a las 23:00.
   a. funciones
   b. localidades

4. Un reportero quiere hacerle _____ a uno de los cantantes.
   a. una entrada
   b. una entrevista

5. ¡Qué suerte tengo yo! Tendré _____ para la función de las once.
   a. una localidad
   b. un cartel

6. Será difícil ir al teatro esta noche. Todas las entradas están _____.
   a. detenidas
   b. agotadas

7. Él no toca un instrumento; él es _____.
   a. cantante
   b. músico

8. Yo tengo _____ que anuncia el concierto.
   a. un cartel
   b. una voz

Expresiones útiles

Let's review some of the useful time expressions we have already learned to express past, present, and future events.

Past	Present	Future
ayer	hoy	mañana
anoche	esta noche	mañana por la noche
ayer por la mañana	esta mañana	mañana por la mañana
el año pasado	este año	el año que viene
la semana pasada	esta semana	la semana próxima (que viene)

Ejercicio 5 Completen.

1. Julio Iglesias cantó aquí anoche y cantará aquí _____ también.
2. Él viajó mucho el año pasado y viajará mucho _____.
3. Él dio una entrevista ayer y dará otra _____.
4. Yo creo que él llegó la semana pasada pero no sé si estará aquí _____.

176

Estructura

El futuro de los verbos regulares

The future tense is used to tell what will take place in the future. To form the future tense of regular verbs, the future verb endings are added to the entire infinitive form of the verb. The future endings are **é, -ás, -á, -emos, (-éis), -án.** Study the following forms.

Infinitive	hablar	comer	vivir	Endings
yo	hablaré	comeré	viviré	**-é**
tú	hablarás	comerás	vivirás	**-ás**
él, ella, Ud.	hablará	comerá	vivirá	**-á**
nosotros, -as	hablaremos	comeremos	viviremos	**-emos**
(vosotros, -as)	(hablaréis)	(comeréis)	(viviréis)	**(-éis)**
ellos, ellas, Uds.	hablarán	comerán	vivirán	**-án**

You have already learned the construction **ir a** + *the infinitive* to express the future. In everyday conversation, this construction is used more frequently than the actual future tense.

Yo voy a viajar a España con mi hermano.
Viajaré a España con mi hermano.

Él va a comer muchas comidas españolas.
Comerá muchas comidas españolas.

Nosotros vamos a vivir con una familia.
Viviremos con una familia.

Ejercicio 1 La fiesta en casa de Julia
Practiquen la conversación.

Margarita	¿Adónde irás después del baile?
Inés	Iremos todos a casa de Julia. Tú estarás, ¿no?
Margarita	Nadie me invitó. No iré sin invitación.
Inés	Tú estarás equivocada. Julia invitó a toda la clase. Yo la llamaré. Ella te invitará otra vez.

Ejercicio 2 Contesten según la conversación.

1. ¿Adónde irán todos después del baile?
2. ¿Irá Margarita?
3. ¿Por qué no?
4. ¿A quién llamará Inés?
5. ¿Qué hará Julia?

Ejercicio 3 ¡Menudo llegará esta noche!
Cambien según el modelo.

Ellos van a llegar esta noche.
Ellos llegarán esta noche.

1. Esta noche va a llegar el grupo Menudo.
2. Van a estar en el Hotel Metropol.
3. Muchos jóvenes van a estar allí para saludarlos.
4. Yo también voy a ir al Metropol.
5. Mis amigos y yo vamos a ir a su concierto.
6. Pepe va a tomar unas fotos.
7. Luego las va a vender.
8. Así va a ganar dinero.
9. Con el dinero va a comprar discos de Menudo.

Ejercicio 4 Esperamos al cantante.
Contesten con *sí* y el futuro.

¿Cuándo va a llegar el cantante? ¿Mañana?
Sí, el cantante llegará mañana.

1. ¿Quién lo va a buscar? ¿Tú?
2. ¿En qué hotel va a estar? ¿En el Central?
3. ¿Cuántas funciones va a dar? ¿Tres?
4. ¿Dónde va a cantar? ¿En el Ateneo?
5. ¿A qué hora van a terminar las funciones? ¿A las diez?

Ejercicio 5 Víctor, el Vago, deja todo para mañana.
Completen con el futuro.

1. ¿Víctor ha escrito la carta?
   No, dice que la _____ mañana.
2. ¿Víctor ha leído la carta?
   No, dice que la _____ mañana.
3. ¿Víctor ha contestado mis cartas?
   No, dice que las _____ mañana.
4. ¿Víctor ha comprado papel y una pluma?
   No, los _____ mañana.
5. ¿Víctor ha visitado a sus abuelos?
6. ¿Víctor los ha llamado por teléfono?
7. ¿Víctor ha terminado sus tareas en casa?
8. ¿Víctor ha oído los discos que le mandé?

El futuro de los verbos irregulares

The following verbs are irregular in the future.

tener	tendré, tendrás, tendrá, tendremos, (tendréis), tendrán
poner	pondré, pondrás, pondrá, pondremos, (pondréis), pondrán
venir	vendré, vendrás, vendrá, vendremos, (vendréis), vendrán
salir	saldré, saldrás, saldrá, saldremos, (saldréis), saldrán
poder	podré, podrás, podrá, podremos, (podréis), podrán
saber	sabré, sabrás, sabrá, sabremos, (sabréis), sabrán
decir	diré, dirás, dirá, diremos, (diréis), dirán
hacer	haré, harás, hará, haremos, (haréis), harán
querer	querré, querrás, querrá, querremos, (querréis), querrán

In addition to expressing future time, the future tense is also used in Spanish to express probability.

Él tendrá dieciséis años. *He's probably 16 years old.*
Elena lo sabrá. *Elena probably knows.*

Ejercicio 6 **Lupe y Raúl irán al teatro.**
Practiquen la conversación.

Raúl   ¿A qué hora vendrás a buscarme?
Lupe   Podré estar en tu casa a las siete.
Raúl   Tendremos que correr. El teatro se abre a las siete y media. Todo el mundo querrá llegar temprano.

Ejercicio 7 **Contesten según la conversación.**

1. ¿Quién vendrá a buscar a Raúl?
2. ¿A qué hora podrá ella estar en su casa?
3. ¿Qué tendrán que hacer para llegar a tiempo?
4. ¿Por qué tendrán que correr?
5. ¿Qué querrá hacer todo el mundo?

Ejercicio 8 **En el aeropuerto**
Contesten.

1. ¿Vendrán Uds. a tiempo al aeropuerto?
2. ¿Harán Uds. el viaje en avión?
3. ¿Con qué compañía harán Uds. el viaje?
4. ¿Tendrán Uds. que pasar por seguridad?
5. ¿A qué hora saldrá el avión?
6. ¿En qué asiento querrás sentarte?
7. ¿En qué sección del avión te pondrán?
8. ¿Tendrás un boleto de ida y vuelta?

Ejercicio 9 **La futura estrella**
Completen con el futuro.

Mañana yo _____ (saber) si _____ (tener) un contrato o no. Los empresarios _____ (querer) escucharme. Yo _____ (salir) de casa tempranito. Me _____ (poner) mis *blue jeans* americanos. Yo _____ (tener) que cantar pero muy, muy bien. Mis amigos no _____ (poder) ir conmigo. Pero no importa. Yo me _____ (hacer) famosa. Y entonces mis amigos _____ (venir) a verme en el teatro.

¿Qué concierto?

Amelia	¿Te veré mañana en el concierto?
Pilar	¿Me verás en el concierto? ¿Qué concierto?
Amelia	Mañana cantará Julio Iglesias en el Coliseo Roberto Clemente.
Pilar	¡Ay! No lo sabía. Quisiera oírlo. Tendré que ir a comprarme una entrada.
Amelia	¿Vas a comprarte una entrada? ¡Estarás bromeando*! No quedarán localidades. Te aseguro que estarán agotadas.
Pilar	Entonces me compraré un disco.

Ejercicio Contesten.

1. ¿Quién irá al concierto mañana?
2. ¿Quién será el cantante?
3. ¿Dónde será la función?
4. ¿Pilar querrá ir al teatro?

5. ¿Pilar podrá comprar una entrada?
6. ¿Por qué no?
7. ¿Qué hará Pilar entonces?

---

*bromeando *joking*

180

ɭectura cultural

La Ciudad de México: ¡Mañana llegarán! En el Estadio Azteca habrá más de ciento cinco mil fanáticos que los recibirán.

Nueva York: ¡Pasado mañana llegarán! Darán cuatro funciones en la arena del Madison Square Garden y no queda ni una sola entrada.

CLUB DE LA GENTE JOVEN

HAN HECHO DOS PELICULAS Y DOS TELENOVELAS

¡La manía* de Menudo!

Pero, ¿quiénes llegarán y qué harán? Llegarán Menudo. Llegarán y cantarán. ¡Y cómo cantan! Sus fanáticos van a sus conciertos, escuchan sus discos, miran sus programas de televisión y decoran sus cuartos con sus emblemas y carteles.

Los Menudo serán millonarios. Ellos no se detienen. Hoy Nueva York, mañana Miami, pasado mañana México. Tendrán que comprar un avión. No, no tendrán que comprarlo porque ya lo han comprado para sus giras.

Los Menudo son cinco cantantes de Puerto Rico—cinco cantantes jovencitos.* Cada uno tiene entre trece y quince años. Son de Puerto Rico y son jóvenes pero sus fanáticos cruzan* fronteras y edades. Muchas de sus canciones tienen un ritmo rock. Una se llama «Mi banda toca rock». Pero sus canciones son tiernas.* Los Menudo cantan del amor. Cantan de cosas alegres.

---

* **manía** *mania, craze*   * **jovencitos** *youngsters*   * **cruzan** *cross*   * **tiernas** *tender*

181

¿Por qué se llaman «Menudo»?
Pues, es mejor no contestar porque
los Menudo de hoy no serán los
Menudo de mañana. El grupo
Menudo cambiará. Ningún miembro del grupo
tendrá más de dieciséis años. Cuando uno de los muchachos
llega a los dieciséis años, o si se le cambia la voz o el desarrollo* físico,
tendrá que irse. Así los fanáticos no se envejecerán* con los ídolos.
Los ídolos nunca serán los mismos.

    ¿Qué piensan sus fanáticos de eso? Recientemente una revista entrevistó a
muchos jóvenes. Les preguntaron: —¿Qué te gusta y qué no te gusta de Menudo?—
Marisa Pomés resume* las opiniones de muchos. Marisa dice: —Pues, de Menudo
me gusta todo—los chicos guapos y sus canciones. La idea de cambiar de muchacho
me gusta y no me gusta. Me gusta porque dará una oportunidad a otros niños. No
me gusta porque me da mucha tristeza.* Quisiera verlos siempre juntos. Pero
aunque cambian, siempre siguen siendo Menudo.

---

desarrollo *development*   *no se envejecerán* *will not become old*   *resume* *summarizes*
tristeza *sadness*

Ejercicio Escojan.

1. ¿Dónde se presentarán los cantantes en México?
   a. En un cine.
   b. En un teatro.
   c. En un campo de fútbol.

2. ¿Cuántas personas asistirán al concierto en México?
   a. 50.000.
   b. 105.000.
   c. 150.000.

3. ¿Dónde estarán pasado mañana?
   a. En los Estados Unidos.
   b. En México.
   c. En Puerto Rico.

4. ¿Cuántas entradas quedan para las funciones en Nueva York?
   a. Ninguna.
   b. Cuatro.
   c. Miles.

5. ¿Quiénes decoran sus cuartos con emblemas y carteles?
   a. Menudo.
   b. Unos muchachos millonarios.
   c. Los fanáticos de Menudo.

6. En el artículo se mencionan muchos países donde Menudo canta. ¿Qué país no se menciona?
   a. Los Estados Unidos.
   b. Puerto Rico.
   c. España.

7. ¿Qué cree el autor de los muchachos de Menudo?
   a. Que son demasiado jóvenes.
   b. Que serán muy ricos.
   c. Que no cantan bastante.

8. ¿Qué compraron Menudo?
   a. Un avión.
   b. Un estadio.
   c. Un cartel.

9. ¿Para qué compraron un avión?
   a. Para poder escuchar sus propios discos.
   b. Para hacer más fácil viajar.
   c. Para llenar los teatros.

10. ¿Cuántos años tiene el muchacho más joven de Menudo?
    a. Doce.
    b. Trece.
    c. Quince.

11. ¿De dónde son los fanáticos de Menudo?

    a. Solamente de Puerto Rico.

    b. De países hispanos, nada más.

    c. De muchísimos países.

12. ¿Qué tipo de música toca Menudo?

    a. Música de *hard rock*.

    b. Canciones de amor.

    c. Canciones muy antiguas.

13. ¿Qué le pasa a uno de Menudo si se le cambia la voz?

    a. Tiene que salir del grupo.

    b. Sólo puede tocar un instrumento.

    c. Puede hacer discos pero no puede estar en público.

14. ¿Qué opina Marisa Pomés de los cambios de Menudo?

    a. Le gustan mucho.

    b. No le gustan nada.

    c. En parte le gustan y en parte no.

15. ¿Qué le pone triste a Marisa?

    a. Que todo el mundo tiene que ponerse viejo.

    b. Que las canciones del grupo siempre cambian.

    c. Que los mismos chicos no estarán siempre juntos.

16. ¿Qué le gusta a Marisa de los cambios de Menudo?

    a. La música es siempre nueva y alegre.

    b. Que todos los chicos son muy jovencitos.

    c. Que varios niños tienen una oportunidad.

Actividades

1 **Aquí tenemos una entrada a un concierto.**

- ¿Qué día será la función?
- ¿A qué hora comenzará?
- ¿Cuál es el número del asiento?
- ¿En qué sección está?
- ¿Será el concierto en un estadio o en un teatro?
- ¿Qué clase de música tocarán?

1er. festival de jazz

Centro Camino Real
Av. Sto. Toribio s/n.

GENERAL

ABRIL 22
9:30 Hs.

ANFITEATRO
FILA B

Butaca 28

TEATRO DE LA CIUDAD

2 Entrevista

- ¿Tú tocas un instrumento musical?
- ¿Cuál es?
- ¿Has tomado lecciones?
- ¿Tocas bastante bien?
- ¿Hay un grupo musical en la escuela?
- ¿Cómo se llama?
- ¿Qué clase de música tocan?

- ¿Tú tomas parte en el grupo?
- De los profesionales, ¿cuál es tu grupo favorito?
- ¿Qué clase de música tocan?
- ¿Los has visto en persona?
- ¿Dónde? ¿Cuándo?
- ¿Tienes carteles del grupo?

3 Prepare Ud. una conversación entre el taquillero y la señorita.

En la taquilla del teatro

Taquillero	Sí, señorita.
Señorita	Quiero cinco _____ para la _____ de esta noche. ¿_____ localidades?
Taquillero	Sí. Tenemos de mil pesos y de mil quinientos pesos. ¿Cuál prefiere Ud.?
Señorita	De _____ pesos.
Taquillero	Sus asientos están en la _____ nueve.

4 Please help me. I can't speak Spanish.

- Please tell the ticket seller that I need three tickets for today.
- Tell him/her that I want them for the nine o'clock show.
- Ask him/her how much the tickets are.
- Ask him/her if I can pay with a credit card.

185

Revista

¿Prefieren las personas mayores a Menudo o a Julio Iglesias? Y tú, ¿cuál prefieres?

¿Por qué le multan a Iglesias? ¿Cuánto tendrá que pagar?

Por daños causados en teatro
Multan a Julio Iglesias

La Coruña (España), 10 Ene. (EFE).- El ayuntamiento de La Coruña (noroeste español) reclama a los organizadores de los recitales dados por los cantantes Julio Iglesias y Miguel Ríos, celebrados el pasado mes de agosto en esta ciudad

de 40.000 pesetas (250 dólares) por daños causados en locales. El dinero será exig... la...

45 mil lo aplaudieron
JULIO IGLESIAS LLENO PLAZA DE TOROS: MEXICO

MEXICO D.F., 27 Mar. (EFE).— El cantante español Julio Iglesias logró un gran triunfo en su presentación popular en México, a la que asistió la esposa del presidente de la nación, Paloma Cordero de la Madrid.

Más de 46.000 personas se dieron cita en la plaza de toros más grande del mundo, La México, para a Julio Iglesias que ...

cierto, pues las 46.000 localidades se agotaron en dos ...

¿Qué persona famosa asistió al concierto en México? En los EE. UU. no hay plazas de toros. ¿Dónde se dan conciertos para 40.000 personas en los Estados Unidos?

No todo es positivo. ¿Qué dice un crítico sobre su L.P. «El Amor»? ¿Con qué artistas norteamericanos hizo discos Julio Iglesias?

En su afán de entrar al difícil mercado norteamericano, JULIO IGLESIAS, se apresta a lanzar un L.P. en inglés -idioma que probó no dominar muy bien en su álbum "El amor", con deplorable pronunciación. Por si fuera poco ya estableció los contactos para grabar un tema "soul" con Diana Ross y un tema "country" con el famoso Willie Nelson.

Julio Iglesias EN CONCIERT
SABADO 16 DE JUNIO 8:0
COLISEO ROBERTO CLE
Reservaciones
Boletos a la venta en: Stereo Warehouse, ...

Cine - Televisión
Julio Iglesias impon... su voz en los EE. UU.

WASHINGTON (UPI).- Después de intentar durante más de un año de entrar al mercado musical estadounidense, Julio Iglesias está convirtiéndose finalmente en una figura conocida en la televisión y en las radioemisoras de habla inglesa.

el príncipe Rainiero de ... para el presidente cois Miterrand

No to...

Julio Iglesias en TV de EE.UU.

Washington, Abr. (EFE). La irrupción de Julio Iglesias en el mercado estadounidense fue objeto de un programa de la cadena de televisión norteamericana "ABC".

La conocida presentadora del programa "20+20" Barbara Walters, sub... oche que graci...

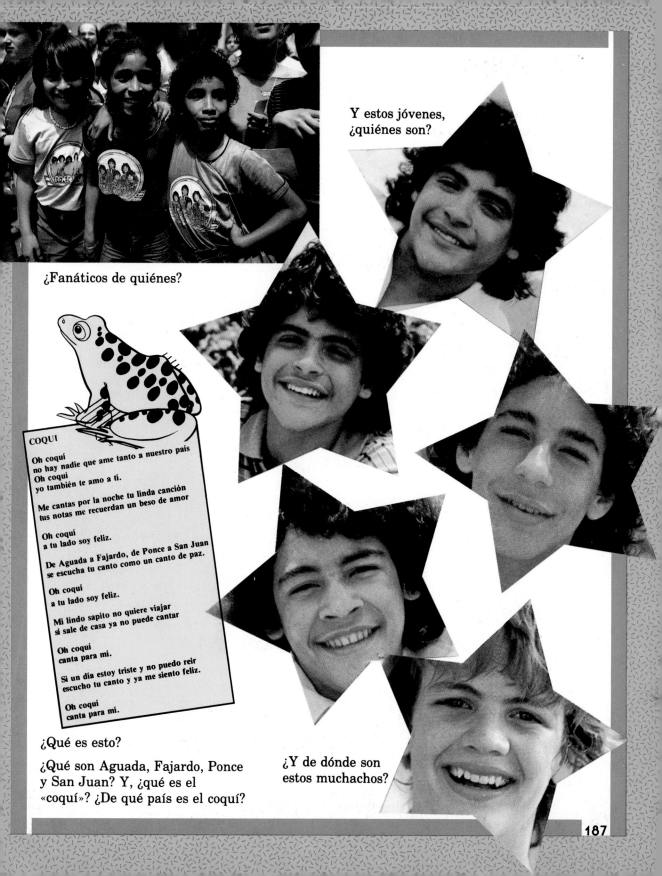

Y estos jóvenes,
¿quiénes son?

¿Fanáticos de quiénes?

COQUI

Oh coquí
no hay nadie que ame tanto a nuestro país
Oh coquí
yo también te amo a ti.

Me cantas por la noche tu linda canción
tus notas me recuerdan un beso de amor

Oh coquí
a tu lado soy feliz.

De Aguada a Fajardo, de Ponce a San Juan
se escucha tu canto como un canto de paz.

Oh coquí
a tu lado soy feliz.

Mi lindo sapito no quiere viajar
si sale de casa ya no puede cantar

Oh coquí
canta para mí.

Si un día estoy triste y no puedo reir
escucho tu canto y ya me siento feliz.

Oh coquí
canta para mí.

¿Qué es esto?

¿Qué son Aguada, Fajardo, Ponce
y San Juan? Y, ¿qué es el
«coquí»? ¿De qué país es el coquí?

¿Y de dónde son
estos muchachos?

187

12 El CORREO

Vocabulario

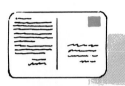

la tarjeta postal

la carta

el sobre

el sello

el buzón

Carlos pondría el sello en el sobre.
Pero no puede.
¿Por qué? Porque no tiene sello.

Carlos **echaría la carta** en el buzón.
Pero no puede.
¿Por qué? Porque no hay buzón.

Ejercicio 1 Para mandar una carta
Completen.

Antes de mandar una _____ o una _____ es necesario poner un _____ en el sobre. Luego se puede echar la carta en el _____.

188

Ejercicio 2 Contesten.

1. ¿Pondría Carlos el sello en el sobre?
2. ¿Pone un sello en el sobre?
3. ¿Por qué no puede poner un sello en el sobre?
4. ¿Echaría Carlos la carta en el buzón?
5. ¿Por qué no puede echar la carta en el buzón?

Ejercicio 3 Completen la conversación.

En el correo

— ¿Podrías decirme cuánto es un _____ para postales?
— ¿Para dónde son las _____ postales?
— Para Norteamérica.
— Para Norteamérica Ud. tiene que poner un _____ de sesenta pesos. Puede echar las postales en el _____ que dice «Exterior».

Una tarjeta postal de un **lugar** exótico

la selva

el techo de paja

la tribu de aborígenes

los pilotes

la canoa

las orillas del río

la flecha

el barco

189

Algunos animales de la jungla — ¡Y algunos son **venenosos**! ¡Cuidado!

la hormiga

el jaguar

la piraña

el mono

el pájaro

la serpiente

Ejercicio 4 Contesten según la tarjeta postal.

1. Esta casa está en _____.
   a. la jungla
   b. la ciudad

2. Construyeron la casa cerca _____.
   a. de la montaña
   b. del río

3. Hay unos _____ que soportan la casa.
   a. pilotes
   b. pilotos

4. El _____ es de paja.
   a. piso
   b. techo

5. Ellos tienen _____ para cruzar el río.
   a. un coche
   b. una canoa

6. Ellos están viviendo _____ del río.
   a. a orillas
   b. lejos

7. Estas personas son miembros de una tribu de _____.
   a. aborígenes
   b. comerciantes

Ejercicio 5 Les hablan los habitantes de la selva.
Completen.

Nosotros vivimos en la _____ donde la vegetación es fabulosa. Nuestras casas están sobre _____ y tienen _____ de paja. Cuando tengo que cruzar de una _____ a la otra del río, tengo que usar una _____.

Ejercicio 6 Identifiquen el animal o el insecto. ¿Cuáles pueden ser venenosos?

Estructura

El modo potencial o condicional
Verbos regulares

Study the following forms of the conditional in Spanish.

Infinitive	mandar	vender	escribir	Endings
yo	mandaría	vendería	escribiría	**-ía**
tú	mandarías	venderías	escribirías	**-ías**
él, ella, Ud.	mandaría	vendería	escribiría	**-ía**
nosotros, -as	mandaríamos	venderíamos	escribiríamos	**-íamos**
(vosotros, -as)	(mandaríais)	(venderíais)	(escribiríais)	**(-íais)**
ellos, ellas, Uds.	mandarían	venderían	escribirían	**-ían**

Note that the root for the conditional, as for the future, is the entire infinitive. The endings that are attached to the infinitive are the same endings used for the imperfect tense of **-er** and **-ir** verbs.

The uses of the conditional are the same in Spanish as in English. The conditional is used to express what would take place under certain circumstances.

> **Yo mandaría la carta pero no puedo. No tengo sellos.**
> **Él iría pero no puede. No tiene bastante dinero.**

The conditional is also used to soften requests.

> **¿Me ayudarías, por favor?**   *Would you help me, please?*
> **¿Iría Ud. conmigo?**   *Would you go with me?*

191

Ejercicio 1   ¿Qué harías con él?
Contesten con *sí*.

1. ¿Le hablarías?
2. ¿Le escribirías?
3. ¿Lo llamarías por teléfono?
4. ¿Lo saludarías?
5. ¿Lo invitarías a casa?
6. ¿Lo presentarías a la familia?

Ejercicio 2   Una excursión
Contesten según el modelo.

Ellos van. ¿Y tú?
No, yo no iría.

1. Nosotros vamos. ¿Y Uds.?
2. Alquilamos un barquito. ¿Y Uds.?
3. Viajamos de noche. ¿Y Uds.?
4. Nos quedamos en un albergue. ¿Y Uds.?
5. Volvemos al mediodía. ¿Y Uds.?
6. Traemos cámaras. ¿Y Uds.?

Ejercicio 3   Los jóvenes van a la jungla.
Completen con el condicional.

1. Reinaldo dijo que ellos _____ el viaje en algunos días.   **empezar**
2. Primero él _____ un barco.   **buscar**
3. Después él _____ comida en latas y mucha película para las cámaras.   **comprar**
4. Fernando le preguntó:—¿Quién nos _____ todo a buen precio?   **vender**
5. —Yo _____ a «Los Exploradores»—contestó Reinaldo.   **ir**
6. Creo que ellos nos _____ bien.   **tratar**
7. Todos estaban pensando que _____ buena idea llevar una radio.   **ser**

Verbos irregulares

The same verbs that are irregular in the future tense are irregular in the conditional. Study the following.

Infinitive	Future	Conditional
tener	tendré	tendría
poner	pondré	pondría
salir	saldré	saldría
poder	podré	podría
saber	sabré	sabría
hacer	haré	haría
decir	diré	diría
querer	querré	querría

Ejercicio 4 Luis vendrá a vernos.
Contesten según el modelo.

¿Estará Luis?
Dijo que estaría.

1. ¿Vendrá Luis?
2. ¿Hará el viaje en barco?
3. ¿Podrá pagar el viaje?
4. ¿Saldrá el viernes?
5. ¿Querrá vernos antes?
6. ¿Tendrá bastante tiempo?

Ejercicio 5 Tú no, pero yo sí.
Completen con el condicional.

1. Carlos no podrá pero Juan _____.
2. Los muchachos no vendrán pero las chicas _____.
3. Tú no lo harás pero yo lo _____.
4. Uds. no saldrán pero nosotros _____.
5. Ud. no se lo dirá pero yo se lo _____.

Ejercicio 6 Los antropólogos
Completen.

Los antropólogos dijeron que ellos no _____ (salir) hasta el verano. Entonces ellos _____ (hacer) una gira por toda la zona selvática. En el invierno no _____ (ver) algunas ceremonias importantes.

—Aunque _____ (ser) posible comenzar antes de junio—dijo el jefe de la expedición—era evidente que nosotros _____ (tener) más éxito en julio y agosto. Yo _____ (decir) que para septiembre nosotros _____ (estar) de nuevo en la capital, pero yo no les _____ (dar) ninguna garantía.

Ejercicio 7 Contesten según el Ejercicio 6.

1. ¿Cuál es el campo de trabajo de estas personas?
2. ¿Cuándo dijeron que saldrían?
3. ¿Por qué no saldrían antes?
4. ¿Cuándo podrían comenzar su viaje?
5. ¿Por qué sería mejor esperar hasta julio y agosto?
6. ¿Cuándo dijo el jefe que volverían a la capital?

conversación

En el correo

Roberto	¿Cuánto me costaría mandar esta tarjeta postal a los Estados Unidos?
Agente	¿Quiere Ud. enviarla por correo aéreo?
Roberto	¿Cuánto tiempo tardaría en llegar?
Agente	En avión tardaría unos cuatro días. En barco o por correo ordinario tardaría más de un mes.
Roberto	¡Ay de mí! ¡Más de un mes! Yo estaría en casa antes que la tarjeta. Voy a enviarla por correo aéreo.
Agente	El franqueo para una tarjeta postal a los Estados Unidos por correo aéreo es cien pesos, señor.
Roberto	De acuerdo.
Agente	Aquí tiene Ud. un sello de cien pesos.
Roberto	¡Ay, perdón! ¿Podría darme tres más, por favor? Pienso escribir más tarjetas.
Agente	Aquí los tiene. Ud. puede echar la tarjeta en el buzón allá al lado de la puerta.

Ejercicio Contesten.

1. ¿Adónde querría mandar postales Roberto?
2. ¿Tardarían más por correo ordinario o por avión?
3. ¿Cuánto tiempo tardarían por correo ordinario?
4. ¿Cuánto tendría que pagar para mandar una postal por avión?
5. ¿Cuántos sellos compró Roberto en total?
6. ¿Cuánto tuvo que pagar por todos los sellos?
7. ¿Dónde está el buzón?

Lectura cultural

Una carta de la selva

Querida Sandra,

Este viaje que estoy haciendo es fantástico. Nunca podrías imaginar las cosas interesantes que he hecho y que estoy haciendo. Me parece imposible que ayer estuve en una ciudad tan cosmopolita como Lima y hoy me encuentro— nunca sabrías dónde— en la selva amazónica. Esta mañana hice un vuelo de Lima y después de una hora y media llegué al aeropuerto de Iquitos. De esta ciudad pequeña que es un puerto° a las orillas del río Amazonas tomé un barco a la selva. Estoy alojado en un pequeño albergue° de madera. Como todas las casas de la zona amazónica el albergue está construido sobre pilotes. Las tienen que construir sobre pilotes. Si no, entrarían los

°**puerto** *port* °**albergue** *lodging, lodge*

animales de la jungla o las casas se inundarían* durante la estación de la marea alta.*

Entre nuestros vecinos hay tres tribus de aborígenes. (En total hay unos 50 grupos de aborígenes que habitan la zona amazónica y hablan más de 31 lenguas distintas.)

Esta tarde yo quería hacer una expedición por la selva pero francamente me daba miedo hacerla solo. No me consideraría cobarde* pero yo sabía que me perdería en la vegetación densa. Así me busqué un guía. Antonio me sirvió de guía y él conocía muy bien la selva.

Salimos del albergue en una canoa hecha del tronco de un árbol. Es el medio de transporte de los

° **se inundarían** *would become flooded*   ° **la marea alta** *high tide*   ° **cobarde** *coward*

aborígenes y también de los peruanos que habitan las orillas del río. Remamos por «el infierno verde» a un pueblo de los yaguas. Los yaguas siguen viviendo de una manera muy primitiva. A causa del calor, de la humedad, y de la lluvia ellos andan casi desnudos. Sus casas construidas sobre pilotes con techos de paja no tienen paredes. Cazan con una cerbatana. Cortan el tronco fino de un árbol. Excavan el interior del tronco y soplan flechas por el tronco excavado. ¡Y en la jungla no faltan animales!

Hablando de los animales hay muchos monos, cantidades de pájaros, de jaguares y de serpientes. En el río «nadan» muchas pirañas. En muchos árboles hay miles y miles

---

Remamos *We rowed* **lluvia** *rain* **Cazan** *They hunt* **cerbatana** *blow gun*
soplan *they blow*

de hormigas rojas. Son venenosas y si te pican, te pueden matar porque su veneno ataca el corazón.* Había una vez que los indios ataban* a sus enemigos a estos árboles para matarlos. Pero Antonio me dijo algo interesante. Estas mismas hormigas se usan para hacer una medicina cardíaca.

Pues, Sandra, ya basta. Te quería escribir una tarjeta y resulta una carta. Te la mandaría hoy pero no puedo. Sería fatal tratar de hallar un buzón aquí. Pasado mañana iré a Iquitos y te mandaré la carta del correo allí.

Un fuerte abrazo,
Eugenio

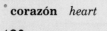 corazón *heart*   ataban *tied*

Ejercicio 1 ¿Qué dice Eugenio en su carta?

1. ¿Cómo es el viaje que está haciendo?
2. ¿Dónde estuvo ayer?
3. Y hoy, ¿dónde se encuentra?
4. ¿Cómo fue de Lima a Iquitos?
5. ¿Dónde está Iquitos?
6. ¿Cómo llegó Eugenio a la selva?
7. En la selva, ¿dónde está alojado?
8. ¿Cómo es el albergue?
9. ¿Por qué están construidas sobre pilotes las casas de la zona amazónica?

Ejercicio 2 Escojan.

1. ¿Quiénes viven en la zona amazónica?
   a. Muchos descubridores y antropólogos.
   b. Muchas tribus de aborígenes.
   c. Muchos turistas.

2. ¿Más o menos cuántos idiomas se encuentran en la zona?
   a. Se habla solamente español.
   b. Unos treinta.
   c. Unos trece.

3. ¿Por qué no quería Eugenio ir solo por la selva?
   a. Se consideraba cobarde.
   b. Creía que se perdería.
   c. No había bastante vegetación.

4. ¿Por qué buscó a Antonio?
   a. Antonio era un buen amigo.
   b. Necesitaba una persona para servir comida.
   c. Antonio vivía allí y conocía la región.

5. ¿Cómo hicieron el viaje por «el infierno verde»?
   a. Buscaron la ayuda de los yaguas.
   b. Salieron al río en una canoa.
   c. Anduvieron por las orillas del río.

6. ¿Quiénes son los yaguas?
   a. Los oficiales de la región amazónica.
   b. Los habitantes de Iquitos.
   c. Un grupo de aborígenes de la selva.

7. ¿Por qué se visten como se visten, y por qué construyen sus casas sin paredes?
   a. Porque el clima lo hace necesario.
   b. Porque son cazadores.
   c. Porque siempre hay marea alta.

8. ¿Cuál es el arma favorita de los yaguas?
   a. La cerbatana.
   b. El árbol.
   c. El pilote.

9. ¿Cómo se usa la cerbatana?
   a. Se usa para excavar el interior de los troncos.
   b. Se tira como una flecha larga.
   c. Se pone en la boca y se soplan flechas.

Ejercicio 3 Hagan una lista de los animales, insectos y reptiles que habitan la jungla.

Ejercicio 4 Expliquen en sus propias palabras lo que nos dijo Eugenio de las hormigas rojas.

Actividades

1 Address cards or letters to the following people.

- La Sra. Dª Clara Español de Toral. Ella vive en el número 6 de la Costanilla de San Andrés en Madrid, España. La zona postal es 13.
- La Srta. Marisol Príncipe. Ella vive en el condominio Los Flamboyanes en la Avenida Hostos en Ponce, Puerto Rico. El ZIP es 00731.
- El Sr. D. Rafael Pérez Sanromán. Él vive en el número 426 de la Avenida Tucuarí en Buenos Aires, Argentina.

2 La imaginación
¿Qué haría Ud.?

- Le acaban de dar $1.000.000 en una lotería. ¿Qué haría Ud. con el dinero?
- Una línea aérea le ofrece un viaje a cualquier lugar del mundo. ¿Adónde iría Ud.? ¿Por qué?
- Han anunciado que van a cerrar la escuela por dos semanas. ¿Qué haría Ud.?

200

Adivine. ¿Quién soy yo?

- Soy un felino de la jungla. No soy un gatito doméstico. Un automóvil lleva mi nombre. ¿Quién soy yo?
- Me encontrarías siempre en el agua. No soy muy grande. Pero nunca nado sola. ¿Quieres tirarte al agua? Pues, te comería en un instante. ¿Quién soy yo?
- ¡Qué bella soy! Larga y lisa. No tengo patas, ni brazos, ni alas, ni pelo. Me encanta el sol porque no resisto el frío. ¿Quién soy?
- Nosotros trabajamos constantemente. Siempre colaboramos. Nos ayudamos. Somos pequeñísimas. Vivimos en colonias de miles y miles. Miles de nosotros podríamos vivir debajo de una piedra. ¿Qué somos?
- A nosotros nos gusta imitar. Nos parecemos a los hombres. Tenemos brazos y manos y pelo. Nuestros pies son como manos y los usamos para subir árboles. ¿Quiénes somos?

Describa Ud. todo lo que ve en el dibujo.

Revista

Un aviso de recibo para carta certificada—Buenos Aires, Argentina

Los correos nacionales ofrecen varios servicios. Aquí vemos un recibo para servicio de Telex del correo español. ¿Cuánto le costó el Telex? ¿De dónde lo mandó?

Y un cheque postal argentino ¿Por cuántos pesos fue el cheque postal?

Las casas están a orillas del río. ¿Por qué están construídas sobre pilotes? ¿Qué río crees tú que es?

BUZONES

¿Hay carta para mí, señor cartero?

Honduras

¿La señora manda sus cartas por avión o por correo ordinario?

España

¿Qué colores lleva el buzón español? ¿En qué aparecen esos colores?

República Dominicana

ESCENAS DE LA SELVA

La cerbatana

El indígena está construyendo algo del tronco de un árbol. ¿Qué está construyendo? ¿Qué va a hacer con ella?

¿Qué hace el indígena con esto? ¿Qué sale de la cerbatana cuando él sopla?

Repaso

Mauricio, el vago

Mamá	Han llamado desde la escuela, Mauricio.
Mauricio	¿Y qué les has dicho, mamá?
Mamá	Yo les he dicho que tú no te has levantado todavía.
Mauricio	Mamá, no he podido levantarme.
Mamá	Nada de eso. Tú no has hecho nada en toda la semana. No has escrito ni una palabra. No has abierto ni un libro.
Mauricio	Estoy enfermo, mamá.
Mamá	¡Hala! A vestirte y a la escuela. En esta casa no se permiten vagabundos.
Mauricio	Me has matado, madre.
Mamá	Si te has muerto, tendrás que irte tú solito al cementerio.

Ejercicio 1 Mauricio no se ha levantado.
Contesten.

1. ¿Quiénes han llamado?
2. ¿Para quién han preguntado?
3. ¿Qué les ha contestado la madre?
4. ¿Por qué no se ha levantado Mauricio?
5. ¿Qué cosas no ha hecho el muchacho?
6. ¿Cómo le ha tratado su mamá?

El presente perfecto

Review the forms of regular **-ar, -er,** and **-ir** verbs in the present perfect tense. Remember that the present perfect is formed by combining the present tense of the verb **haber** with the present participle of the verb. Note that the ending for the past participles of **-er** and **-ir** verbs is the same—**ido.**

Infinitive	remar	responder	salir
yo	he remado	he respondido	he salido
tú	has remado	has respondido	has salido
él, ella, Ud.	ha remado	ha respondido	ha salido
nosotros, -as	hemos remado	hemos respondido	hemos salido
(vosotros, -as)	(habéis remado)	(habéis respondido)	(habéis salido)
ellos, ellas, Uds.	han remado	han respondido	han salido

Remember that the following verbs have irregular past participles in Spanish.

Infinitive	Past participle
ver	visto
escribir	escrito
romper	roto
volver	vuelto
devolver	devuelto
abrir	abierto
descubrir	descubierto
cubrir	cubierto
morir	muerto
poner	puesto
decir	dicho
hacer	hecho

Ejercicio 2 El pobre Mauricio
Completen con el presente perfecto.

La escuela le _____ (llamar). La madre _____ (contestar) el teléfono. Ella les _____ (decir) la verdad. Mauricio dice que no _____ (poder) levantarse. Su madre no le _____ (creer). Ella le dice que él no _____ (hacer) nada en toda la semana. Él no _____ (leer), no _____ (escribir) nada, no _____ (abrir) ni un libro. La madre _____ (ponerse) furiosa.

Ejercicio 3 Rosita no es puntual.
Completen con el presente perfecto del verbo indicado.

1. Rosita no _____ todavía. **llegar**
2. Ramón ya _____ a casa a ver si ella estaba allí. **llamar**
3. Nadie _____ el teléfono. **contestar**
4. Yo _____ que esperar a Rosita también. **tener**
5. Ella siempre _____ la mala costumbre de llegar tarde. **tener**
6. Nosotros nunca _____ a nadie como Rosita. **conocer**
7. Yo _____ la paciencia más de una vez con ella. **perder**
8. Pero eso no le _____ nada. **molestar**

Ejercicio 4 ¿Quién lo ha hecho?
Contesten con el presente perfecto y las palabras indicadas.

¿Quién subió? **Paco**
Paco ha subido.

1. ¿Quién entró? **yo**
2. ¿Quién se sentó? **ella**
3. ¿Quién comió? **ellos**
4. ¿Quién bebió? **nosotros**
5. ¿Quién se acostó? **él**
6. ¿Quién se durmió? **nosotros**

Ejercicio 5 ¡Dime qué!
Hagan preguntas usando ¿Qué? Sigan el modelo.

¿Cubrir?
¿Qué han cubierto?

1. ¿Escribir?
2. ¿Decir?
3. ¿Hacer?
4. ¿Abrir?
5. ¿Romper?

6. ¿Cubrir?
7. ¿Devolver?
8. ¿Resolver?
9. ¿Ver?
10. ¿Describir?

Teresa irá a la selva.

Esteban ¿Cuándo volverás de la selva, Tere?
Teresa Regresaré dentro de una semana.
Esteban ¿No será peligroso?
Teresa Claro que sí. Pero yo me cuidaré.

Ejercicio 6 ¿Adónde irá Teresa?
Contesten.

1. ¿Adónde irá Teresa?
2. ¿Y cuándo volverá ella?
3. ¿Existirá peligro?
4. ¿Tiene miedo Teresa?
5. ¿Qué va a hacer ella?

El futuro
Verbos regulares e irregulares

Review the forms of the future tense of regular **-ar, -er,** and **-ir** verbs in Spanish.

Infinitive	viajar	volver	subir
yo	viajaré	volveré	subiré
tú	viajarás	volverás	subirás
él, ella, Ud.	viajará	volverá	subirá
nosotros, -as	viajaremos	volveremos	subiremos
(vosotros, -as)	(viajaréis)	(volveréis)	(subiréis)
ellos, ellas, Uds.	viajarán	volverán	subirán

Study the following irregular stems for the future tense of these verbs. Note that the verb endings are the same future tense endings used for all regular verbs.

Infinitive	Stem	Future
tener	tendr-	tendré
poner	pondr-	pondré
salir	saldr-	saldré
poder	podr-	podré
saber	sabr-	sabré
venir	vendr-	vendré
querer	querr-	querré
hacer	har-	haré
decir	dir-	diré

Ejercicio 7 ¿Irás con nosotros?
Completen con el futuro.

1. Mañana yo _____ a las cinco. **levantarse**
2. Yo _____ el bus a las seis. **tomar**
3. El bus _____ unos quince minutos. **tardar**
4. Yo _____ directamente a la estación de ferrocarril. **ir**
5. Allí mis amigos me _____. **esperar**
6. Nosotros _____ el tren que va a la sierra. **buscar**
7. Todos nosotros _____ los esquís y bastones. **llevar**
8. El tren _____ a las pistas a las ocho. **llegar**
9. Yo _____ y _____ la montaña todo el día. **subir, bajar**
10. Yo no me _____ nunca. **cansar**
11. ¿Tú _____ con nosotros? **ir**
12. Nosotros te _____ un asiento en el tren. **guardar**

Ejercicio 8 Vendremos mañana.
Contesten con el futuro y las palabras indicadas.

¿Cuándo va a venir Pepe? **a las siete**
Pepe vendrá a las siete.

1. ¿Uds. van a venir con él? **sí**
2. ¿Ana va a poder viajar con él? **no**
3. ¿Quién más va a hacer el viaje? **León**
4. ¿Él va a querer salir temprano? **no**
5. ¿Él va a tener un asiento? **sí**
6. ¿Qué vas a decir tú? **nada**

Ejercicio 9 Ayudaré a los Méndez.
Completen con el futuro.

Los Méndez _____ (venir) mañana por la tarde. Ellos _____ (hacer) el viaje en coche. Pablo y yo _____ (poder) encontrarlos en el pueblo. Ellos _____ (querer) tratar de encontrar nuestra casa. Ellos _____ (poder) perderse. No sé si el señor Méndez _____ (saber) el camino o no. Pero yo se lo _____ (decir).

El modo potencial o condicional

Review the forms of the conditional tense of regular **-ar**, **-er**, and **-ir** verbs in Spanish. Remember that the conditional is formed by adding the appropriate endings to the infinitive. Study the following forms.

Infinitive	acabar	vender	escribir
yo	acabaría	vendería	escribiría
tú	acabarías	venderías	escribirías
él, ella, Ud.	acabaría	vendería	escribiría
nosotros, -as	acabaríamos	venderíamos	escribiríamos
(vosotros, -as)	(acabaríais)	(venderíais)	(escribiríais)
ellos, ellas, Uds.	acabarían	venderían	escribirían

The verbs that have irregular stems in the future have the same irregularities in the conditional. Study the following.

Infinitive	Conditional
venir	**vendría**
tener	**tendría**
poner	**pondría**
salir	**saldría**
poder	**podría**
saber	**sabría**
querer	**querría**
hacer	**haría**
decir	**diría**

Ejercicio 10 Un poco de práctica
Cambien las oraciones del futuro al condicional.

1. Ellos comprenderán.
2. Tú vendrás.
3. Yo se lo diré.
4. ¿Te lo pondrás?
5. ¿Quién lo hará?
6. Uds. sabrán.
7. Nadie querrá ir.
8. Nosotros podremos.

Ejercicio 11 No se puede contar con él.
Completen con el condicional.

1. Pues yo no _____ con él. **hablar**
2. Yo no le _____ ni una palabra. **decir**
3. Él nunca nos _____ atención. **prestar**
4. Y él no _____ nada. **hacer**
5. Él dijo que _____ a vernos. **venir**
6. Nosotros dijimos que lo _____. **esperar**
7. Y nunca vino. Aunque dijo que _____ aquí. **estar**

208

¿Cómo es?

Andrés   Mi hermana es tan inteligente como tu hermana.

Sonia   Nunca. Mi hermana tiene tanta inteligencia como un genio.

Andrés   Y tú eres tan simpática como Atila el huno.

Ejercicio 12 ¿Cómo es Sonia?
Contesten según la conversación.

1. ¿A quiénes están comparando?
2. ¿Qué cree Sonia?
3. ¿Cómo le insulta Andrés a Sonia?

La comparación de igualdad

Remember that in order to compare things or people that are alike in *quality*, you must place **tan** before the adjective and **como** after the adjective.

Juan es tan alto como Luis.	*John is as tall as Louis.*
Ellos son tan inteligentes como nosotros.	*They are as intelligent as we.*

When like *quantities* are compared and a noun is used instead of an adjective, the adjective **tanto(a)** precedes the noun or object being compared. **Tanto** must agree with the noun it describes. The object being compared is followed by **como**.

Tenemos tanta carne como Uds.	*We have as much meat as you.*
Compré tantos libros como revistas.	*I bought as many books as magazines.*

Ejercicio 13 Julia tiene suerte.
Completen con *tan ... como* o *tanto ... como*.

1. ¿Quién es _____ bonita _____ Julia?
2. Nadie. Y nadie es _____ inteligente _____ ella tampoco.
3. ¿Y quién tendrá _____ dinero _____ ella?
4. Y nadie podrá tener _____ admiradores _____ Julia.
5. ¿Habrá alguien con _____ talento _____ Julia? Lo dudo.
6. Yo quisiera tener _____ problemas _____ esa pobre muchacha.

Ejercicio 14 Comparen a José y Arnaldo. Son iguales en todo. Usen *tener* o *ser*.

guapo
José es tan guapo como Arnaldo.

1. dinero
2. amigos
3. inteligente
4. ideas
5. talento

6. novias
7. ropa
8. simpático
9. listo

Lectura cultural

Somos únicos.

Es muy fácil creer en los estereotipos. Pero
también es peligroso,* especialmente cuando
pensamos que el ser humano es único y muy
complicado. No hay dos personas iguales. Y si no hay
dos individuos iguales, ¿cómo podemos pensar que
todos los miembros de un grupo son iguales?

Tomaremos como ejemplo a los puertorriqueños.
Yo he vivido en Nueva York casi toda la vida,
aunque mi hermana mayor, María Luisa, y yo
nacimos en Puerto Rico. Mi hermano menor, Alberto,
nació aquí en la ciudad.

Mis padres vinieron al «continente»* en 1947,
después de la Segunda Guerra Mundial. Miles y
miles de puertorriqueños vinieron entonces. Las
condiciones económicas en la isla eran muy malas y
en el continente había oportunidades para todos, o
así creíamos. Además, nosotros los puertorriqueños
somos ciudadanos de los Estados Unidos y podemos
viajar entre la isla y el continente libremente.
Cuando la familia vino a Nueva York, Marilú ya
tenía nueve o diez años. Ella hablaba muy poco
inglés. Yo sólo tenía tres o cuatro años y pude
aprender inglés rápidamente, pero María Luisa, no.
Alberto, nuestro «hermanito», habla muy poco
español. Él se crió en Nueva York y, aunque
entiende bastante español, no lo habla muy bien.

Desde que llegaron a Nueva York en 1947, mis padres
han trabajado, y mi papá siempre ha tenido un sueño—
volver a Puerto Rico. Y su sueño se ha realizado. Mami y
papi han vuelto a su isla del encanto. Alberto y yo los
llevamos al aeropuerto y allí nos despedimos de ellos.
María Luisa y su marido los esperaron en el aeropuerto
de Isla Verde en San Juan de Puerto Rico. María Luisa vive en Puerto Rico con su
marido y sus hijos. Ella ha estado en Puerto Rico muchos años. María Luisa es
farmacéutica. Después de graduarse de la escuela superior en el Bronx, ella decidió
estudiar farmacia en la Universidad de Puerto Rico. Mientras estudiaba, vivía en
casa de nuestros abuelos. Ella conoció a Bernardo en la universidad donde él
estudiaba para médico. Los dos se enamoraron* y se casaron.* María Luisa ha
vuelto a Nueva York muy pocas veces.

---

* **peligroso** *dangerous*   * **«el continente»** *the United States*
* **se enamoraron** *they fell in love*   * **se casaron** *they got married*

La Universidad de Puerto Rico en Río Piedras

   Alberto no va mucho a Puerto Rico.
Probablemente irá más a menudo*
ahora que nuestros padres están allí.
Alberto y su familia se han mudado a
un pueblo en Massachusetts. Alberto es
comerciante en máquinas de oficina y es
un excelente hombre de negocios; él gana
un dineral.* Nosotros, la familia, somos los únicos que lo llaman Alberto. Entre sus
amigos y compañeros él es «Al».

   Los hijos de Alberto nunca han aprendido a hablar español, sólo hablan inglés.
Yo sé que a mami y a papi les gustaría escuchar a todos sus nietos hablando
español, pero, ¿qué se va a hacer? Los hijos de Marilú son bilingües, pero hablan
español mejor que inglés. Los hijos míos son todo lo contrario. Ellos también son
bilingües, pero hablan inglés mejor que español.

   Es curioso cómo miembros de la misma familia pueden ser tan diferentes. Mi
hermana es completamente puertorriqueña. Ella ha decidido quedarse para siempre
en su isla. Su idioma, sus costumbres, hasta su comida, todos son puertorriqueños.
María Luisa nunca sirve una comida sin arroz y habichuelas. Ella me llama
«carnívoro» porque me gusta el biftec medio crudo.

---

*a menudo** *often*   *dineral** *fortune*

Y Alberto—o «Al», como lo llaman sus amigos—es puro yanqui. Él detesta el ajo* en la comida. Él prefiere la carne con papas a un buen arroz con pollo. Alberto ha perdido las costumbres y tradiciones de su familia. Ya no son suyas. ¿Y cuáles son las mías? Yo no estoy seguro. A veces me siento como un híbrido. Hay costumbres puertorriqueñas que me gustan, y yo las he mantenido. Y he abandonado las que no me gustan. Por ejemplo, siempre me han gustado las fiestas en Puerto Rico. Nos juntamos* todos, los viejitos, los jóvenes, los bebés. No hay ninguna segregación por edades; uno ve a la abuelita bailando con el nieto. Mientras que aquí es raro ver a los abuelos en una fiesta de muchachos.

Y hay costumbres americanas que yo prefiero. A mí me gusta la independencia que se les da a los jóvenes en los Estados Unidos. Yo creo que mi hermana protege demasiado a sus hijos, y ella cree que yo no cuido bastante a los míos.

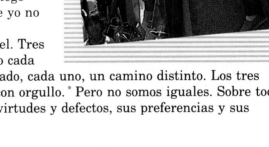

Alberto, María Luisa y yo, Manuel. Tres hermanos con los mismos padres pero cada uno muy distinto al otro. Hemos tomado, cada uno, un camino distinto. Los tres somos puertorriqueños y lo decimos con orgullo.* Pero no somos iguales. Sobre todo, somos individuos. Cada uno con sus virtudes y defectos, sus preferencias y sus prejuicios,* pero siempre único.

Ejercicio 1   ¿Quién hablará? ¿María Luisa, Alberto o Manuel?

1. Mis hijos hablan inglés un poco, pero mejor el español.
2. En mi casa no hablamos español.
3. Ayer vendí trescientas copiadoras.
4. Me encanta tener a mis padres aquí en Puerto Rico.
5. Alberto y yo llevamos a los padres al aeropuerto.
6. Conocí a Bernardo en la universidad.
7. No es buena idea proteger demasiado a los jóvenes.
8. No me gusta vivir ni en Nueva York ni en Puerto Rico.
9. Yo era muy joven cuando vinimos a Nueva York.

---

*ajo *garlic*   *Nos juntamos *We get together*   *orgullo *pride*   *prejuicios *prejudices*

Ejercicio 2 Pareo

1. donde estudió María Luisa en la secundaria
2. donde está la residencia de Alberto
3. el aeropuerto donde esperó María Luisa a sus padres
4. lo que estudió Bernardo
5. donde ha vivido Manuel muchos años
6. lo que fue la especialización de María Luisa
7. donde nació María Luisa
8. el idioma que hablan los hijos de Alberto
9. el o la menor de los tres hermanos
10. el o la mayor de los tres hermanos

a. farmacia
b. medicina
c. comercio
d. Massachusetts
e. Nueva York
f. Puerto Rico
g. el Bronx
h. Isla Verde
i. español
j. inglés
k. Alberto
l. María Luisa
m. Manuel

Ejercicio 3 Algunas costumbres
Indiquen de dónde son.

1. las fiestas de jóvenes son para los jóvenes
2. los abuelos bailan con los nietos
3. un biftec medio crudo
4. todo el mundo va al aeropuerto para despedir o recibir a los parientes
5. arroz y habichuelas todos los días
6. darles mucha independencia a los jóvenes
7. vivir con los padres y abuelos
8. cuidar mucho a los adolescentes

Ejercicio 4 Preguntas personales

- ¿Tienes hermanos? Si tienes hermanos, ¿crees que Uds. son iguales o diferentes? ¿Cómo? Comenta.
- ¿Cuáles son algunos estereotipos comunes?
- ¿Hay estereotipos de grupos étnicos?
- ¿Hay estereotipos de grupos religiosos, de hombres o mujeres, de jóvenes o viejos?
- ¿Crees que algunos estereotipos son correctos? ¿Cuáles?
- ¿Cómo comienzan los estereotipos? ¿Qué efecto tienen?
- ¿Conoces a algunos puertorriqueños?
- ¿Cómo son ellos?
- ¿Puedes describirlos?
- ¿Dónde viven? ¿En qué trabajan? ¿Qué idiomas hablan?
- ¿Tiene tu familia algunas costumbres y tradiciones interesantes? ¿Cuáles son?

Lectura cultural

opcional

Una carta de Costa Rica

Colegio Bolívar
San José, Costa Rica
América Central
8 de abril

A la clase de español 2
Central High School West
Central City
¡Hola!

Hoy me toca a mí* escribir la carta. La señora Zumbado me pidió contestar la última carta que Uds. nos escribieron. Su carta fue muy interesante. No sabíamos que Uds. tenían que cubrir grandes distancias para ir de una parte a otra, hasta para ir al cine. Aquí no. Como vivimos en la ciudad, todo está cerca. San José no es como Dallas o Nueva York o Chicago o Filadelfia, pero no es una aldea tampoco.

¿Y cómo es la nieve? Miramos las fotos que Uds. nos mandaron. La nieve es linda. Sabemos cómo se ve, ¿pero cómo es cuando la tocas por ejemplo? ¿La puedes tocar sin guantes? ¿O es demasiado fría? Sé que estas preguntas pueden parecer tontas, pero nunca hemos visto la nieve excepto en fotos y nos fascina.

Y gracias por contestar nuestra pregunta sobre los gangster. En los periódicos hay muchísimos artículos sobre el crimen en los Estados Unidos, especialmente en las ciudades.

----
*me toca a mí   *it's my turn*

Yo creía que todo el mundo llevaba pistola. Una muchacha en nuestra escuela recibió una beca para estudiar en los Estados Unidos. Su familia no la permitió aceptarla. Ellos dijeron que era demasiado peligroso ir a los Estados Unidos. Que uno no podía andar en la calle, ni salir de noche.

Pues, como Uds. explicaron en la carta, todo eso es una exageración. A veces los periódicos pueden crear una impresión equivocada. Todos tenemos interés en visitar su país, pero algunos teníamos miedo.

Uds. nos preguntaron en la última carta sobre el idioma que hablamos. Pues, siempre decimos que hablamos castellano, que es nuestro idioma nacional. La verdad es que esa pregunta no es nueva. Los muchachos en el Canadá y en los Estados Unidos con quienes nos escribimos siempre nos hacen esa pregunta.

Parece que en Norteamérica les enseñaron que hay dos «versiones» de nuestra lengua, el «castellano» y la «otra».

Hay un chico norteamericano en nuestra escuela. Él estará con nosotros tres meses. La semana pasada él me preguntó si yo hablaba «castellano». Yo le dije que claro que sí, que era mi idioma. Él insistía en que no

---

beca *scholarship*   **peligroso** *dangerous*   **equivocada** *wrong, erroneous*

era posible, que el castellano se hablaba solamente en España.

Yo le repetí la historia de la lengua española. Le expliqué los orígenes en el latín y el árabe. Pero él insistía en sus dos versiones. Yo le pregunté cuáles eran las diferencias entre las dos.

—En el castellano la «c» y la «z» no se pronuncian como «s» como lo hacen Uds. Se pronuncian como la th en inglés.

Yo le pregunté qué otras diferencias había.

—Pues, en el castellano se usa la forma «vosotros» y Uds. no la usan, él me informó.

Yo le dije que nosotros usamos el «vos» y él entonces me dijo que lo usamos mal, que lo usamos en lugar de «tú» y no como una forma plural. Yo ya no aguantaba* más y le dije que mi abuelo es español. Es de Sevilla. Él nunca dice «vosotros» y él pronuncia la «c» y la «z» igual que nosotros. No pude convencer a mi amigo norte-americano. El día siguiente salí en busca de mi amigo. Cuando lo encontré le dije.

—Oye, Tom, quería preguntarte, ¿qué hablas tú, inglés o americano? Tom me miró un poco raro y dijo:

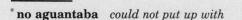

no aguantaba *could not put up with*

216

—¿Qué clase de pregunta es ésa? Yo hablo inglés, inglés.

Y yo le dije que no. Que el inglés es lo que hablan los ingleses y que los ingleses no hablan como él. La _a_ de los ingleses es más abierta, y la _r_ más suave. Además, nuestra profesora de inglés nos dijo que los ingleses dicen _lorry_ y los norteamericanos dicen _truck_. En Inglaterra dicen _lift_ y en los Estados Unidos es _elevator_, y hay muchas otras diferencias.

Tom abrió la boca, y luego la cerró. Le vi el comienzo de una sonrisa . . .

—Me ganaste, dijo, —tu idioma es el castellano y el mío es el inglés.

—De acuerdo, le contesté.

Entre los veintitantos* países de habla española habrá algunas diferencias en la manera de hablar, pero todos nos comprendemos perfectamente. Porque todos hablamos castellano.

Yo no sé si Uds. saben que hay una provincia aquí en Costa Rica donde casi todo el mundo habla inglés. Se llama Limón.

Les hablaremos de Limón en la próxima carta.

Saludos a todos de parte de
Albertina Chamorro Echeverría
y
la clase de la Sra. Marta Zumbado

---

veintitantos *twenty or so*

Ejercicio 1 Escojan.

1. La persona que escribe la carta es _____.
   a. profesora
   b. estudiante

2. La gente que recibirá la carta vive
   en _____.
   a. Central City
   b. San José

3. El muchacho norteamericano va a estar
   en la escuela en San José por _____.
   a. un año
   b. tres meses

4. Los chicos del Colegio Bolívar creen que
   hay mucho _____ en los Estados Unidos.
   a. dinero
   b. crimen

5. En las fotos los muchachos vieron _____.
   a. pistolas
   b. nieve

Ejercicio 2 Escojan.

1. ¿Qué es Marta Zumbado?
   a. Estudiante.
   b. Maestra.
   c. Periodista.

2. ¿Qué de los Estados Unidos es lo que les sorprende a los amigos de Albertina?
   a. Que no haya ningún crimen.
   b. Que haya tantas ciudades.
   c. Que haya tan grandes distancias.

3. ¿Qué es lo que quieren saber de la nieve los chicos?
   a. Qué color tiene.
   b. Cómo se siente.
   c. Dónde cae.

4. ¿Por qué los padres no le permitieron a su hija aceptar una beca?
   a. Temían las condiciones en los Estados Unidos.
   b. Creían que ella era muy joven.
   c. No tenían bastante dinero.

5. ¿De dónde es el abuelo de Albertina?
   a. De España.
   b. De Costa Rica.
   c. De los Estados Unidos.

En el centro comercial, San José, Costa Rica

Ejercicio 3 Contesten.

1. ¿Qué decían los periódicos sobre los Estados Unidos?
2. ¿Por qué escribe Albertina la carta?
3. ¿Cómo describe ella a San José?
4. ¿Cuáles son algunas diferencias que menciona Tom entre el español de España y el español de Costa Rica?
5. ¿Cuáles son algunas diferencias entre el inglés de Inglaterra y el inglés de los Estados Unidos?

Ejercicio 4 ¿Qué opinas?

1. ¿Pueden los periódicos dar una impresión equivocada? ¿Te acuerdas de algún caso donde esto ocurrió? ¿Crees que hay demasiada libertad de prensa? ¿Sí o no? ¿Por qué?
2. ¿Es fácil o difícil entender a otras personas de habla inglesa, como, por ejemplo, a los norteamericanos del noreste, del sur o del oeste; a los canadienses, ingleses, australianos, irlandeses y escoceses? ¿Por qué sí o por qué no?
3. Albertina y sus amigos quieren ver y tocar la nieve. ¿Hay algo en el mundo hispano que te fascine a ti y que quieres ver? ¿Qué es?

Ejercicio 5 Pareo
¿Qué se habla aquí?

1. Irlanda _____   a. inglés
2. Nicaragua _____   b. francés
3. Chile _____   c. español
4. Venezuela _____
5. Escocia _____
6. Canadá _____
7. Bélgica _____
8. Australia _____

El centro de la meseta, San José

219

13 Besitos y abrazos

vocabulario

Ceremonias y fiestas

la boda

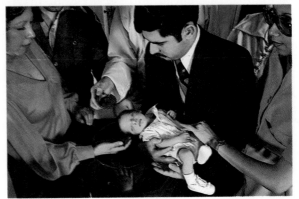

el bautizo

el santo

el cumpleaños

Profesiones y oficios

la médica

el abogado

el comerciante

La boda tendrá lugar en la catedral. **Ven** a la boda.

El bautizo del bebé es esta mañana. **Asiste** al bautizo.

Celebraremos el santo de Pepe el día 19. **Trae** un regalo para Pepe.

Ejercicio 1 Completen.

1. Pablo y Teresa se casan. La _____ será el sábado.
2. Van a llevar al bebé de mis primos a la iglesia. Hoy es el _____.

3. El 19 de marzo es el día de San José. Por eso José celebra su _____.
4. Mi hermana nació el 17 de agosto; ese día es su _____.

La doctora Méndez trabaja en el Hospital Central.

El licenciado Fernández trabaja en la corte y en su **bufete**.

El señor Robledo trabaja en una oficina. Él vende computadoras.

Ejercicio 2 Escojan.

1. El Sr. Robledo es _____.
   a. comerciante
   b. mecánico

2. La doctora Méndez es _____.
   a. profesora
   b. médica

3. El licenciado Fernández es _____.
   a. estudiante
   b. abogado

Ejercicio 3 Apareen las palabras a la izquierda con una profesión a la derecha.

1. hospital   _____
2. leyes   _____
3. medicinas   _____
4. compra y venta   _____
5. criminales   _____
6. inventario   _____
7. descuento   _____
8. cirugía   _____
9. justicia   _____

a. el (la) comerciante
b. el (la) abogado(a)
c. el (la) médico(a)

Estructura

El imperativo familiar

Verbos regulares

The familiar **tú** form of the affirmative command for regular verbs is the same as the **Ud.** form of the verb in the present tense.

Present Tense (*Ud.*)	Imperative (*tú*)
Ud. habla	habla
Ud. come	come
Ud. escribe	escribe

Note that this rule also applies to verbs with a stem change in the present tense.

Present Tense (*Ud.*)	Imperative (*tú*)
Ud. cierra	cierra
Ud. pierde	pierde
Ud. vuelve	vuelve
Ud. duerme	duerme
Ud. pide	pide

Note that the pronoun **tú** is almost always omitted in the command form.

Ejercicio 1 Algunos imperativos

*Give the **tú** affirmative command for the following verbs.*

1. terminar
2. acabar
3. correr
4. beber
5. recibir
6. abrir
7. empezar
8. perder
9. sentir
10. contar
11. volver
12. dormir

222

Ejercicio 2   Manda a tu hermanito(a) a ...

1. abrir la puerta
2. cerrar la ventana
3. beber la leche
4. escribir una composición
5. correr a la tienda

Ejercicio 3   No sé qué hacer.
Contesten con el imperativo familiar.

En la clase de español ...

1. ¿Debo hablar?
2. ¿Debo contestar?
3. ¿Debo cantar?
4. ¿Debo mirar el dibujo?
5. ¿Debo estudiar?

6. ¿Debo leer mucho?
7. ¿Debo escribir algo en la pizarra?
8. ¿Debo abrir el libro?
9. ¿Debo cerrar el libro?

Verbos irregulares

The following verbs have familiar **tú** command forms that are irregular. Study these forms below.

Infinitive	Imperative (**tú**)
decir	**di** tell
ir	**ve** go
ser	**sé** be good
salir	**sal** leave
hacer	**haz** do, make
tener	**ten** have
venir	**ven** come here
poner	**pon** put

Ejercicio 4   ¿Debo venir mañana?
Contesten con el imperativo familiar afirmativo.

¿Vengo mañana?
Sí, ven mañana.

1. ¿Hago el viaje en tren?
2. ¿Salgo temprano?
3. ¿Pongo el paquete en el taxi?

4. ¿Digo algo al taxista?
5. ¿Voy allí con él?

Ejercicio 5   Queremos ver a Alicia en la fiesta.
Completen con el imperativo familiar.

Alicia, _____ (venir) a la fiesta esta noche. Por favor, _____ (decir) que sí.
_____ (Salir) de casa tempranito. Vamos a bailar toda la noche. _____ (Ser)
buena amiga. _____ (Hacer) todo lo posible para venir.

Ejercicio 6 Raúl no, pero tú, sí.
Contesten según el modelo.

Raúl no viene.
Pues, ven tú.

1. Santos no viene.
2. Él no hace el viaje.
3. Él no pone el paquete en el taxi.
4. Y no dice la verdad.
5. Tampoco va con el taxista.

conversación

En una universidad norteamericana

Marisa   Oye, Santos. ¿Conoces a Ramón Sepúlveda?

Santos   Claro que sí. Es mi compañero de cuarto. ¿Por qué?

Marisa   Quiero conocerlo. Habla con él. Dile que soy guapa, inteligente, simpática . . .

Santos   Escucha, niña, y comprende. Yo no digo mentiras.*

Marisa   Por favor. ¿Por qué no me presentas a Ramón? Él es mexicano, ¿verdad? ¿De qué parte?

Santos   Él es norteamericano. Es de Texas, del valle del Río Grande, o Río Bravo, como lo llaman en México.

Marisa   ¿Norteamericano? ¿Ramón Sepúlveda? ¿Cómo es posible?

Santos   ¡Calla y presta atención, chica! Hay millones de norteamericanos de ascendencia hispana.

Marisa   Pero Ramón habla español. Yo lo he oído. Él lo habla perfectamente.

Santos   Claro. Ramón es completamente bilingüe. Él habla español tan fácilmente como él habla inglés.

Marisa   Pues yo no lo sabía. Ahora, ¿cuándo me lo vas a presentar?

Santos   Ten paciencia, Marisita. Ven esta noche al centro de estudiantes extranjeros.* Yo estaré . . . y quizás* un amigo también.

Marisa   Ay, Santos. Por algo eres mi primo favorito.

Santos   Ya, ya. Mira, espera en la entrada. Llegaremos sobre las ocho.

---

mentiras *lies*   *extranjeros* *foreign*   *quizás* *perhaps*

Ejercicio Contesten.

1. Marisa quiere conocer a _____.
   a. Santos
   b. Ramón

2. Ramón y Santos son _____.
   a. compañeros de cuarto
   b. parientes

3. Santos dice que es una mentira que
   Marisa es _____.
   a. de México
   b. guapa, inteligente y simpática

4. Marisa cree que Ramón es _____.
   a. mexicano
   b. norteamericano

5. El valle del Río Grande es donde
   vive _____.
   a. Santos
   b. Ramón

6. Santos dice que hay millones de
   norteamericanos _____.
   a. en el valle del Río Grande
   b. de ascendencia hispana

7. El joven Sepúlveda habla _____.
   a. solamente español
   b. dos idiomas

8. Marisa conocerá a Ramón _____.
   a. en ocho días
   b. esta noche

9. Marisa y Santos son _____.
   a. novios
   b. parientes

10. Marisa va a encontrar a Santos _____
    del centro de estudiantes extranjeros.
    a. a la puerta
    b. dentro

Lectura cultural

El sudoeste de los Estados Unidos

Abre los ojos. Anda despacio y mira. Desde la calle Olvera en Los Ángeles, California, hasta el Paseo del Río en San Antonio, Texas, hay una parte de los Estados Unidos muy especial.

Toma la guía telefónica y lee. Son tan comunes los apellidos Gómez, Rivera y Molina como Smith, Jones y Miller. Busca en los mapas del suroeste de la nación. Todos conocemos los nombres de San Francisco, Los Ángeles y San Antonio. Escucha los nombres de los pueblos—Casa Grande, Arizona; Socorro, Nuevo México; Sierra Blanca, Texas; Dulzura, California.

En toda esa zona la gente hace lo mismo que en el resto del país. Con algunas diferencias. Los muchachos que viven en Mercedes o San Benito, Texas son fanáticos del fútbol americano. Los jugadores llevan nombres como González y Cárdenas. Después de un partido todos tienen hambre. Comerán una *pizza* quizás, o lo más probable unos burritos, tacos o enchiladas. Para el cumpleaños o el día del santo habrá una fiesta, como en todas partes, ¿verdad? Sí, pero nota tú una diferencia. En estas fiestas no hay solamente jóvenes. Observa con cuidado. Verás tres, cuatro o quizás cinco generaciones gozando de la fiesta. Desde la bisabuelita* hasta el bebé. Porque casi todas las fiestas son para la familia y buenos amigos— cumpleaños, bodas, bautizos—todos los eventos y ceremonias importantes de la vida. Y entre los hispanos—en el suroeste y en todas partes—el *babysitter* y el *retirement community* u *old folks' home* no son ideas muy populares.

---

*__bisabuelita__ *great-grandmother*

Y, ¿qué hablan en la calle, en la escuela, en la oficina o en casa? Escucha. Los abuelos, especialmente si vinieron de México, tienden a hablar español más que inglés. Y todo el mundo, con respeto, trata de hablarles en español. Todos los jóvenes hablan inglés. Muchos de ellos hablan español también. Son realmente bilingües. Y también hay familias hispanas que ya no hablan español. Pero después de siglos* en partes de Nuevo México y Arizona, por ejemplo, todavía se habla español. Y, como sabemos, allí se habló español primero.

El abogado Sánchez, la médica Solís, el comerciante Chávez, en la corte, en el hospital y en la oficina, hablan inglés. Y en casa, con la familia y con los buenos amigos, con frecuencia hablan español o a veces inglés y español sin preferencia.

El norteamericano de ascendencia hispana o mexicana en el suroeste de los Estados Unidos es especial. Comparte con todos sus compatriotas las mismas aspiraciones y el sentido de patriotismo. Además, contribuye costumbres y tradiciones que enriquecen a la nación. Recuerda: la enchilada es tan americana como la *pizza,* que en realidad es italiana, tan italiana como los macarrones, que en realidad son chinos . . . bueno . . . ya está bien.

Ejercicio 1 Contesten.

1. ¿Dónde está la calle Olvera?
2. Desde California hasta Texas, ¿qué tipo de apellidos vemos en la guía telefónica?
3. En un mapa del suroeste de los Estados Unidos, ¿qué clase de nombres vemos?

_____
*siglos *centuries*

227

Ejercicio 2   Contesten en español.

1. Many people who live in the Southwest are of Mexican origin. Nevertheless, Pepe and Anita González do many of the same things that Bob and Donna Jones do. What are some of those things?
2. If we go to a party at the home of a Mexican-American family, what is something that we will notice immediately?
3. The reading selection tells us that the concepts of "babysitter," "retirement home" and "old-folks' home" are not very popular among Mexican-Americans and other Hispanic groups in the United States. The reading selection does not tell us exactly why. From the information we have, however, can you explain why these concepts are not very popular?
4. What is the language situation among members of many Mexican-American families?

Ejercicio 3   Preparen una lista de ciudades norteamericanas con nombres españoles.

Ejercicio 4   ¿Con qué grupo cultural tienen su origen las siguientes cosas?

1. las enchiladas
2. el sukiyaki
3. la *pizza*
4. los macarrones
5. la salchicha de Frankfurt

Actividades

1 Profesiones, oficios y trabajos ¿Qué quieres ser? ¿Cuál será tu profesión? ¿Cuáles son las cosas que te gustan hacer?

¿Sí o No?

1. estudiar cómo arreglar automóviles _____
2. trabajar en un laboratorio _____
3. leer novelas _____
4. conducir un camión _____
5. resolver problemas en matemáticas _____
6. cuidar a niños pequeños _____
7. conocer a personas importantes _____
8. participar en la política _____
9. escribir a máquina _____
10. sumar, restar, multiplicar y dividir _____
11. ayudar a las personas con sus problemas personales _____
12. arreglar radios y televisores _____

13. participar en dramas y teatro   _____
14. usar un microscopio   _____
15. tocar en una banda u orquesta   _____
16. usar calculadoras   _____

Respuestas:

- Si contestaste sí a los números 1, 4 y 12, algunas profesiones interesantes serían mecánico, plomero, electricista.
- Si los números 2, 5 y 14 son cosas que te gustan hacer, deberías pensar en una carrera en las ciencias como biólogo, astrónomo, zoólogo, químico.
- Si encontraste interesantes los números 3, 13 y 15, podrían gustarte profesiones como artista, músico, escritor, profesor de arte o lenguas.

- Los números 9, 10 y 16 indicarían un interés en trabajo en un banco, análisis de finanzas, estadística.
- Los números 6, 7, 8 y 11 representan actividades con mucho contacto personal. Algunas ocupaciones en esta categoría son trabajador social, vendedor o comerciante, enfermero, educador.

2 Entrevista

- En los Estados Unidos, hay muy pocas personas que son totalmente de origen americano. ¿De qué origen étnico es Ud.?
- ¿Hay algunas cosas que Uds. comen en casa que no son típicamente americanas? ¿Cuáles son?

- En su familia, ¿hay algunas ceremonias que tienen algo que ver con su origen étnico? ¿Cuáles son?
- ¿Hay miembros de su familia que hablan otro idioma? ¿Cuál es? ¿Quiénes lo hablan? ¿Hay también personas bilingües en su familia?

3 Help me. I don't speak Spanish.

- Tell your friend to buy a ticket.
  _____ un billete.
- Tell him/her to pay now.
  _____ ahora.
- Tell him/her to ask for a good seat.
  _____ un buen asiento.
- Tell him/her to have patience.
  _____ paciencia.
- Tell him/her to make a good deal.
  _____ un buen negocio.
- Tell him/her to be smart.
  _____ listo(a).

Help me again. I want to invite your friend to a party.

- Tell her/him to come to the party Friday.
  _____ a la fiesta el viernes.
- Tell her/him to bring a friend.
  _____ a un(a) amigo(a).
- Tell her/him to take a taxi.
  _____ un taxi.
- Tell her/him to bring some records.
  _____ unos discos.
- Tell her/him to call first.
  _____ primero.
- Tell her/him to be careful with the traffic.
  _____ cuidado con el tráfico.

229

Revista

Ceremonias
desde el comienzo
hasta el final

Cuando las muchachas hispanas cumplen los quince años siempre hay fiesta. ¿De dónde es Jackeline, la quinceañera?

Quinceañera

CAROLINA — Jackeli...
· cumple quince año...
...a y por ello sus...
...n una...

Mis Quince Años

Recuerdo

del día feliz en que recibí en
mi corazón a Jesús
con mi
PRIMERA COMUNION
En la Iglesia San Conrado
de Ponce, P. R.

Ricardo Miguel Anadón

22 de abril de 1967.

MARTES, 11 OCTUBRE 198

Santoral

Hoy, martes. – Ntra. Sra. de Begoña. Santos Bruno, arz., Nicasio, Alejandro, Germán y Fermín, obs., Ginés, Plácido, Víctor y Probo, mrs. **Mañana, miércoles.** – Ntra. Sra. del Pilar. Santos Evagrio y Prisciano, mrs., Serafín, Maximiliano y Salvino, obs., y santas Domnina y Exuperia, mrs.

¿Cuándo celebra su santo
Alejandro? ¿Y Pilar?

230

- ¿Con quién se casa Mónica?
- ¿Dónde?
- ¿Cuándo?
- ¿Dónde comerán los invitados?

Una esquela en el periódico

El Salmo 23 ¿Lo conoces en inglés?

Cuatro generaciones de mujeres en una familia hispana en los Estados Unidos

Los padrinos son muy importantes en los bautizos. ¿Son parientes o amigos los padrinos de Américo?

14 Pidiendo direcciones

Calle Quevedo

El pobre Antonio está perdido.

Perdón, ¿dónde **queda** la calle Quevedo?
Está **en dirección** contraria.
Dé Ud. la vuelta.

iglesia

esquina

bocacalle

derecho

Siga Ud. derecho.
Siga derecho **hasta** la primera **bocacalle.**
En **la esquina** hay **una iglesia.**

En la esquina **doble** Ud. **a la derecha.**
No doble Ud. **a la izquierda.**

a la izquierda

a la derecha

Ejercicio 1   El muchacho está perdido.
Contesten.

1. ¿Va bien el muchacho para la calle
   Quevedo?
2. ¿Qué tiene que hacer él?
3. ¿Hasta dónde tiene que seguir derecho?

4. ¿Dónde está la iglesia?
5. ¿Dónde hay que doblar a la derecha?
6. ¿Debe el muchacho doblar a la izquierda?

una calle de sentido único

estacionar el carro

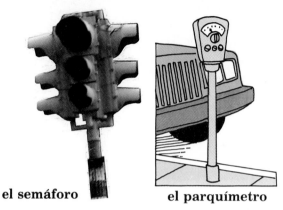

el semáforo   **el parquímetro**

la multa

Ejercicio 2   Completen.

1. Por esta calle sólo se puede subir; es de _____ único.
2. El _____ está rojo. Tenemos que parar.
3. Eche Ud. una moneda en el _____. El carro estará sólo media hora.
4. No quiero caminar mucho. Buscaré un sitio cerca de la tienda para _____ el carro.
5. Pasó Ud. un semáforo rojo. Si un policía lo ve le dará una _____.

la garita de peaje   el rótulo   PEAJE

el carril

el embotellamiento (el tapón)   la autopista

Ejercicio 3 ¿Qué es?

1. una carretera importante con muchos carriles y ningún semáforo
2. el anuncio que indica la velocidad máxima, nombres de pueblos, curvas, etc.
3. donde se paga por el derecho de usar la autopista
4. la congestión del tráfico cuando los carros no pueden moverse
5. cada uno de los caminos individuales de una carretera o autopista

Ejercicio 4 ¡Ay! ¡Qué suerte! Mire el tráfico.
Completen.

Tadeo iba por el _____ derecho de la carretera. La carretera era en realidad una gran _____ porque tenía cuatro carriles en cada dirección. Tadeo pagó los veinte pesos en la _____. Miró el _____ que indicaba la salida para San Roque. Al salir de la autopista tuvo que parar ante un _____ rojo. ¡Qué mala suerte! Tadeo vio kilómetros y kilómetros de carros que no se movían. El _____ era terrible. El quería dar la _____ y volver a la _____ pero no podía. Era imposible dar la vuelta.

estructura

El imperativo formal
Verbos regulares

Study the following forms of the formal (**Ud., Uds.**) commands.

Infinitive	Present (**Yo**)	Ud. command	Uds. command
hablar	hablo	hable Ud.	hablen Uds.
mirar	miro	mire Ud.	miren Uds.
comer	como	coma Ud.	coman Uds.
vender	vendo	venda Ud.	vendan Uds.
vivir	vivo	viva Ud.	vivan Uds.
abrir	abro	abra Ud.	abran Uds.

Note that the **yo** form of the present tense serves as the root for the formation of the formal command. The endings used for the formal commands are the vowels opposite those associated with the conjugations. The **-ar** verbs take the vowel **-e**, and the **-er** and **-ir** verbs take the vowel **-a**.

Since the **yo** form of the present tense serves as the root for the formation of the formal commands, any verbs with a stem change retain the stem change in the command.

Infinitive	Present (**Yo**)	Ud. command	Uds. command
pensar	pienso	piense Ud.	piensen Uds.
volver	vuelvo	vuelva Ud.	vuelvan Uds.
dormir	duermo	duerma Ud.	duerman Uds.
pedir	pido	pida Ud.	pidan Uds.
seguir	sigo	siga Ud.	sigan Uds.

The following verbs are regular, but remember that they *do* have a spelling change.

tocar	toco	toque Ud.	toquen Uds.
pagar	pago	pague Ud.	paguen Uds.
empezar	empiezo	empiece Ud.	empiecen Uds.

The same form of the verb is used for both the affirmative and negative formal commands.

Hable Ud.	No hable Ud.	Hablen Uds.	No hablen Uds.
Coma Ud.	No coma Ud.	Coman Uds.	No coman Uds.
Siga Ud.	No siga Ud.	Sigan Uds.	No sigan Uds.

Note that with the **tú** or familiar form of the command, the pronoun **tú** is almost always omitted. With the formal commands, however, the pronouns **Ud.** and **Uds.** almost always accompany the verb.

Ejercicio 1 ¿Qué autobús debo tomar?
Contesten con el imperativo y *sí.*

1. ¿Tomo el autobús allí?
2. ¿Bajo por esta escalera?
3. ¿Espero el autobús en la esquina?
4. ¿Pago en el bus?
5. ¿Bajo en la primera parada?

Ejercicio 2 Contesten con el imperativo y *no.*

1. ¿Tomamos el autobús allí?
2. ¿Bajamos por esta escalera?
3. ¿Esperamos el bus en la esquina?
4. ¿Pagamos en el bus?
5. ¿Bajamos en la primera parada?

Ejercicio 3 ¿Qué hago con la carta?
Contesten con el imperativo y *sí.*

1. ¿Debo abrir la carta?
2. ¿Debo leer la carta?
3. ¿Debemos escribir una contestación?
4. ¿Debemos escribir la contestación en español?

Ejercicio 4 Marta debe hacer lo que quiere hacer.

Quiero viajar a España.
Entonces, viaje Ud. a España.

1. Quiero viajar a España.
2. Quiero pasar un mes en Madrid.
3. Quiero tomar el tren a Toledo.
4. Quiero visitar la catedral.
5. Quiero mirar los cuadros de El Greco.
6. Quiero aprender español.
7. Quiero comer una paella.
8. Quiero beber un vino de Rioja.
9. Quiero vivir con una familia.

Ejercicio 5 Si quieren jugar, jueguen Uds.

Queremos jugar al tenis.
Pues, jueguen Uds. al tenis.

1. Queremos jugar al tenis.
2. Queremos empezar a jugar ahora.
3. Queremos servir la pelota.

4. Queremos devolver la pelota.
5. No queremos perder el partido.
6. Queremos volver a jugar mañana.

Verbos irregulares

The **yo** form of the present tense also serves as the root for the formation of the formal commands for irregular verbs. Observe the following.

Infinitive	Present (**Yo**)	Ud. command	Uds. command
hacer	hago	haga Ud.	hagan Uds.
poner	pongo	ponga Ud.	pongan Uds.
traer	traigo	traiga Ud.	traigan Uds.
tener	tengo	tenga Ud.	tengan Uds.
salir	salgo	salga Ud.	salgan Uds.
venir	vengo	venga Ud.	vengan Uds.
oír	oigo	oiga Ud.	oigan Uds.
decir	digo	diga Ud.	digan Uds.

The only formal command forms that are completely irregular are the following.

ir	vaya Ud.	vayan Uds.
ser	sea Ud.	sean Uds.
saber	sepa Ud.	sepan Uds.
estar	esté Ud.	estén Uds.
dar	dé Ud.	den Uds.

Ejercicio 6 El antipático

¿Qué digo?
No diga Ud. nada, por favor.

1. ¿Qué digo?
2. ¿Qué hago?

3. ¿Qué pongo?
4. ¿Qué traigo?

Ejercicio 7 Los amables

¿Qué decimos?
Pues, digan Uds. algo, por favor.

1. ¿Qué decimos?
2. ¿Qué hacemos?

3. ¿Qué ponemos?
4. ¿Qué traemos?

Ejercicio 8 Claro que Ud. puede hacer lo que quiere hacer.

¿Puedo hacer un viaje?
¿Por qué no? Haga Ud. un viaje si quiere.

1. ¿Puedo hacer un viaje?
2. ¿Puedo ir a España?

3. ¿Puedo conducir el carro?
4. ¿Puedo salir ahora?

El imperativo familiar negativo

Note the following negative familiar (**tú**) commands.

Infinitive	*Present* (**Yo**)	*Negative* **tú** *command*
hablar	**hablo**	**no hables**
comer	**como**	**no comas**
escribir	**escribo**	**no escribas**
volver	**vuelvo**	**no vuelvas**
pedir	**pido**	**no pidas**
hacer	**hago**	**no hagas**
salir	**salgo**	**no salgas**

Note that the negative **tú** command is formed in the same way as the formal (**Ud., Uds.**) commands. The **yo** form of the present tense serves as the root. The **-ar** verbs take the ending **-es,** and the **-er** and **-ir** verbs take the ending **-as.**

Ejercicio 9 Dígale que no.

¡Corre, Pepe!
No, no, Pepe. ¡No corras!

1. ¡Corre, Pepe!
2. ¡Espera, Pepe!
3. ¡Vuelve, Pepe!
4. ¡Come, Pepe!
5. ¡Escribe, Pepe!
6. ¡Baja, Pepe!
7. ¡Haz otro, Pepe!
8. ¡Ven, Pepe!
9. ¡Ten cuidado, Pepe!
10. ¡Sal ahora, Pepe!

Los pronombres con el imperativo

The object pronouns are always attached to the affirmative commands. They always precede the negative commands.

Affirmative	*Negative*
Levántese Ud.	**No se levante Ud.**
Lávese Ud.	**No se lave Ud.**
Míreme Ud.	**No me mire Ud.**
Escríbale Ud.	**No le escriba Ud.**
Démelo Ud.	**No me lo dé Ud.**
Dígaselo Ud.	**No se lo diga Ud.**
Levántate.	**No te levantes.**
Mírame.	**No me mires.**
Escríbele.	**No le escribas.**
Dámelo.	**No me lo des.**
Díselo.	**No se lo digas.**

Note the written accent mark over the command when either one or two pronouns is added.

Ejercicio 10 Raquel es dormilona.
Practiquen la conversación.

Mamá   Raquel, levántate. Ya es hora.
Raquel ¡Ay, mamá! ¡Que no! Déjame, por favor.
Mamá   Bien. No te levantes. Y no te laves ni te vistas. Quédate en cama.
Raquel Perdóname, mami. Pero tengo sueño.

Ejercicio 11 Completen la conversación.

Señora _____ (Perdonarme), señor. _____ (Decirme), por favor. ¿Cuál es el camino de Santa Marta?
Señor _____ (Dar) Ud. la vuelta aquí y _____ (ir) Ud. tres cuadras. _____ (Parar) donde hay el semáforo y _____ (virar) Ud. a la izquierda.
Señora No _____ (decírmelo) tan rápido, por favor. _____ (Repetírmelo), si me hace el favor.
Señor Sí, _____ (dar) Ud. la vuelta aquí. _____ (Subir) tres cuadras y donde hay un semáforo, _____ (doblar) a la izquierda. No _____ (olvidarse) de doblar a la izquierda después del semáforo.
Señora Muchas gracias y _____ (tener) Ud. buen día.
Señor Igualmente y _____ (ir) con Dios.

conversación

¿Dónde queda la calle Niza?

Caballero Perdón, señora. Estoy perdido. ¿Sabe Ud. dónde queda la calle Niza?
Dama Sí, señor. Pero está en dirección contraria. Ud. tiene que dar la vuelta. Luego siga Ud. derecho hasta la tercera bocacalle.
Caballero ¿Hasta la tercera?
Dama Sí, señor. En la tercera bocacalle, doble Ud. a la izquierda. Siga Ud. derecho hasta la segunda bocacalle. En la esquina Ud. verá la iglesia de Santa María del Pilar. Al llegar a la iglesia, doble Ud. a la derecha. Allí verá Ud. la calle Niza.
Caballero Gracias, señora.
Dama De nada, señor.

238

Ejercicio   Escojan.

1. El señor se ha _____.
   a. perdido
   b. perdonado

2. Niza es el nombre de la _____.
   a. señora
   b. calle

3. El caballero tiene que _____.
   a. dar vueltas
   b. cambiar de dirección

4. Después de dar la vuelta, él va a
   seguir _____.
   a. a la derecha
   b. derecho

5. Primero tendrá que subir _____.
   a. tres bocacalles
   b. trece bocacalles

6. Doblará a la izquierda e irá _____.
   a. dos bocacalles más
   b. tres bocacalles más

7. Santa María del Pilar es un
   edificio _____.
   a. religioso
   b. del gobierno

8. La calle Niza está cerca de _____.
   a. la iglesia
   b. la señora

Lectura cultural

¿Cómo se va a Córdoba?

Mañana voy a ir por primera vez a Córdoba.
¿Puede Ud. darme las direcciones, por favor?

¡Sí, cómo no! Para salir de la ciudad, tome
Ud. la Avenida Central. Es una calle de sentido
único y no hay muchos semáforos. Al salir de
la ciudad, tome Ud. la autopista del sur.

En la autopista Ud. tendrá que pagar un
peaje, pero vale porque es mucho más rápido.
Hay tres carriles en cada dirección y no hay
tantos embotellamientos como en la carretera
nacional que tiene sólo un carril en cada
dirección y no sé cuántos semáforos.

Después de pasar por la tercera garita de peaje,
quédese Ud.* a la derecha. Salga Ud. de la
autopista en la primera salida después de pagar
el tercer peaje.

Al salir de la autopista siga Ud. derecho,
derecho hasta la primera bocacalle. En
la primera bocacalle Ud. verá un rótulo que
indica la dirección de Córdoba.

_____
*quédese Ud.   *stay*

239

En la primera bocacalle donde está el rótulo, doble Ud. a la izquierda. Siga Ud. derecho hasta el primer semáforo. Al llegar al primer semáforo, Ud. estará en el centro mismo de Córdoba. Allí Ud. podrá estacionar sin problema.

¡Pero, cuidado! No se olvide Ud. de poner una moneda en el parquímetro. Si no, le aseguro que le van a clavar con * una multa.

Ejercicio 1   Contesten.

1. ¿Adónde va a ir el señor?
2. ¿Sabe él el camino?
3. ¿Qué tiene que pedir?
4. ¿Cómo puede salir de la ciudad?
5. ¿Por qué es mejor tomar la Avenida Central?
6. Al salir de la ciudad, ¿qué hace?
7. ¿Qué tendrá que pagar en la autopista?
8. ¿Por qué vale pagarlo?
9. ¿Cuántas veces va a pagar peaje?
10. ¿Qué tiene que hacer el señor después de pasar la tercera garita?
11. ¿Dónde sale de la autopista?
12. ¿Hasta dónde sigue derecho?
13. ¿Qué hace en la primera bocacalle?
14. ¿Por qué tiene que poner una moneda en el parquímetro?

Ejercicio 2   Ponga Ud. en orden las direcciones del señor.

- En la primera bocacalle, doble Ud. a la izquierda.
- Tome Ud. la Avenida Central para salir de la ciudad.
- Luego, quédese a la derecha.
- Siga derecho hasta el primer semáforo, y allí está.
- Tome la autopista del sur.
- Siga derecho hasta la primera bocacalle.
- Pase la tercera garita de peaje.
- Salga de la autopista en la primera salida después de pagar el tercer peaje.

---

* **clavar con**   *stick (you) with*

Actividades

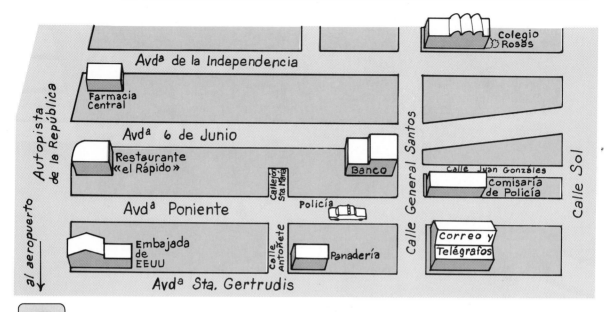

Mire el mapa. Vamos a ayudar al policía que está en el carro de patrulla.

- El policía acaba de recibir una llamada que alguien está robando el banco. Dele las direcciones para llegar al banco.
- Hay una emergencia en la escuela. Dele las direcciones para llegar a la escuela.
- Un señor estaba en la farmacia y sufrió un ataque al corazón. Dele al policía las direcciones para llegar a la farmacia.

- Es la hora de comer. Dele las direcciones para llegar al nuevo restaurante «El Rápido».
- El policía quiere comprar pan antes de volver a casa. ¿Cómo puede ir a la panadería?

Reread the **Lectura cultural.** Draw a map of the directions given. Then give the directions to a classmate.

- Explíquele al señor Rosario como puede ir en carro de su escuela a la casa de Ud.
- ¿Cuál es la capital de su estado? Explíquele a la señora Rosas como puede

ir en carro de su pueblo o ciudad a la capital de su estado.
- Explíquele a un amigo como puede ir de la escuela a la casa de Ud. a pie.

Revista

¿Conoces las señales internacionales?
Hay cuatro señales que importan más
a los conductores de camiones.
¿Cuáles son? ¿Qué quieren decir?

- ¿Cuál indica silencio?
- ¿Cuál indica que no puedes ni parar
  el coche allí?
- ¿Cuáles indican que no puedes
  entrar?

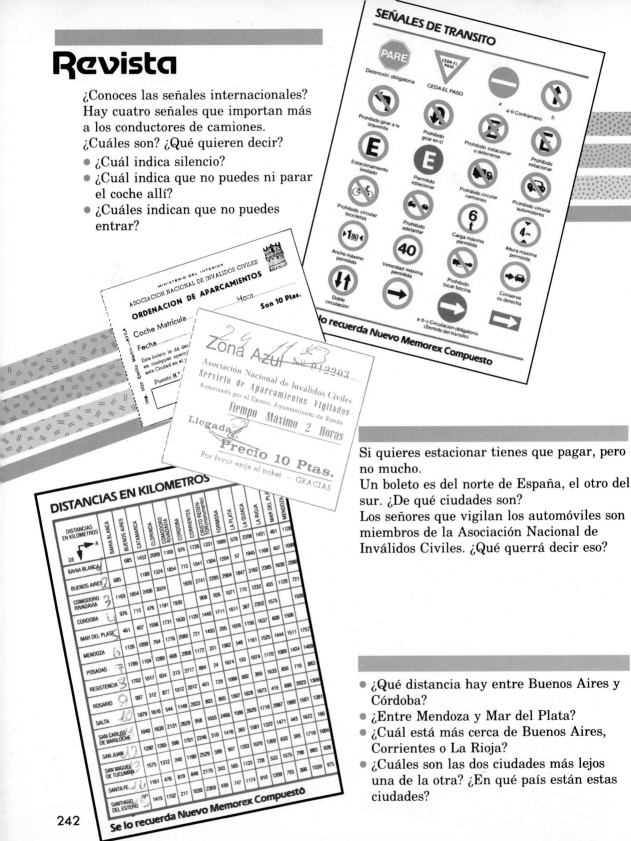

Si quieres estacionar tienes que pagar, pero
no mucho.
Un boleto es del norte de España, el otro del
sur. ¿De qué ciudades son?
Los señores que vigilan los automóviles son
miembros de la Asociación Nacional de
Inválidos Civiles. ¿Qué querrá decir eso?

- ¿Qué distancia hay entre Buenos Aires y
  Córdoba?
- ¿Entre Mendoza y Mar del Plata?
- ¿Cuál está más cerca de Buenos Aires,
  Corrientes o La Rioja?
- ¿Cuáles son las dos ciudades más lejos
  una de la otra? ¿En qué país están estas
  ciudades?

242

México

«Ay, señor policía, estoy perdido».
¿Qué clase de policía es?
¿En qué anda?

Madrid

¡Vengan Uds.!
Y Uds., ¡párense allí!
No es fácil controlar el tránsito,
pero ella lo hace. ¿Qué son esos
coches negros con raya roja?

Barcelona

Autobuses, camiones,
coches. ¿Cuál de los
carriles nos llevará a
Gerona?

15 LA LOTERÍA

vocabulario

La lotería

Tengo bonitos números. ¿Quién compra?

el pregón del vendedor

el ciego

el campesino

la tira

el pedazo

el premio gordo

Ejercicio 1 Pareo

1. el ciego
2. la tira
3. el premio gordo
4. el pregón del vendedor
5. el campesino

a. una persona que trabaja en el campo
b. una persona que no puede ver
c. una serie de cupones para la lotería
d. lo más que gana una persona cuando sale su número en la lotería
e. lo que grita la persona que vende billetes de lotería

El campesino compra un pedazo.
Es posible que mañana **salga** su número.
Es posible que mañana **le toque a él** y que
él **gane.**

Su familia quiere que él gane el premio
gordo.
Quieren que él **se haga** rico.

Ejercicio 2 Escojan.

1. Espero que ganes un _____.
   a. pedazo
   b. premio

2. Ellos son agricultores. No viven en
la ciudad. Son _____.
   a. campesinos
   b. vendedores

3. Al vendedor de lotería le quedan
tres _____.
   a. pregones
   b. tiras

4. Si me sale el premio _____, me
compraré una casa.
   a. rico
   b. gordo

5. Esta lotería es para la gente que no
puede ver; por eso se llama pro _____.
   a. ciegos
   b. campesinos

Expresiones útiles

The expressions **llegar a ser, hacerse, ponerse,** and **volverse** all mean *to
become* in English. However, each one has a slightly different usage in Spanish.
   Hacerse means to become something after expending a certain amount of
effort.

   Él se hizo abogado.
   Ella se hizo rica.

Llegar a ser means to become something after expending a great deal of effort.

   Después de veinte años con la compañía, llegó a ser presidente.

Ponerse means to become something involuntarily, not purposely.

   Él se puso rojo.
   Ellos se pusieron enfermos.

Volverse means to become something that is completely unexpected.

   El pobre don Quijote se volvió loco.

Ejercicio 3 Completen.

1. Anita Ramírez _____ médica.
2. Después de trabajar unos cinco años en el hospital, ella _____ directora del departamento de radiología.
3. Ella dice que tiene mucha suerte. Siempre está con los enfermos en el hospital pero ella nunca _____ enferma.
4. Hay algo que les sorprendió a sus amigos. Anita siempre tenía ideas políticas muy liberales, pero _____ muy conservadora.

Estructura

El subjuntivo

El indicativo y el subjuntivo

Thus far all the forms of the verbs we have learned have been in the indicative mood. The indicative mood is used to indicate or express actions that definitely are taking place now, did take place, or will take place. Let us analyze some statements in both Spanish and English that are in the indicative.

Anita Gómez asistió a la Facultad de Medicina.	*Anita Gómez went to medical school.*
Ahora ella es médica.	*She is a doctor now.*

The above statements express objective, factual, real information. Therefore, they are in the indicative.

We are about to learn the subjunctive mood. The subjunctive mood is used a great deal in Spanish. Its use in English is much less frequent. The subjunctive mood is the exact opposite of the indicative. The indicative indicates what definitely is. The subjunctive expresses what possibly may be. Let us analyze some statements in the subjunctive and compare them to the above statements in the indicative.

Los padres de Teresa Rosas quieren que ella asista a la Facultad de Medicina.	*Teresa Rosas' parents want her to go to medical school.*
Ellos esperan que ella sea médica.	*They hope she will be a doctor.*

The statements above tell what Teresa's parents want and hope for. What they want (Teresa to go to Medical School) and what they hope for (Teresa to be a doctor) is not factual, real, objective information. Such possible, subjective, "may or may not be" information is always expressed by the subjunctive in Spanish.

Look once again at the sentences above. In the case of Anita Gómez, the indicative was used because the verbs expressed real information about her life. In the case of Teresa Rosas, the subjunctive was used because the verbs expressed possible things about her life, things that may or may not be. As already stated, Spanish always uses the subjunctive to express what may or may not be. English does not. In the sentence *Teresa Rosas' parents want her to go to medical school*, English uses the infinitive *to go*. In the sentence *They hope she will be a doctor*,

English uses the future tense *will be*. We could also use the subjunctive in English, but it sounds awkward.

> *Teresa's parents want that she go to medical school.*
> *They hope very much that she be a doctor.*

In Spanish there is no choice. A clause with the subjunctive must be used.

> **Los padres de Teresa quieren que ella asista a la**
> **Facultad de Medicina.**
> **Ellos esperan que ella sea médica.**

You are already familiar with the subjunctive forms of Spanish verbs. Let us take a quick look at the formal commands that we have already learned.

> **hable Ud.   coma Ud.   escriba Ud.   venga Ud.   salga Ud.**
> **hablen Uds.   coman Uds.   escriban Uds.   vengan Uds.   salgan Uds.**

The forms of the formal commands are actually the subjunctive.

La formación del subjuntivo

The present tense of the subjunctive is formed by:

1. dropping the **-o** of the present indicative to get the root.

> **hablo   como   vivo   vengo   salgo**
> **habl-   com-   viv-   veng-   salg-**

2. adding the opposite vowel that is associated with the particular conjugation. Verbs ending in **-ar** take the vowel **-e,** and **-er** and **-ir** verbs take the vowel **-a.**

Infinitive	hablar	comer	vivir	venir	salir
yo	hable	coma	viva	venga	salga
tú	hables	comas	vivas	vengas	salgas
él, ella, Ud.	hable	coma	viva	venga	salga
nosotros, -as	hablemos	comamos	vivamos	vengamos	salgamos
(vosotros, -as)	(habléis)	(comáis)	(viváis)	(vengáis)	(salgáis)
ellos, ellas, Uds.	hablen	coman	vivan	vengan	salgan

Remember that any verb that has an irregular **yo** form in the present indicative will maintain that irregularity in all forms of the subjunctive.

Infinitive	Present indicative (Yo)	Subjunctive
venir	**vengo**	**venga**
tener	**tengo**	**tenga**
salir	**salgo**	**salga**
poner	**pongo**	**ponga**
traer	**traigo**	**traiga**
hacer	**hago**	**haga**
oír	**oigo**	**oiga**
decir	**digo**	**diga**
conocer	**conozco**	**conozca**
conducir	**conduzco**	**conduzca**
producir	**produzco**	**produzca**

Remember the following spelling changes.

go → gue   pago   pague
co → que   toco   toque

The following are the only verbs that do not follow the normal pattern in the present subjunctive.

Infinitive	dar	estar	ir	saber	ser
yo	dé	esté	vaya	sepa	sea
tú	des	estés	vayas	sepas	seas
él, ella, Ud.	dé	esté	vaya	sepa	sea
nosotros, -as	demos	estemos	vayamos	sepamos	seamos
(vosotros, -as)	(deis)	(estéis)	(vayáis)	(sepáis)	(seáis)
ellos, ellas, Uds.	den	estén	vayan	sepan	sean

Ejercicio 1
Paco's parents want him to do many things. He may do them or he may not do them. Therefore, we must use the subjunctive. What do Paco's parents want him to do?

estudiar
Los padres de Paco quieren que él estudie.

1. estudiar mucho
2. tomar cinco cursos
3. trabajar duro
4. aprender mucho
5. leer mucho
6. comer bien
7. vivir con ellos
8. recibir buenas notas
9. asistir a la universidad
10. tener éxito
11. salir bien en los exámenes
12. decir siempre la verdad
13. tener buenos modales
14. ser cortés
15. conducir con cuidado
16. hacerse rico

El subjuntivo en cláusulas nominales

Just as the subjunctive is used after the verbs **querer** and **esperar,** the subjunctive must be used after the following verbs:

desear	*to desire*
temer	*to fear*
tener miedo de	*to be afraid*
preferir	*to prefer*
mandar	*to order*
insistir en	*to insist*

Note that the use of the subjunctive is extremely logical in Spanish. Whether one desires, fears, prefers, demands, or insists that another person do something, one can never be sure that the person will do it. That which one desires, fears, prefers, demands, or insists upon may or may not happen. Therefore, the subjunctive is used.

Deseo que ella venga aquí.
Pero temo que no llegue.
Tengo miedo de que ella no esté con nosotros.
Pero prefiero que ella venga aquí y que no vayamos allá.
Le mando que haga todo lo posible para venir.
Voy a insistir en que venga.

Ejercicio 2   ¿Qué quieres?

Yo quiero que . . .
Carlos estudia más.
Yo quiero que Carlos estudie más.

1. Carlos termina con la escuela secundaria.
2. Él asiste a la universidad.
3. Recibe su diploma.
4. Trabaja con una compañía grande.
5. Carlitos se hace rico.

Ejercicio 3   ¡Ay! ¡Qué pesimistas! ¿Qué temen ellos ahora?

Ellos temen que . . .
1. Yo no trabajo bastante.
2. Yo no gano bastante dinero.
3. Yo no como bien.
4. Yo no vivo bien.
5. Yo no tengo éxito.

Ejercicio 4   Ella siempre tiene buenas ideas. ¿Qué prefiere Susana?

Ella prefiere que . . .
1. Volvemos a casa.
2. Comemos en casa.
3. Salimos después de comer.
4. Vamos al Teatro Colón.
5. Después, tomamos un refresco en el Café Real.

Ejercicio 5   Pero, hombre. Siempre eres tan exigente. ¿En qué insistes ahora?

Insisto en que . . .
1. Uds. se quedan en casa.
2. Comen con nosotros.
3. Les escriben a sus abuelos.
4. Hacen sus tareas.
5. Se acuestan temprano.

Ejercicio 6   ¿Vamos al cine o al teatro?
Contesten.

1. ¿Prefieres que vayamos al Teatro Colón o que vayamos al Cine Goya?
2. ¿Quieres que yo compre las entradas?
3. ¿Temes que ya no queden localidades?
4. ¿Deseas que yo invite a Carmen?
5. ¿Insistirá ella en que nosotros nos sentemos en la primera fila?
6. Yo prefiero que comamos después de la función. ¿Qué prefieres tú?
7. ¿Tienes miedo de que lleguemos muy tarde a casa?
8. ¿Quieres que Carmen vaya al restaurante con nosotros?
9. ¿Prefieres que ella venga a nuestra casa o que yo la vaya a buscar?

Ejercicio 7   Completen la conversación telefónica. Todos quieren hacer algo distinto.

Pues, yo no sé lo que vamos a hacer esta noche. Carlos quiere que nosotros
_____ (ir) al cine. Él insiste en que yo _____ (ver) la película «Los cazadores del
arca perdida». La están poniendo ahora en el Cine Imperial pero Carlos teme que
mañana _____ (ser) el último día. Tiene miedo de que ellos _____ (cambiar) las
películas los sábados y francamente yo no sé.

¿Y tú? ¿Qué quieres que nosotros _____ (hacer)? ¿Prefieres que (nosotros)
_____ (ir) al cine o que _____ (hacer) otra cosa? ¿Qué me dices? Roberto quiere
que tú _____ (quedarse) en casa. ¿Por qué? ¡Ah! Él quiere que todo el grupito
_____ (ir) a su casa. Él no quiere que (nosotros) _____ (salir). Él prefiere que
todos _____ (mirar) la televisión y que _____ (ver) el equipo de Barcelona que
juega contra Madrid. Él es tan catalán. Yo lo conozco. Quiere que Barcelona _____
(matar) a Madrid, ¿no?

¡Óyeme! A mí no me importa. ¿Por qué no decidimos más tarde? Llámame de
nuevo en una hora.

¡Adiós!

El subjuntivo con expresiones impersonales

The subjunctive is also used after the following impersonal expressions.

Es imposible	**Es bueno**
Es posible	**Es mejor**
Es probable	**Es importante**
Es improbable	**Es fácil**
Es necesario	**Es difícil**

Ellos dicen que es imposible que lleguen a tiempo.
Es posible que lleguen un poco tarde.
Es probable que ellos vengan en carro.
Es improbable que vengan en autobús.
Sin embargo, es necesario que ellos estén aquí.
Es importante que ellos sepan lo que estamos haciendo.

Note that all of the above expressions take the subjunctive since the action of
the verb in the clause may or may not take place.

Ejercicio 8   Esperando a los nietos
Practiquen la conversación.

Abuelito   ¿Es posible que ellos lleguen mañana por la mañana?

Abuelita   Sí, es posible. Pero es improbable. Es difícil que yo te diga.

Abuelito   Pero es importante que yo sepa.

Abuelita   Entiendo. Pero dicen que es probable que haga muy mal tiempo
mañana.

Abuelito   ¡Ay! No lo sabía. ¿Es posible que haga mal tiempo? Entonces es mejor
que lleguen tarde. No quiero que tengan un accidente.

250

Ejercicio 9   Completen según la conversación.

Abuelito está un poco nervioso. Es posible que sus nietos _____ (llegar) mañana por la mañana. Es importante que Abuelito _____ (saber) cuándo van a llegar. Pero es difícil que Abuelita le _____ (decir) la hora de la llegada de los nietos. Es posible que mañana _____ (hacer) muy mal tiempo. Como los nietos vienen en carro, será necesario que ellos _____ (conducir) muy despacio si hay mucha nieve. Es mejor que ellos _____ (llegar) un poco tarde. Abuelito no quiere que ellos _____ (tener) un accidente. Es mejor que _____ (llegar) tarde pero sanos y salvos.

Ejercicio 10   Mañana llegan Paco y su hermanito.
Contesten con *Es bueno que* . . .

1. Paco viene mañana.
2. Él trae a su hermanito.
3. Hacen el viaje en avión.

4. Llegan por la mañana.
5. Ramón va al aeropuerto a buscarlos.

Ejercicio 11   En el hotel
Contesten.

1. ¿Es posible que el hotel esté completo?
2. ¿Es mejor que yo haga una reservación?
3. Al llegar al hotel, ¿es necesario que yo vaya a la recepción?
4. ¿Es posible que el botones me ayude con el equipaje?
5. ¿Es raro que los hoteles no acepten tarjetas de crédito?

Ejercicio 12   Es difícil que yo . . . .
What are five things it is difficult for you to do?

Ejercicio 13   Es fácil que yo . . . .
On the other hand, what are five things it is easy for you to do?

Ejercicio 14   Es raro que mis amigos . . . .
What are five things it is rare for your friends to do?

Ejercicio 15   Mañana es posible que yo . . . .
What are five things it is possible you may do tomorrow?

Ejercicio 16   El taxi cuesta mucho.
Completen la conversación.

Carola Bárbara, es mejor que tú _____ (irse) pronto.

Bárbara ¿Por qué? ¿No quieres que yo _____ (quedarse)?

Carola No es eso. No es bueno que tú _____ (salir) tarde.

Bárbara Tienes razón. Es probable que los buses no _____ (andar) después de las once.

Carola Después de las once será necesario que tú _____ (tomar) un taxi.

conversación

¿No quieres que yo tenga suerte?

Fernando	¿Quieres que yo te compre un número?
Ana	¿Que tú me compres un número? ¿De qué hablas? ¿De la lotería?
Fernando	Sí. Yo voy a comprarme uno. ¿Quién sabe? Es posible que mañana me toque a mí.
Ana	¡Que mañana te toque a ti! Espero que pierdas.
Fernando	¡Oye! No seas así. ¿Por qué quieres que yo tenga mala suerte?
Ana	No quiero que tengas mala suerte. Pero tú sabes lo que yo pienso de la lotería.

Ejercicio *Complete the conversation based on Fernando and Ana's conversation.*

Ana	Fernando, ¿qué me preguntas? ¿Si yo quiero que tú me _____ (comprar) un número? ¿Es necesario que yo te _____ (decir) otra vez lo que yo pienso de la lotería?
Fernando	Pero, Ana. Es posible que mañana tú _____ (tener) suerte y que te _____ (tocar) a ti.
Ana	Te aseguro que es imposible que yo _____ (ganar) el premio. Tú sabes que yo nunca gano nada. ¡Punto! Yo no quiero que tú me _____ (comprar) ningún número.

252

Lectura cultural

«Tres tiras quedan para hoy.»

«Tengo bonitos números. ¿Quién compra?»

¿Te toca a ti?

«Tres tiras quedan para hoy.»

«Tengo bonitos números. ¿Quién compra?»

En Madrid, México, San Juan. En todas las ciudades y aldeas° se oye el pregón del vendedor de lotería. Hay lotería en todos los países hispanos.

En Madrid, todos los días hay una lotería a beneficio de° los ciegos. Los vendedores son ciegos y venden «cupones pro ciegos».

Históricamente la lotería ha sido popular entre la gente pobre. El campesino o el labrador trabaja duro pero recibe poco dinero por el trabajo que hace. Es raro que él haga un dineral° trabajando. Es casi imposible que él llegue a ser rico. Con el poco dinero que gana es difícil que él y su familia vivan bien. Pero, como todos, él quiere que su familia tenga una vida mejor. Luego, él se pregunta por qué no debe comprarse un pedazo. Es posible que él tenga

°**aldeas** *villages*   °**a beneficio de** *for the benefit of*
°**dineral** *fortune*

suerte y que salga su número. Puede ser que de la noche a la mañana él se haga rico. ¡Quizás!° Cada uno tiene en la mente° la idea de ganar el «premio gordo.» Espera que mañana le toque a él.

Pero los pobres no son los únicos que compran billetes de lotería. La clase media y los ricos compran también. Es raro que alguien diga que no quiere tratar de ganar dinero.

Algunas personas que juegan a la lotería compran un número completo. Si sale su número ellos reciben el premio completo. Muchos prefieren comprar sólo un pedazo. El pedazo les cuesta menos y luego comparten° el premio.

La lotería siempre era típica de los países latinos. Pero hoy estamos viendo loterías en muchos países del mundo—incluso en muchos estados de los Estados Unidos. ¿Tiene tu estado una lotería? ¿Qué piensas de la lotería? ¿Prefieres que tu estado tenga o que no tenga una lotería?

Ejercicio 1 Contesten.

1. ¿Cuáles son dos pregones de los vendedores de lotería?
2. ¿Hay lotería en muchos países hispanos?
3. En Madrid, ¿quiénes venden los cupones pro ciegos?
4. ¿A beneficio de quiénes es el dinero que se recibe de la lotería de Madrid?

Ejercicio 2 Corrijan estas oraciones falsas.

1. El campesino trabaja poco y recibe mucho dinero por el trabajo que hace.
2. Es fácil que él haga un dineral trabajando.
3. Es muy probable que él llegue a ser rico.
4. Con la cantidad de dinero que él gana, es fácil que él y su familia vivan bien.
5. Como todos, él teme que su familia tenga una vida mejor.
6. Si él se compra un pedazo, él sabe que es imposible que salga su número.

Ejercicio 3 Escojan.

1. ¿Cuál es la diferencia entre un número entero y un pedazo?
   a. Un número entero es más largo.
   b. Un pedazo cuesta mucho menos.
   c. Un pedazo puede ganar más dinero.

2. ¿Por qué compran billetes de lotería la clase media y los ricos?
   a. Ellos también quieren ganar un premio.
   b. Prefieren trabajar en los campos.
   c. Quieren ayudar a los niños.

°¡Quizás! *Perhaps!*   °en la mente *in his/her mind*   °comparten *they share*

3. ¿Dónde hay lotería?

    a. Solamente en los países latinos.

    b. En España y Latinoamérica, nada más.

    c. En Europa, las Américas y otras partes.

4. ¿Qué motivo tiene la persona que compra billetes de lotería?

    a. Trabajar las tierras del campo.

    b. Hacerse rico sin tener que trabajar.

    c. Ganar todos los partidos.

Actividades

- ¿Qué es este papelito?
- ¿Cuál es el número del billete?
- ¿Cuánto cuesta el billete?
- ¿Cuánto vale el premio gordo?

- ¿Cuándo escogieron al ganador?
- ¿Cómo se llama la lotería?

 **Entrevista**

- ¿Hay lotería donde tú vives?
- ¿Con qué frecuencia son las loterías?
- ¿Cuánto valen los premios?
- ¿Qué piensas tú de la lotería?

- ¿Es buena o mala idea? ¿Por qué?
- ¿Para beneficio de quiénes es la lotería?
- ¿Dónde venden billetes de lotería?
- ¿Cuánto cuesta un billete de lotería?

255

Revista

Puerto Rico

México

España

- ¿Qué número ganó 15.000 pesos en la lotería mexicana?
- ¿Qué número ganó 20.005.000 pesetas en la lotería española?
- ¿Cuál de estas loterías paga en dólares?
- ¿A qué corresponden los números de **1** a **0** en la lista española?
- ¿Por qué son importantes las terminaciones?

¡Qué número bonito!
El dinero de la lotería dominicana es para obras públicas.

Billetes de Lotería

Dos pedacitos de lotería pro-ciegos

CAMPO DE GIBRALTAR
AÑO 1983
22 NOVBRE
201
S50775
25 PTAS.

CAMPO DE GIBRALTAR
AÑO 1983
22 NOVBRE
201
S50780
25 PTAS.

VIERNES DIECISEIS DE MARZO DE MIL NOVECIENTOS OCHENTA Y CUATRO
LOTERIA NACIONAL
para la Asistencia Pública
PREMIO MAYOR
20 Millones DE PESOS
SUPERIOR 1236 · 16 DE MARZO DE 1984 · VALOR $100.00
TORRE LATINOAMERICANA – D. F.
VIGESIMO 10D 48603 CUATRO OCHO SEIS CERO TRES
VIGESIMO 10D 396562

42589
CUATRO DOS CINCO OCHO NUEVE
40/83
10.ª SERIE
LOTERIA NACIONAL
Décima parte del billete
para el sorteo del día
15 de Octubre de 1983
EL JEFE DEL SERVICIO
1ª FRACCION
PRECIO 250 PESETAS
030110 042589
PRIMERA FRACCION
CARABELAS ESPAÑOLAS

Hermandad de Ntra. Sra. de las Angustias
(Patrona de Nerja)

LOTERIA NACIONAL
Núm. 43.617
El portador juega la cantidad de OCHENTA Pesetas en el número arriba indicado, en el sorteo de Navidad del día 22 de Diciembre de 1983.
El Hermano Mayor,
Miguel Jaime Acosta
Nº 0169
Caduca a los 3 meses.
Pago de premios:
Caja de Ahorros de Ronda, Sucursal de Nerja.
Este número ha sido adquirido en la famosa Administración de Lotería
"Doña Manolita" de Madrid.

- ¿Cuánto vale cada uno de estos billetes?
- Uno de estos sorteos es para Navidad. ¿Cuál es?
- ¿Cuánto es el premio gordo en la lotería mexicana?
- Una de estas loterías es diaria. ¿Cuál será?

Cartagena, Colombia
Vendedor de lotería
¡A ver si le toca la suerte
a Ud., señora!

257

16 El matrimonio

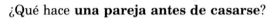

¿Qué hace **una pareja antes de casarse**?

La pareja sale **juntos.**

Llegan a conocerse bien. Sus padres les **aconsejan** que se conozcan bien.

Luego los jóvenes **se comprometen.**

De seis meses a un año más tarde, se casan.

Ejercicio 1   Escojan.

1. Los dos novios forman una _____.
   a. parada
   b. pareja

2. Los jóvenes se van a casar; ellos son _____.
   a. novios
   b. nuevos

3. Primero se _____ y después de un rato se casarán.
   a. comprometen
   b. tardan

4. Los padres quieren que los novios se _____ bien antes de casarse.
   a. comprometan
   b. conozcan

5. Los jóvenes van al cine y al teatro _____
   a. juntos
   b. solos

la sortija
de compromiso

el anillo de boda

los pajes
de honor   el padrino   los novios   la madrina   las damas
                                                              de honor

USHERS

Ejercicio 2   Completen.

1. Cuando se comprometen el novio le da a la novia
   una _____.
2. Durante la ceremonia matrimonial los novios intercambian
   el _____ de boda.
3. Las hermanas o amigas de la novia le sirven de _____
   durante la boda.
4. Los hermanos o buenos amigos del novio sirven de
   _____ durante las bodas.
5. Después del novio, el hombre más importante
   en la boda es _____.
6. Después de la novia, la mujer más importante
   en la boda es _____.

Ejercicio 3   ¿Qué es o quién es?

1. Es de oro. Durante la boda el novio se lo pone en el dedo de la novia o vice versa.
2. Son los amigos del novio. Asisten a la boda y toman parte en la ceremonia.
3. Estas mujeres desfilan con la novia y la sirven durante la boda. Son sus parientes o buenas amigas.
4. Es de oro y con frecuencia tiene diamantes. El novio se la da a la novia cuando se comprometen.
5. En la boda este señor está siempre al lado del novio. Es su hombre de confianza.
6. Esta señorita o señora es para la novia lo que es el hombre de confianza para el novio.

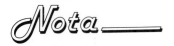

Nota

Matrimonio in Spanish is both the state of matrimony—the institution—and the word meaning the couple or the husband and wife. The word **casamiento** can mean **matrimonio** in the sense of the institution or the ceremony. **La boda** and often the plural **las bodas** mean the wedding ceremony and the accompanying festivities. The various wedding anniversaries are also called **las bodas.**

Estructura

La formación del subjuntivo

Verbos de cambio radical

Verbs that have a stem change in the present indicative also have a stem change in the present subjunctive. Observe the following.

o → ue

Infinitive	encontrar	poder
yo	encuentre	pueda
tú	encuentres	puedas
él, ella, Ud.	encuentre	pueda
nosotros, -as	encontremos	podamos
(vosotros, -as)	(encontréis)	(podáis)
ellos, ellas, Uds.	encuentren	puedan

Note that **acostar, encontrar, jugar, recordar,** and **volver** follow the same pattern.

e → ie

Infinitive	cerrar	perder
yo	cierre	pierda
tú	cierres	pierdas
él, ella, Ud.	cierre	pierda
nosotros, -as	cerremos	perdamos
(vosotros, -as)	(cerréis)	(perdáis)
ellos, ellas, Uds.	cierren	pierdan

Sentar, comenzar, empezar, and **pensar** follow the same pattern.

o → ue, u

Infinitive	dormir
yo	duerma
tú	duermas
él, ella, Ud.	duerma
nosotros, -as	durmamos
(vosotros, -as)	(durmáis)
ellos, ellas, Uds.	duerman

Morir follows the same pattern.

e → ie, i

Infinitive	sentir
yo	sienta
tú	sientas
él, ella, Ud.	sienta
nosotros, -as	sintamos
(vosotros, -as)	(sintáis)
ellos, ellas, Uds.	sientan

Preferir follows the same pattern.

e → i

Infinitive	pedir
yo	pida
tú	pidas
él, ella, Ud.	pida
nosotros, -as	pidamos
(vosotros, -as)	(pidáis)
ellos, ellas, Uds.	pidan

Medir, repetir, seguir, and **servir** follow the same pattern.

Ejercicio 1 ¿Qué quieres que yo haga?

volver al restaurante
Yo quiero que tú vuelvas al restaurante.

1. encontrarme en el restaurante
2. sentarte cerca de la ventana
3. sentirte cómodo(a)
4. pedir el menú
5. no repetir el mismo plato

El subjuntivo con verbos como *aconsejar*

The following verbs are followed by the subjunctive.

pedir	*to ask*	**exigir**	*to demand*
rogar	*to beg, plead*	**decir**	*to tell*
sugerir	*to suggest*	**escribir**	*to write*
aconsejar	*to advise*		

Ellos <u>le</u> sugieren a él que <u>termine</u> su trabajo.
Él <u>nos</u> recomienda que <u>salgamos</u> ahora.

The subjunctive is used after the above verbs because even though we ask, advise, or tell someone to do something, it is not certain whether or not the person will do it.

261

Note too that an indirect object pronoun very often accompanies the above verbs. The indirect object pronoun serves as the subject of the dependent clause, the clause introduced by **que**.

The subjunctive follows the verbs **decir** and **escribir** only when they imply a command. If someone writes or tells about some specific information, the indicative is used. Observe the following.

Él me escribe que el tren llega a las tres.	*He writes me that the train arrives at three o'clock.*
Él me escribe que yo lo busque en la estación.	*He writes me to pick him up at the station.*

Ejercicio 2 Carlos siempre me pide algo.
Contesten según el modelo.

¿Qué te pide Carlos? **ir al cine con él**
Él me pide que yo vaya al cine con él.

1. ir con él al cine
2. encontrarlo delante del cine
3. comprar las entradas
4. no tomar asientos en las primeras filas
5. no sentarnos muy cerca de la pantalla

Ejercicio 3 José nunca ha viajado en avión.
Contesten según el modelo.

¿Qué le sugieres a José? **hacer el viaje**
Yo le sugiero que haga el viaje.

1. hacer el viaje en junio
2. ir en avión
3. comprar el boleto ahora
4. reservar un cuarto en el hotel

Ejercicio 4 Mamá, ¿por qué no me permites?
Completen la conversación.

Tina Mamá, Luis me pide que yo _____ (ir) al cine con él.

Mamá Yo te aconsejo que le _____ (decir) que no.

Tina ¡Ay, mamá! ¿Por qué me dices que no lo _____ (acompañar)?

Mamá Sólo sugiero que le _____ (decir) que no.

Tina No entiendo. Sólo quiero ir al cine. No quiero casarme con él.

Ejercicio 5 Yo te aconsejo que . . .

Advise a friend on five things he/she should do.

El subjuntivo con expresiones de emoción

The subjunctive is used after any expression that deals with an emotion. Study the following list.

alegrarse de
estar contento(a)
estar triste
sentir
sorprenderse
ser una lástima

Note that the subjunctive is used with expressions of emotion even if the information in the dependent clause is a realized fact.

Me alegro de que Uds. lo sepan.
Siento que él esté enfermo.

Ejercicio 6 Me alegro.
Sigan el modelo.

Él lo sabe.
Me alegro de que él lo sepa.

1. Él viene.
2. Él nos habla.
3. Él tiene las noticias.
4. Él nos dice lo que pasa.
5. Él no guarda secretos.

Ejercicio 7 El pobre Carlos
Contesten.

1. ¿Estás triste que Carlos no venga?
2. ¿Te sorprende que él esté enfermo?
3. ¿Sientes que él esté en el hospital?
4. ¿Estás contento(a) que su condición sea mejor?
5. ¿Es una lástima que él tenga que estar en cama?

El subjuntivo en cláusulas de duda

The subjunctive is used after any expression that implies doubt.

> **Yo dudo que ellos lleguen hoy.**
> **Elena no cree que vengan mañana tampoco.**

If the statement implies certainty rather than doubt, the indicative is used.

> **Yo no dudo que ellos llegarán hoy.**
> **Elena también cree que vendrán hoy.**

Subjunctive	*Indicative*
dudar	**no dudar**
es dudoso	**no es dudoso**
no estar seguro	**estar seguro**
no creer	**creer**
no es cierto	**es cierto**

Ejercicio 8 Luis no sabe nada.
Contesten según el modelo.

Luis cree que ellos son novios.
Pero yo dudo que sean novios.

1. Luis cree que están enamorados.
2. Luis cree que se casan pronto.
3. Luis cree que los dos son muy ricos.

Ejercicio 9 Se casan el sábado.
Contesten según se indica.

Rosa me sugiere   Yo asisto a la boda.
Rosa me sugiere que yo asista a la boda.

1. Dudo   Mis hermanos van conmigo.
2. Es cierto   La boda será el sábado.
3. Papá nos dice   Les compramos un regalo.
4. Es dudoso   Ellos dan un banquete.
5. La novia le pide a Carola   Ella sirve de dama de honor.
6. Creo   Los padres están contentos.
7. No creo   Muchos van a la boda.

Ejercicio 10 Contesten.

1. ¿Ellos van?
   Dudo que ellos _____.
2. ¿Y tú vas?
   Creo que _____.
3. ¿Raúl te acompaña?
   Yo le pido que me _____.
4. ¿Salen Uds. pronto?
   Es dudoso que _____ pronto.
5. ¿Leonardo es el padrino?
   Rolando le ruega que _____ el padrino.
6. ¿Olivia es la madrina?
   Yo no creo que _____.
7. ¿La ceremonia es a las once?
   Ellos dicen que _____.

conversación

Enlace
Juan María - Marisa

Invitación al almuerzo que se celebrará el día 22 de Mayo, a las 14 horas, en el Hotel Eurobuilding.

Madrid, 1982

¿Vas a la boda?

Antonia Lupe, ¿has recibido una invitación a la boda de Juan y Marisa?

Lupe No, no la he recibido. Francamente yo dudo que me vayan a invitar.

Antonia Pues, es verdad que tú no los conoces muy bien. Se me había olvidado.

Lupe No, yo conozco un poco a Marisa pero a Juan no lo conozco casi nada. Creo que lo he visto unas dos veces. Pero, dime, ¿cuándo se van a casar?

Antonia Pues, la boda será el veinte de mayo. Y Marisa me ha pedido que yo le sirva de dama de honor.

Ejercicio Contesten.

1. ¿Quiénes se van a casar?
2. ¿Quién ha recibido una invitación?
3. ¿Lupe cree que la invitarán?
4. ¿Qué se le había olvidado a Antonia?
5. ¿A quién no conoce Lupe?
6. ¿A quién ha visto Lupe sólo un par de veces?
7. ¿Qué día se casan los novios?
8. ¿Qué quiere Marisa que haga Antonia?

265

Lectura cultural

El matrimonio

Juan Balmaceda y Carmen Villegas son una joven pareja típica. Ellos son novios. Se conocen bastante bien y dos o tres veces a la semana ellos salen juntos. Van al cine, a un concierto o a un restaurante.

Había una vez que si una pareja hispana como Juan y Carmen decían que eran novios, quería decir que iban a casarse. Cuando salían, una dueña* o chaperona tenía que acompañarlos. Pero esto está cambiando. Hoy en día el término «novio» o «novia» se usa en español más o menos como *boyfriend* o *girl friend* en inglés. Juan y Carmen no han decidido definitivamente si van a casarse o no, y ellos pueden salir sin dueña. Pero los padres quieren saber con quién están saliendo sus hijos. Así Juan ha conocido a los padres de Carmen y Carmen ha conocido a los padres de Juan. Sus padres les aconsejan que se conozcan bien y les ruegan que estén seguros de que quieren casarse antes de decidirlo.

---

dueña *chaperone*

Juan y Carmen saben que el matrimonio es una decisión importante y seria. En los países hispanos hay muy pocos divorcios y en algunos países el divorcio está prohibido.

Después de unos ocho meses Juan y Carmen deciden que quieren casarse. Juan va a la casa de Carmen y le pide la mano de Carmen a su padre. Ahora los padres van a anunciar el compromiso de sus hijos. Es una gran ocasión social. Vienen a una fiesta todos los parientes y los amigos íntimos de Juan y Carmen para honrar y felicitar a la pareja.

En muchos países el novio le da a la novia una sortija de compromiso. En otros países, como España, por ejemplo, los novios intercambian el anillo de boda cuando se comprometen. Los españoles llevan el anillo en la mano izquierda durante el compromiso. Después de casarse lo llevan en la mano derecha.

La pareja suele fijar la fecha del casamiento cuando se comprometen. Por lo general se casan de seis meses a un año después del compromiso, pero no hay una regla fija. Casi sin excepción los novios viven en la casa de sus padres hasta el día de casarse. Es rarísimo que los jóvenes solteros vivan fuera del hogar familiar.

Llega el día del casamiento. Hay generalmente dos ceremonias—la ceremonia civil y la ceremonia religiosa. Las dos ceremonias suelen tener lugar el mismo día. Después de la ceremonia civil los novios van a la iglesia acompañados del padrino, de la madrina, de las damas y de los pajes de honor. No es raro que la madre de la novia le sirva a su hija como madrina y que el padre del novio le sirva a su hijo de padrino. Durante la ceremonia los novios intercambian el anillo de boda. Después hay casi siempre un banquete en honor de los novios que ahora son marido y mujer.

---

prohibido *prohibited*   **fijar** *to set, establish*   **solteros** *single, unmarried*
hogar *home*

Ejercicio 1 Contesten.

1. ¿Qué son Juan Balmaceda y Carmen Villegas?
2. Cuando salen, ¿adónde van?
3. Hoy día, todos los jóvenes hispanos que dicen que son novios, ¿es cierto que se van a casar?
4. ¿Tienen que salir los novios con una dueña o chaperona?
5. ¿Quieren los padres conocer al novio de su hija o a la novia de su hijo?
6. ¿Qué les aconsejan los padres hispanos a sus hijos?
7. ¿Qué nos aconsejan nuestros padres?
8. ¿Es legal el divorcio en todos los países hispanos?
9. A veces, ¿qué le da el novio a la novia cuando se comprometen?
10. ¿Dónde llevan los españoles el anillo de boda durante el compromiso?
11. ¿Dónde lo llevan después de casarse?

Ejercicio 2 ¿Sí o no?

1. Todos los novios hispanos se casan de seis meses a un año después de comprometerse.
2. La mayoría de los jóvenes hispanos tienen su propio apartamento.
3. En muchos países hispanos, hay dos ceremonias para el casamiento. Una es civil y la otra es religiosa.
4. Los novios suelen tener una ceremonia un día, y el próximo día tienen la otra.
5. Durante la ceremonia los novios intercambian el anillo de boda.

Actividades

1

- ¿Quiénes son los novios?
- ¿Quiénes anuncian el enlace?
- ¿Cuál es la fecha?
- ¿Qué es lo que anuncian?

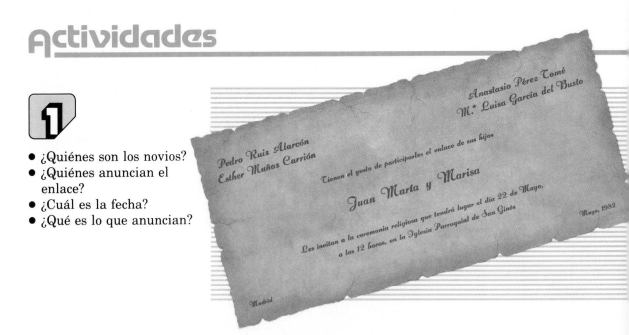

Anastasio Pérez Tomé
Mª Luisa García del Busto

Pedro Ruiz Alarcón
Esther Muñoz Carrión

Tienen el gusto de participarles el enlace de sus hijos

Juan Marta y Marisa

Les invitan a la ceremonia religiosa que tendrá lugar el día 22 de Mayo,
a las 12 horas, en la Iglesia Parroquial de San Ginés

Mayo, 1982

Madrid

- ¿Qué es esto?
- ¿Quiénes se casan?
- ¿Dónde tendrá lugar la ceremonia?
- ¿Cuándo tendrá lugar?
- ¿Quiénes anuncian el matrimonio?
- ¿Adónde van los invitados después de la ceremonia?

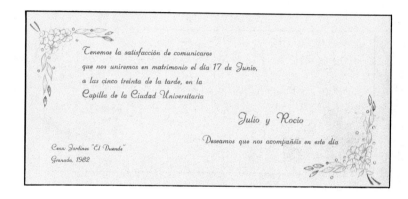

Víctor Aubert Eibisch   Bruno Papi Bruschi

Doris Tamayo de Aubert   Hilda Aparicio Yábar

Tienen el agrado de participar a Ud el próximo matrimonio de sus hijos:

María Patricia Aubert Tamayo

y

Alférez F.A.P. Bruno Papi Aparicio

é invitarle a la Ceremonia Religiosa que se realizará el día Sábado 3 de Julio a horas 7.30 p. m. en la Capilla del Colegio La Salle.

Cusco, Junio de 1982

Después de la Ceremonia sírvase pasar a los Salones de la Capilla.

- ¿Quiénes se van a casar?
- ¿De dónde son los novios?
- ¿Quiénes anuncian el matrimonio?
- ¿Cuándo será la boda?
- ¿Dónde tendrá lugar la ceremonia?

Tenemos la satisfacción de comunicaros que nos uniremos en matrimonio el día 17 de Junio, a las cinco treinta de la tarde, en la Capilla de la Ciudad Universitaria

Julio y Rocío

Deseamos que nos acompañéis en este día

Cena: Jardines "El Duende"
Granada, 1982

 **Entrevista**

- Tell in Spanish whether or not you have a steady boyfriend or girl friend.
- Tell whether or not you want to get married.
- If you do, do you want to have a large wedding or a small wedding?

- Whom would you invite to your wedding?
- How many attendants would you like to have?
- Would you like to have a large reception?

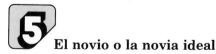 **El novio o la novia ideal**

Describa a su novio(a) ideal. ¿Cómo será esta persona? Describa las características físicas y la personalidad de la persona, sus intereses, sus gustos, su condición económica, etc.

Revista

Uruguay

- ¿Quiénes son los padres de María Laura?
- ¿Cómo se llama su novio?
- ¿Dónde y a qué hora era la boda?

Argentina

- ¿Era por la mañana o por la tarde la boda de Norma y Roberto?
- ¿Dónde se casaron ellos?

270

Feliz Matrimonio!

Augusto Velásco Tapia
Esperanza Infantas de Velásco

Roberto Tamayo Herrera
Luz Pacheco de Tamayo

Tienen el agrado de participar el próximo matrimonio de sus hijos:

Gladys   y   Eduardo

é invitarle a la ceremonia religiosa, que se realizará el día 30 de Julio de 1983 a las
7 p.m. en la Iglesia de La Merced (Cuzco)

Lima, Julio de 1983

Cuzco, Julio de 1983

Después de la ceremonia sírvase pasar a los salones de la Iglesia

Perú
- ¿Quiénes se casaron en Cuzco?
- ¿Dónde vive la familia de la novia?

Guadalupe Alvarez Vda. de Díaz de Rivera

Carlos De la Cueva Gutiérrez
Ana Ma. Macías de De la Cueva

Participan el enlace de sus hijos

Mónica   y   Enrique

Y tienen el honor de invitar a Ud.(s) a la Ceremonia Religiosa que se celebrará en la Capilla del
Rosario, anexa al Templo de Santo Domingo (5 de Mayo y 6 Poniente) el día 13 de Noviembre a
las 19.30 hrs., sirviéndose impartir la bendición nupcial el Exmo. Sr. Obispo Don Rosendo Huesca
Pacheco.

Puebla, Pue. mil novecientos setenta y seis

México
- ¿Quiénes anuncian la boda de Mónica y Enrique?
- Doña Guadalupe es Vda. de Díaz de Rivera. ¿Qué quiere decir «Vda.»?
- ¿A qué hora se casaron Mónica y Enrique?
- ¿Quién los casó?

271

Repaso

Andrés no oye bien.

Felipe   Vuelva Ud. mañana a las ocho.

Andrés   Repita Ud., por favor. No le oí bien.

Felipe   Regrese Ud. a las ocho mañana.

Ejercicio 1   Contesten.

1. ¿Qué le dice Felipe a Andrés?
2. ¿Qué le pide Andrés a Felipe?

3. ¿Por qué tuvo Felipe que repetir?

El imperativo formal
Verbos regulares e irregulares

Review the formal **Ud.** and **Uds.** commands of regular **-ar, -er,** and **-ir** verbs. Remember that formal commands are formed by using the vowel opposite that which is associated with the particular conjugation.

doblar	doble Ud.	doblen Uds.
	no doble Ud.	no doblen Uds.
responder	responda Ud.	respondan Uds.
	no responda Ud.	no respondan Uds.
asistir	asista Ud.	asistan Uds.
	no asista Ud.	no asistan Uds.

Review the formal command forms of irregular verbs. Drop the ending of the **yo** form of the present tense and add the proper command ending.

Infinitive	*Present Tense (**Yo**)*	*Ud.*	*Uds.*
hacer	yo hago	haga Ud.	hagan Uds.
		no haga Ud.	no hagan Uds.
venir	yo vengo	venga Ud.	vengan Uds.
		no venga Ud.	no vengan Uds.
salir	yo salgo	salga Ud.	salgan Uds.
		no salga Ud.	no salgan Uds.
poner	yo pongo	ponga Ud.	pongan Uds.
		no ponga Ud.	no pongan Uds.
decir	yo digo	diga Ud.	digan Uds.
		no diga Ud.	no digan Uds.
traer	yo traigo	traiga Ud.	traigan Uds.
		no traiga Ud.	no traigan Uds.
tener	yo tengo	tenga Ud.	tengan Uds.
		no tenga Ud.	no tengan Uds.
oír	yo oigo	oiga Ud.	oigan Uds.
		no oiga Ud.	no oigan Uds.
conducir	yo conduzco	conduzca Ud.	conduzcan Uds.
		no conduzca Ud.	no conduzcan Uds.

The following formal command forms are completely irregular:

ir	vaya Ud.	vayan Uds.
	no vaya Ud.	no vayan Uds.
ser	sea Ud.	sean Uds.
	no sea Ud.	no sean Uds.
saber	sepa Ud.	sepan Uds.
	no sepa Ud.	no sepan Uds.
estar	esté Ud.	estén Uds.
	no esté Ud.	no estén Uds.
dar	dé Ud.	den Uds.
	no dé Ud.	no den Uds.

Ejercicio 2 En la clase de mecánica
Completen con el imperativo formal.

1. _____ Uds. las instrucciones. **repetir**
2. Bien. Ahora _____ a estas preguntas. **responder**
3. _____ Uds. el manual otra vez. **leer**
4. _____ las contestaciones incorrectas. **cambiar**
5. _____ las correcciones. **escribir**
6. No _____ Uds. nada. **olvidar**
7. _____ Uds. pronto. **acabar**
8. _____ temprano esta tarde. **volver**
9. _____ los manuales a casa. **llevar**

Ejercicio 3 ¡Qué insípido es este hombre!
Completen con el imperativo.

1. Yo no digo nada.
   Pues, hombre, ¡_____ Ud. algo!
2. Yo no salgo nunca.
   Pues, hombre, ¡_____ Ud. ahora!
3. Yo nunca traigo nada.
   Pues, hombre, ¡_____ Ud. algo hoy!
4. Yo no hago nada.
   Pues, hombre, ¡_____ Ud. algo!

Ejercicio 4 Entonces, ¿qué hacemos?
Completen con el imperativo formal.

1. ¿Qué decimos?
   No _____ Uds. nada.
2. ¿Salimos ahora?
   No, no _____ todavía.
3. ¿Hacemos más?
   No _____ Uds. más.
4. ¿Venimos en coche?
   No, no _____ en coche.
5. ¿Nos ponemos en fila?
   No, no se _____ Uds. en fila.
6. ¿Traemos comida?
   No, no _____ nada.

El imperativo familiar
Verbos regulares e irregulares

The affirmative **tú** command for regular **-ar, -er,** and **-ir** verbs is the same as the third person singular **Ud.** form of the present tense. Review the forms of the affirmative **tú** commands of regular verbs.

hablar	**habla**
comer	**come**
escribir	**escribe**

Review the irregular affirmative commands of the following verbs.

poner	**pon**	**decir**	**di**	**hacer**	**haz**
tener	**ten**	**ir**	**ve**	**salir**	**sal**
venir	**ven**	**ser**	**sé**		

The ending for the negative **tú** commands of regular **-ar** verbs is **-es,** and for **-er** and **-ir** verbs it is **-as.**

trabajar	**no trabajes tú**
volver	**no vuelvas tú**
escribir	**no escribas tú**

The following verbs have familiar command forms that are irregular in the negative.

hacer	**no hagas**	**salir**	**no salgas**
poner	**no pongas**	**venir**	**no vengas**
tener	**no tengas**	**ir**	**no vayas**
traer	**no traigas**	**ser**	**no seas**
decir	**no digas**		

Ejercicio 5 Papá es muy estricto.
Ud. es el padre. Complete con el imperativo familiar afirmativo.

1. Papá, no quiero comer.
   No importa, _____.
2. Papá, no quiero tomar la leche.
   No importa, _____.
3. Papá, no quiero estudiar.
   No importa, _____.
4. Papá, no quiero leer.
   No importa, _____.
5. Papá, no quiero acostarme.
   No importa, _____.

Ejercicio 6 Victoria quiere aspirinas.
Completen con el imperativo familiar.

Paquito, _____ (hacer) lo que te digo. _____ (Ir) a la farmacia y _____ (comprar) aspirinas. _____ (Tomar) este dinero y _____ (tener) mucho cuidado con no perderlo. _____ (Decir) a la señora Antúnez que quieres una botella de cien aspirinas. _____ (Poner) el dinero en el bolsillo. _____ (Ser) bueno. _____ (Salir) ahora y _____ (venir) en seguida después de comprar las aspirinas.

Ejercicio 7   Parece que quiere mucho a Alicia.
Contesten con el imperativo negativo familiar.

¿Me caso con Alicia?
No, no te cases con Alicia.

1. ¿Salgo con ella solamente?
2. ¿La llevo al cine?
3. ¿Visito a sus padres?
4. ¿Me comprometo con ella?
5. ¿Le regalo una sortija?

La colocación de los pronombres con el imperativo formal y familiar

Direct and indirect object pronouns and reflexive pronouns are attached to affirmative formal and familiar commands. In negative commands, these pronouns precede the verb.

Lleva el regalo a Marta.	**No lleves el regalo a Marta.**
Llévaselo.	**No se lo lleves.**
Pónganse la chaqueta.	**No se pongan la chaqueta.**
Póngansela.	**No se la pongan.**

Ejercicio 8   ¿Por qué no se lo preguntas a la señora?
Contesten con el imperativo de *Ud.* y los pronombres apropiados.

1. Señora, ¿debo llevar la sortija a Mónica?   **Sí**
2. Señora, ¿debo invitar a Mónica al baile?   **No**
3. Señora, ¿debo presentarla a mis padres?   **Sí**
4. Señora, ¿debo enamorarme de Mónica?   **Sí**
5. Señora, ¿debo casarme con ella?   **Sí**
6. Señora, ¿debo ponerle un anillo?   **No**

Ejercicio 9   Un poco de práctica
Cambien el imperativo negativo al imperativo afirmativo.

1. No se lo digas.
2. No me lo traiga Ud.
3. No nos los lleven Uds.
4. No se la pongas.
5. No se lo venda Ud.
6. No la invites.
7. No te levantes.
8. No se vayan Uds.

El exigente

Laura	¿Quieres que te compre algo en el mercado?
Lorenzo	Sí, medio kilo de café. Pero prefiero que lo traigas de «La Aurora».
Laura	¿Insistes en que yo vaya a «La Aurora»?
Lorenzo	No. Pero espero que no compres ese terrible café del mercado.

Escojan las palabras apropiadas.

1. Laura le pregunta a Lorenzo si quiere _____ del mercado.
   a. café
   b. algo

2. Lorenzo quiere _____ de café.
   a. 500 gramos
   b. un kilo

3. «La Aurora» será una _____ de café.
   a. marca
   b. tienda

4. Parece que Laura _____ ir a «La Aurora».
   a. no quiere
   b. prefiere

5. A Lorenzo le gusta más el café _____.
   a. de «La Aurora»
   b. del mercado

El subjuntivo

Verbos regulares e irregulares

Review the forms of the present subjunctive of regular verbs.

Infinitive	comprar	vender	recibir
yo	compre	venda	reciba
tú	compres	vendas	recibas
él, ella, Ud.	compre	venda	reciba
nosotros, -as	compremos	vendamos	recibamos
(vosotros, -as)	(compréis)	(vendáis)	(recibáis)
ellos, ellas, Uds.	compren	vendan	reciban

Just as the **yo** form of the present tense forms the root of many irregular commands, it also forms the root of many irregular verbs in the subjunctive.

Infinitive	Present Tense (**Yo**)	Subjunctive
venir	vengo	venga, vengas, etc.
tener	tengo	tenga, tengas, etc.
salir	salgo	salga, salgas, etc.
poner	pongo	ponga, pongas, etc.
traer	traigo	traiga, traigas, etc.
decir	digo	diga, digas, etc.
hacer	hago	haga, hagas, etc.
oír	oigo	oiga, oigas, etc.
conocer	conozco	conozca, conozcas, etc.
conducir	conduzco	conduzca, conduzcas, etc.

The following verbs are irregular in their formation of the present subjunctive.

dar	dé, des, dé, demos, (deis), den
estar	esté, estés, esté, estemos, (estéis), estén
ir	vaya, vayas, vaya, vayamos, (vayáis), vayan
saber	sepa, sepas, sepa, sepamos, (sepáis), sepan

The verbs below are followed by the subjunctive since it cannot be determined whether the action expressed in the clause following will actually be carried out.

querer	**tener miedo de**	**preferir**
desear	**alegrarse de**	**mandar**
temer	**esperar**	**insistir en**

Ejercicio 11 Mamá no tiene confianza en Sara.
Cambien la oración según se indica.

Sara va de compras. **Mamá quiere**
Mamá quiere que Sara vaya de compras.

1. Sara sale en seguida. **Mamá prefiere**
2. Sara lleva bastante dinero. **Mamá insiste en**
3. Sara no tiene cuidado. **Mamá teme**
4. Sara hace las compras en el centro. **Mamá espera**
5. Sara pierde el dinero. **Mamá tiene miedo de**

Usos del subjuntivo

When a clause is introduced by a statement of doubt, the subjunctive must be used. When the statement implies certainty, however, the indicative is used.

Dudo que él venga.	**No dudo que él vendrá.**
Es dudoso que él lo sepa.	**Es cierto que él lo sabe.**
No creo que él esté enfermo.	**Creo que él está enfermo.**

The subjunctive must also be used after impersonal expressions when a change of subject occurs in the dependent clause. The following expressions are followed by the subjunctive because it is not certain if the activity in the clause they introduce will be carried out.

es mejor	**es probable**	**es difícil**
es bueno	**es imposible**	**es necesario**
es posible	**es raro**	**es improbable**

Expressions that tell, advise, or suggest that someone do something are also followed by the subjunctive because it is not a definite fact that the person will actually do it.

Yo le	**digo** **escribo** **pido** **ruego** **aconsejo**	**que venga.**
Ellos	**sugieren** **exigen**	**que lleguemos a tiempo.**

Ejercicio 12 Completen con el subjuntivo de los verbos.

Martín ¿Ellos vienen o no?

Rosa No, es imposible que _____. **venir**

Martín Ay, pero yo quiero que ellos _____ aquí la semana que viene. **estar**

Rosa Es dudoso que _____ tan pronto. **llegar**

Martín Pues yo les escribiré que _____ el primer avión. **tomar**

Rosa Y yo temo que no _____ el viaje. **hacer**

Ejercicio 13 Los novios
¿Subjuntivo o indicativo?

1. Creemos que Juana _____.
   a. se casa
   b. se case

2. Esperamos que _____ con Luis.
   a. sea
   b. es

3. Es cierto que él _____ buen chico.
   a. es
   b. sea

4. Pero dudo que _____ mucho dinero.
   a. tiene
   b. tenga

5. Es probable que _____ hoy.
   a. se comprometen
   b. se comprometan

6. Los padres los _____ mucho.
   a. quieren
   b. quieran

7. Ellos sugieren que _____ bien.
   a. se conocen
   b. se conozcan

8. Ellos _____ tener una ceremonia religiosa.
   a. prefieren
   b. prefieran

9. Juana quiere que Luis le _____ un anillo.
   a. da
   b. dé

10. Luis teme que a Juana no le _____ el anillo.
    a. gusta
    b. guste

11. Ella le ruega que no _____ mucho dinero.
    a. gaste
    b. gasta

12. Ella le pide que _____ el dinero en el banco.
    a. ponga
    b. pone

13. Él dice que _____ buena idea.
    a. es
    b. sea

Lectura cultural

el paseíllo

el estoque

la muleta

el picador

el toril

la cuadrilla

el capote

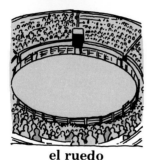
el ruedo

los cuernos

Manolo

   ¡Preciosa tarde de mayo! ¡Tarde de toros! La plaza se está llenando. El joven matador ha triunfado en Valencia y en Sevilla. Desde entonces el público insiste en que vuelva a la monumental, y vuelve hoy. Pero como matador de toros, no como novillero.° El chico se llama Manolo Álvarez. Él acaba de tomar la alternativa° en Sevilla durante la Feria. Su triunfo allí fue magnífico. Los viejos aficionados lo miran y piensan en los grandes matadores del pasado: Joselito, Belmonte, Manolete y Granero. No hay ningún otro matador de hoy que nos recuerde tanto a Manuel Granero como este otro Manuel. Los dos valencianos, los dos buenos mozos° y artistas. Manuel Granero había sido pianista. Manolo Álvarez tocaba el violín. Los dos abandonaron sus estudios y su arte. Cambiaron el piano y el violín por la muleta y el estoque.

°**novillero** *novice bullfighter*   °**la alternativa** *bullfight ceremony that makes a **novillero***
*a **matador***   °**buenos mozos** *handsome young men*

279

La plaza está llena. La expectación es casi palpable. El público quiere que comience el espectáculo. Suena° el clarín.° Empieza el paseíllo. Entran los tres matadores con sus cuadrillas detrás. Manolo Álvarez está en el centro. Otra vez suena el clarín y la puerta del toril se abre. Y sale el toro. Así sonó el clarín cuando salió del toril «Poca-pena».° «Poca-pena» lo llamaron y qué gran pena° causó.

Las conversaciones en el ruedo varían muy poco de corrida en corrida, año tras año. Las cosas que le dicen a Manuel Álvarez hoy se lo dijeron a Manuel Granero hace medio siglo.

—Mucho cuidado con este toro, Manolo, que es peligroso.

—Dudo que puedas jugarlo con la mano izquierda. Es mejor que comiences con la derecha.

¡Qué toro! Pesa más de quinientos kilos y corre como un caballo de carrera. Y ese monstruo le toca a Manolito. A Manolito que acaba de cumplir veinte años. No creo que salga otro toro como éste en mucho tiempo. Tiene unos cuernos como navajas.° ¡Ay, Manolito! ¿Por qué abandonaste el violín?

Ahora sale Manolo con el capote. ¡Olé! Bien hecho, muchacho. Una serie de verónicas.° Aplausos, gritos, el público está de pie. El clarín. Entran los picadores. Manolo vuelve al centro del ruedo para saludar al público. La banda toca un

---

° **Suena** *rings, sounds*   ° **clarín** *trumpet*   ° **«Poca-pena»** *the name of the bull that killed Manuel Granero*   ° **pena** *pain, grief*   ° **navajas** *razors*   ° **verónicas** *passes with the* **capote**

pasodoble° alegre. El toro ha visto al picador y ataca.
¡Qué fuerza! Levanta al caballo y al picador y los tira
al suelo.

Rafael Flores, el padrino,° acude al quite.° El
toro vuelve al ataque, pero esta vez el picador está
preparado. Él mete la puya.° El toro resiste y ataca
otra vez. Y otra vez el picador lo castiga.

—Basta ya—dice Manolo.

—Manolito, no seas loco. Te digo que le dejes picar, que el toro todavía está
demasiado fuerte.

—¡No! Que no más. No quiero que me destruyan° el toro.

Suena el clarín y los picadores se van. Flores le da la muleta, el estoque y un
fuerte abrazo a Manolito.

—Buena suerte, muchacho. Y ten cuidado con este toro.

—Gracias, Rafael.

El público sigue de pie. Manolo anda despacio hacia el toro. En la mano
izquierda lleva la muleta y en la derecha el estoque. El toro lo mira sin moverse un
pelo. Se puede oír la respiración del toro. Él respira con tranquilidad. Manolo
también. Pero son los únicos.

°**pasodoble** *graceful march played during the bullfight*   °**padrino** *senior matador*
°**acude al quite** *enters to distract the bull*   °**puya** *steel point*   °**destruyan** *destroy*

Manolo se acerca ahora al toro como se acercaba Manuel Granero a «Poca-pena» en ese mayo lejano, con el paso firme, con sus ojos clavados* en el toro, en medio de una plaza silenciosa. Como aquella plaza que nunca encontró su voz después de ver el cuerpo inánime* del pobre Manuel Granero, muerto por el cuerno de «Poca-pena».

Manolo Álvarez está tan cerca del toro que puede oler* y sentir el calor de su cuerpo.

—Toro, torito bravo, valiente. ¡Qué noble eres! Te quiero, toro. Pero, tienes que morir.

El toro lo mira. Es un hombre, esa criatura pequeña que lo ha atormentado. El toro mira la muleta. Mira la cara y el cuerpo del humano. («Poca-pena» escogió la cara.) ¡Qué poca cosa es un hombre! ¿Dónde meter el cuerno para acabar con la tormenta y volver al campo? El toro decide y ataca.

¡Suerte, Manolito! Es la hora de la verdad.*

Ejercicio 1   Completen.

1. «Poca-pena» es el nombre de un _____.
2. Las defensas de un toro son sus _____.
3. Manolo Álvarez tomó la alternativa en _____.
4. La monumental es la _____ _____ _____ de Madrid.
5. La banda en la plaza de toros toca un _____.
6. Manuel Granero era de _____.
7. El _____ monta a caballo.
8. El _____ suena para cambiar las fases de la corrida.
9. Manolo Álvarez tiene _____ años.
10. Álvarez toreaba en Sevilla durante la _____.

---

clavados *fixed*   *inánime* *lifeless*   *oler* *smell*   *la hora de la verdad* *the moment of truth*

Ejercicio 2 Escojan.

1. Además de toreros, Granero y Álvarez eran _____.
   - a. pintores
   - b. sevillanos
   - c. músicos
   - d. padrinos

2. Cuando Manolito le habla al toro, él indica que _____.
   - a. detesta al toro
   - b. no quiere matarlo
   - c. le tiene mucho miedo
   - d. lo quiere matar

3. La corrida comienza con _____.
   - a. el paseíllo
   - b. un quite
   - c. una serie de verónicas
   - d. el saludo al público

4. Flores y otros le dicen a Manolo que el toro _____.
   - a. es muy peligroso
   - b. está destruido
   - c. pesa más de quinientos kilos
   - d. se llama «Poca-pena»

5. Los dos Manolos eran muy _____.
   - a. fuertes
   - b. guapos
   - c. altos
   - d. viejos

Ejercicio 3 Definiciones

1. lo que se usa para matar al toro
2. donde está el toro antes de entrar al ruedo
3. la ceremonia cuando el novillero llega a ser matador
4. el arma del picador
5. un pase de capote
6. lo que se usa para indicar los cambios en la corrida

- a. verónica
- b. toril
- c. clarín
- d. estoque
- e. muleta
- f. puya
- g. alternativa

Ejercicio 4 Para pensar

1. Los españoles dicen que la corrida no es un deporte. ¿Qué crees tú? ¿Es un deporte o no? ¿Por qué sí o por qué no?
2. ¿Cuál es más cruel—el boxeo o la corrida? ¿Por qué?

17 DIVERSIONES

Vocabulario

El domingo fuimos al **parque**.
Dimos un paseo por el parque.
Luego hicimos **un picnic**.

Ejercicio 1 Contesten.

1. ¿Qué día fueron ellos al parque?
2. ¿Adónde fueron?

3. ¿Por dónde dieron un paseo?
4. ¿Y qué hicieron luego?

Ejercicio 2 Completen.

1. El muchacho fue al _____ con su familia.
2. Ellos fueron allí el _____.
3. Todos dieron un _____ por el parque.
4. Después hicieron un _____ porque tenían hambre.

¿Qué leyó Carlos?

un libro de bolsillo

**una novela de
ciencia ficción**

**un artículo de
una revista**

**los titulares del
periódico**

las historietas cómicas

Ejercicio 3   ¿Qué leyó Carlos?
Pareo

A	B
1. un libro pequeño, barato	a. ciencia ficción
2. una novela de viajes a Júpiter y Venus	b. los titulares
3. dibujos en colores del Pato Donald	c. el diccionario
4. las letras grandes en el periódico	d. un libro de bolsillo
5. selecciones del *Reader's Digest*	e. historietas cómicas
	f. una revista

estructura

El infinitivo o el subjuntivo

With all the verbs and expressions that require the subjunctive, the subjunctive is used only when the subject of the dependent clause (the clause introduced by **que**) is different from the subject in the main clause.

Main clause	*Dependent clause*
Yo quiero	**que Juan esté con nosotros.**
Él prefiere	**que nosotros vayamos a su casa.**
Pues, es necesario	**que decidamos lo que vamos a hacer.**

When there is no change of subject in the sentence, an infinitive instead of the subjunctive is used.

Nosotros queremos estar con Juan.
Él prefiere quedarse en casa.
Es necesario decidir lo que vamos a hacer.

Ejercicio 1   Yo estoy de acuerdo.
Contesten según el modelo.

Ellos quieren que tú vayas.
Pues, no hay problema. Quiero ir.

1. Ellos quieren que tú hagas el viaje.
2. Ellos quieren que tú vayas con ellos.
3. Ellos quieren que tú no conduzcas.
4. Ellos quieren que tú tomes el tren con ellos.
5. Ellos quieren que tú vuelvas con ellos también.

Ejercicio 2   ¿Qué prefieres hacer?

Yo prefiero . . .
1. ir a la librería
2. comprarme un libro de bolsillo
3. tomar un refresco en el café
4. volver a casa
5. leer mi libro

Ejercicio 3 ¿Y qué prefieres que ellos hagan?

Yo prefiero que ellos . . .

1. salir
2. ir al cine
3. ver la película
4. comer en el Metropol
5. venir a visitarme

Ejercicio 4 Pues, ¿qué quieres hacer?

Contesten con *no*.

1. ¿Quieres ir al parque?
2. ¿Quieres que yo te acompañe?
3. ¿Quieres asistir al teatro?
4. ¿Quieres que yo te lleve a una fiesta?
5. ¿Quieres dar un paseo?
6. ¿Quieres que vayamos al cine?
7. ¿Quieres hacer un picnic?
8. ¿Quieres que yo te compre una revista?
9. ¿Quieres dormir?
10. ¿Quieres que yo me vaya?

Ejercicio 5 Un conflicto

Completen.

Benito quiere _____ (mirar) la televisión pero Tomás prefiere que todos _____ (salir) de casa. Él desea _____ (estudiar) y no quiere que nadie _____ (hacer) ruido. Él le pide a Benito que no _____ (poner) la tele. Benito teme _____ (perder) el campeonato de fútbol en la tele. Él insiste en que Tomás _____ (ir) a otro cuarto a estudiar.

Repaso del pretérito de los verbos irregulares

Review the following forms of verbs that have irregular forms in the preterite.

estar	estuve, estuviste, estuvo, estuvimos, (estuvisteis), estuvieron
tener	tuve, tuviste, tuvo, tuvimos, (tuvisteis), tuvieron
andar	anduve, anduviste, anduvo, anduvimos, (anduvisteis), anduvieron
poner	puse, pusiste, puso, pusimos, (pusisteis), pusieron
poder	pude, pudiste, pudo, pudimos, (pudisteis), pudieron
saber	supe, supiste, supo, supimos, (supisteis), supieron
querer	quise, quisiste, quiso, quisimos, (quisisteis), quisieron
hacer	hice, hiciste, hizo, hicimos, (hicisteis), hicieron
venir	vine, viniste, vino, vinimos, (vinisteis), vinieron
decir	dije, dijiste, dijo, dijimos, (dijisteis), dijeron
conducir	conduje, condujiste, condujo, condujimos, (condujisteis), condujeron
producir	produje, produjiste, produjo, produjimos, (produjisteis), produjeron
traducir	traduje, tradujiste, tradujo, tradujimos, (tradujisteis), tradujeron
traer	traje, trajiste, trajo, trajimos, (trajisteis), trajeron

Many of these irregular verbs are not used very often in the preterite. When they are used in the preterite, certain verbs take on a special meaning.

Carlos lo supo ayer.	*Charles found it out yesterday.*
Elena lo pudo hacer.	*(After much effort) Elena managed to do it.*
José no lo pudo hacer.	*(He tried but) José couldn't do it.*
Teresa no quiso ir.	*Teresa refused to go.*

286

Study the following forms of the verb **ir** in the preterite. Pay particular attention to these forms since they are completely irregular.

> **ir**   fui, fuiste, fue, fuimos, (fuisteis), fueron

The verb **ser,** which is seldom used in the preterite, is conjugated the same as the verb **ir.** Its meaning is made clear by its use in the sentence.

¿Quién fue el presidente?   Betancourt fue el presidente.

Ejercicio 6   Yolanda no lo cree.
Completen la conversación en el pretérito.

Yolanda   ¿Por dónde _____ (andar) Uds. anoche?

Gerardo   Raúl y yo _____ (tener) que visitar a un amigo enfermo.

Yolanda   ¿Y tú _____ (estar) allí hasta las dos de la mañana?

Gerardo   El amigo _____ (estar) muy enfermo. Yo _____ (tener) que quedarme con él.

Ejercicio 7   Contesten según la conversación.

1. ¿Qué le preguntó Yolanda a Gerardo?
2. ¿Con quién estuvo él anoche?
3. ¿A quién tuvieron que visitar los dos?
4. ¿Hasta qué hora estuvieron allí?
5. ¿Por qué tuvo que quedarse allí Gerardo?

Ejercicio 8   ¡Qué sorpresa!
Practiquen la conversación.

Marisa   ¿Supiste lo que pasó?

Raúl   No, no pude oír nada.

Marisa   Vine a decirte. Antonio quiso invitar a Carmen al baile.

Raúl   Y ella no pudo aceptar, ¿verdad?

Marisa   Sí, ¿cómo lo supiste?

Raúl   Pues, yo ya la había invitado.

Ejercicio 9   Completen según la conversación.

Marisa le preguntó a Raúl si él _____ (saber) lo que había pasado. Pues, él no _____ (saber) nada porque no _____ (poder) oír. Por eso Marisa _____ (venir) a decirle. Antonio _____ (querer) invitar a Carmen al baile, pero ella no _____ (poder) aceptar. Raúl lo sabía porque él ya la había invitado.

Ejercicio 10   El comerciante
Cambien las oraciones al pretérito.

1. Ellos dicen que traen máquinas.
2. Las producen en la capital.
3. El señor dice que las compra barato.
4. Dice que ellos traducen las instrucciones también.

Ejercicio 11 Un picnic en el parque
Completen la conversación.

Sara   Ayer nosotros _____ (hacer) un picnic.

Pedro   ¿Adónde _____ (ir) Uds.?

Sara   _____ (Ir) al parque Miramar.

Pedro   ¿Quién _____ (traer) la comida?

Sara   Todos nosotros _____ (traer) algo.

Pedro   ¿Qué _____ (hacer) tú?

Sara   Yo _____ (hacer) y _____ (servir) empanadas.

Pedro   ¿Qué tal _____ (ser) las empanadas?

Sara   Ricas. Todo el mundo _____ (pedir) más.

conversación

Un compromiso

Ignacio   ¿Qué hiciste durante el fin de semana?

Beatriz   Pues, el sábado fui a la casa de mi tía Elvira. Mi prima se comprometió y mis tíos dieron una gran fiesta.

Ignacio   ¿Con quién se comprometió?

Beatriz   Con Iván Bustelo. No creo que tú lo conozcas. Ellos hicieron sus estudios universitarios juntos. Ella lo conoció en la universidad.

Ejercicio Contesten.

1. ¿Qué le preguntó Ignacio a Beatriz?
2. ¿Qué hizo Beatriz?
3. ¿Qué hizo la prima de Beatriz?
4. ¿Quién es Elvira?
5. ¿Qué hicieron los tíos de Beatriz?
6. ¿Quién es Iván Bustelo?
7. ¿Ignacio lo conoce?
8. ¿Quiénes hicieron sus estudios juntos?
9. ¿Dónde se conocieron los novios?

Los pasatiempos de los jóvenes

Durante la semana la mayoría de los jóvenes hispanos no tienen mucho tiempo libre porque pasan una gran parte de su día en la escuela. Después de las clases tienen que preparar sus tareas para el próximo día.

Durante los fines de semana o las vacaciones ellos tienen tiempo para divertirse. ¿Cuáles son algunas de sus actividades favoritas durante sus horas libres?

Salir con la familia   Los jóvenes suelen salir con bastante frecuencia con la familia. En casi todas las ciudades de España y de Latinoamérica hay muchos parques bonitos. Los domingos por la tarde muchas familias van al parque a dar un paseo o hacer un picnic.

Como la familia hispana incluye a los tíos, a los primos, a los padrinos, etc., casi siempre hay alguien que está celebrando un cumpleaños, un aniversario, un bautizo, un compromiso o una despedida.° Por consiguiente, hay bastantes fiestas familiares y los jóvenes asisten a estas fiestas también.

° **despedida**   *farewell*

Ir al cine   Los jóvenes españoles e hispanoamericanos son muy aficionados al cine. Los sábados y domingos hay colas larguísimas delante de las taquillas de los cines. A los jóvenes les gustan las películas policíacas,* de ciencia ficción y de vaqueros.* Las películas americanas son muy populares con los jóvenes. Muchas películas están dobladas* en español. Si no están dobladas, llevan subtítulos.

Bailar   A los jóvenes les gusta mucho bailar. Cada país tiene sus bailes regionales pero en casi el mundo entero los bailes disco están actualmente muy de moda entre los jóvenes. Ellos van a una discoteca o bailan durante una de las fiestas familiares.

Hablar con los amigos   Los jóvenes pasan muchas horas hablando con sus amigos. Les encanta hablar. Como el café es una institución en muchos países de habla española, los jóvenes pueden sentarse a tomar un refresco mientras hablan con sus compañeros. Es necesario señalar* que los jóvenes hispanos no suelen pasar horas hablando por teléfono.

---

* **policíacas** *detective*   * **vaqueros** *cowboys*
* **dobladas** *dubbed*   * **señalar** *to point out*

Leer   Sería justo decir que muchos jóvenes hispanos suelen leer un poco más que nosotros. Compran muchos libros de bolsillo. Les gustan las novelas policíacas, las novelas de aventuras y las novelas de ciencia ficción. Sin embargo, leen también la literatura clásica y las obras de sus autores contemporáneos. Algunos leen también «novelas» que vienen acompañadas de dibujos y parecen historietas cómicas. La mayoría de estas «novelas» tratan del amor y de intrigas románticas. Francamente no son de buena calidad.

Hablando de la lectura, es interesante notar que los jóvenes prefieren leer libros y revistas más que periódicos. Esto no quiere decir que nunca leen el periódico pero el periódico no goza de tanta popularidad entre ellos.

Actividades culturales   Debemos notar también que los jóvenes suelen ser muy orgullosos[*] de su nacionalidad y les interesa mucho la historia de su país. Por consiguiente, si uno va a un museo, por ejemplo, no es raro ver a muchos jóvenes admirando las pinturas, las estatuas y las reliquias.[*] Mientras las miran, discuten lo que están viendo. Muchas veces llevan un cuaderno o un bloc y toman apuntes porque no quieren olvidar lo que han visto o porque tienen que preparar un informe.[*]

---

[*] **orgullosos** *proud*   [*] **reliquias** *relics*
[*] **informe** *report*

Viajar   Algunos jóvenes latinoamericanos tienen la oportunidad de viajar. Ud. los verá en las grandes ciudades de los Estados Unidos, de Europa y también de Asia. A veces viajan con un grupo de amigos pero con más frecuencia viajan con su familia. Como los viajes cuestan bastante, son los jóvenes de las familias acomodadas* que tienen la oportunidad de viajar.

Ejercicio 1   Contesten.

1. ¿Por qué no tienen los jóvenes hispanos mucho tiempo libre durante la semana?
2. ¿Qué tienen que hacer después de las clases?
3. ¿Cuándo tienen tiempo para divertirse?
4. A veces, ¿adónde van ellos con la familia?
5. ¿Por qué hay bastantes fiestas familiares?
6. ¿Los jóvenes van al cine mucho?
7. ¿Cuándo hay colas largas delante de las taquillas?
8. ¿Qué películas les gustan a los jóvenes?
9. ¿Cómo pueden comprender las películas americanas?
10. ¿Adónde van a bailar los jóvenes?

Ejercicio 2   *¿Sí o no?*

1. A los jóvenes hispanos no les gusta nada hablar.
2. Siempre hablan con sus amigos por teléfono.
3. Los jóvenes hispanos no leen mucho.

Ejercicio 3   Contesten.

1. ¿Qué tipo de libros leen los jóvenes?
2. ¿Qué son «novelas»?
3. ¿Leen los jóvenes el periódico con frecuencia?
4. ¿Qué prefieren leer?
5. ¿Qué hacen los jóvenes cuando van a un museo?
6. ¿Tienen la oportunidad de viajar algunos jóvenes?
7. ¿Con quiénes suelen viajar?
8. ¿Adónde van?
9. ¿Quiénes suelen tener la oportunidad de viajar?

---

* **acomodadas**   *well-to-do*

Actividades

1 **Composición.** Write a short composition telling how you spend much of your time during the week. Include the things that you do at school, some of your after-school activities, and what you do after dinner.

En la escuela yo...

2 Make a list of your favorite leisure time activities. List them in order of preference.

3 **Describa Ud. todo lo que ve en el dibujo.**

Revista

CINE CAPITOL - Madrid
PATIO
Fila 20 N° 18
I. Grafos-D. Ramón de la Cruz, 12-Madrid-1

PATIO
Fila 20 N° 20
I. Grafos-D. Ramón de la Cruz, 12-Madrid-1

Y dos entradas
a un cine madrileño
- ¿Cuáles son los dos asientos?
- ¿Para qué función son las entradas?

Un cine en México

¡A comprar un libro!

N° 43905

DIPUTACIÓ DE BARCELONA
MUSEU DE LES ARTS DE L'ESPECTACLE
(Palau Güell)

ENTRADA

NOVA TAXA
Ptes. 100'-
Ptes. 100'-

#793 Casa Caritat. Imp-Escola

Para los jóvenes serios
hay museos.

¿Pero esta entrada? Eso no es
español. ¿Qué será?

¡Y a leer en el parque!

¡O tranquilamente en cama!

294

El Lago del Parque Palermo
en Buenos Aires

¿Te gusta bailar disco?

Esta discoteca está en Buenos Aires.
¿Qué números serán populares?

ESTANQUE DEL RETIRO

Embarcación núm. 3110

Hora de desembarque ....

R E M O   Nº 47948

Personas 2   Día ....

Pesetas 200

Conserve este billete a disposición de los empleados que lo
reclamen. Caso de no tenerlo abonará otro billete.
Toda reclamación para que sea válida, ha de hacerse en el
momento de adquirir el billete.
Todo aquel que su pase de su hora habrá de abonar el im-
porte de un nuevo billete sin derecho a seguir embarcado.
Este billete es nulo si va separado del triángulo de la derecha
y sólo autoriza al uso de la embarcación para la práctica del
remo. Y en el modelo exclusivo para 2 personas (pequeñas).

Vamos a alquilar un bote y, ¡a remar!
¿Cuánto nos cuesta una hora en
el bote?

ASI SE BAILA EL PASO "ELECTRO-BOOGIE" DEL BREAKDANCE

- ¿Qué baile es éste?
- ¿Tú lo sabes bailar?
- ¿De dónde es este baile?

18 El banco

En el banco

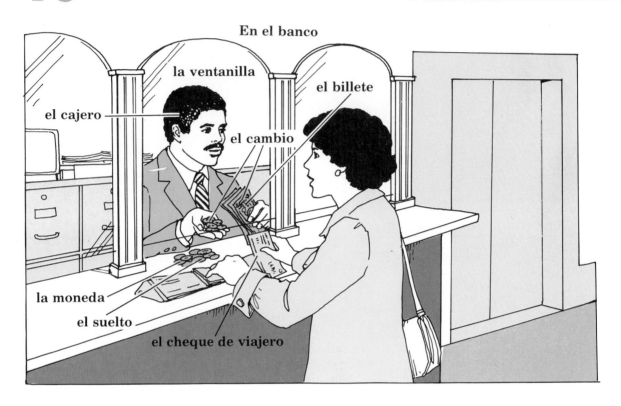

la ventanilla

el billete

el cajero

el cambio

la moneda

el suelto

el cheque de viajero

Ejercicio 1 Contesten.

1. ¿Dónde está Dolores?
2. ¿Qué clase de cheque tiene ella?
3. ¿Quién está detrás de la ventanilla?
4. ¿Qué le da a Dolores por el cheque?

Ejercicio 2 Escojan.

1. Voy al banco para cambiar _____.
   a. el suelto
   b. el cheque

2. Quería que le dieran _____ por el billete grande.
   a. cambio
   b. dinero

3. En los Estados Unidos hay _____ de uno, cinco, diez, cincuenta y cien dólares.
   a. monedas
   b. billetes

296

4. En los Estados Unidos hay _____ de uno, cinco, diez, veinticinco, cincuenta centavos y un dólar.
   a. billetes
   b. monedas

5. En el banco el _____ le cambiará el dinero.
   a. cajero
   b. viajero

Mis padres no querían que yo gastara mucho dinero.
Preferían que yo **ahorrara** mi dinero.
Querían que yo lo pusiera en el banco.

Algunas definiciones

el sueldo	el salario; el dinero que uno recibe por el trabajo que hace
	Los labradores reciben su sueldo por semana.
el tipo de cambio	lo que dan de una moneda por otra
	El peso está a 150 el dólar. El tipo de cambio es uno a 150.
aumentar	llegar a ser más grande
	El gobierno va a aumentar los sueldos mínimos.

Ejercicio 3 Completen.

1. El cajero recibe un _____ de 10.000 pesos semanales.
2. ¿Podría Ud. darme _____ de un billete de 1.000 pesetas?
3. Ayer el peso estaba a 153 el dólar. ¿Cuál es el _____ de cambio hoy?
4. El gobierno va a _____ los sueldos este año.
5. No tengo _____; sólo tengo billetes grandes.
6. ¿Prefieres gastar o _____ tu dinero?

Nota

The word **suelto** in Spanish means *change* in the sense of loose or small change. The change that one receives after making a purchase is **el cambio** or **el vuelto.** In Spain, however, **la vuelta** rather than **el vuelto** is used.

estructura

El imperfecto del subjuntivo

The imperfect subjunctive of all verbs is formed by dropping the ending (**-ron**) of the **ellos, ellas** form of the preterite tense of the verb.

Preterite   **hablaron**   **comieron**   **vivieron**   **estuvieron**   **pusieron**   **dijeron**

To this root we add the endings for the imperfect subjunctive.

Infinitive	hablar	comer	vivir	Endings
yo	hablara	comiera	viviera	**-ra**
tú	hablaras	comieras	vivieras	**-ras**
él, ella, Ud.	hablara	comiera	viviera	**-ra**
nosotros, -as	habláramos	comiéramos	viviéramos	**-ramos**
(vosotros, -as)	(hablarais)	(comierais)	(vivierais)	**(-rais)**
ellos, ellas, Uds.	hablaran	comieran	vivieran	**-ran**

Stem-changing verbs:

Infinitive	Preterite	Root	Imperfect Subjunctive
pedir	pidieron	pidie-	pidiera
servir	sirvieron	sirvie-	sirviera
dormir	durmieron	durmie-	durmiera

Irregular verbs:

andar	anduvieron	anduvie-	anduviera
estar	estuvieron	estuvie-	estuviera
tener	tuvieron	tuvie-	tuviera
poder	pudieron	pudie-	pudiera
poner	pusieron	pusie-	pusiera
saber	supieron	supie-	supiera
querer	quisieron	quisie-	quisiera
venir	vinieron	vinie-	viniera
hacer	hicieron	hicie-	hiciera
leer	leyeron	leye-	leyera
oír	oyeron	oye-	oyera
decir	dijeron	dije-	dijera
conducir	condujeron	conduje-	condujera
traer	trajeron	traje-	trajera
ir	fueron	fue-	fuera
ser	fueron	fue-	fuera

Usos del imperfecto del subjuntivo

The same rules that govern the use of the present subjunctive also govern the use of the imperfect subjunctive. The tense of the verb in the main clause determines whether the present or the imperfect subjunctive is to be used. If the verb of the main clause is in the present or in the future, the present subjunctive is required in the dependent clause.

> **Quiero que ellos me cambien el cheque.**
> **Nos piden que abramos una cuenta.**
> **Insistirán en que pagues con dólares.**
> **Será necesario que tengas cambio.**

When the verb of the main clause is in the preterite, imperfect, or conditional, the verb of the dependent clause must be in the imperfect subjunctive.

> **Quería que ellos me cambiaran el cheque.**
> **Nos pidieron que abriéramos una cuenta.**
> **Insistirían en que pagáramos con dólares.**
> **Era necesario que tuvieras cambio.**
> **Preferirían que aumentaran los sueldos.**
> **Sería difícil que nos dieran más dinero.**

Ejercicio 1 No le cambiaron el dinero.
Practiquen la conversación.

Señora Ramírez   Carlos quería que le cambiaran unos pesos ayer y le dijeron que esperara hasta hoy.

Señora Asensio   Claro. Era imposible que le dieran dólares ayer.

Señora Ramírez   ¿Por qué? Él pidió que se lo explicaran y no le dijeron nada.

Señora Asensio   Es que sabían que hoy bajaría el valor del peso.

Ejercicio 2 Contesten según la conversación.

1. ¿Qué quería Carlos que le cambiaran en el banco?
2. ¿Qué le dijeron en el banco?
3. ¿Qué era imposible?
4. ¿Qué le explicaron en el banco?
5. ¿Por qué no le dijeron nada?

Ejercicio 3 ¿Qué querías?

Yo quería que . . . .
1. ¿Carlos terminó con la secundaria?
2. ¿Él asistió a la universidad?
3. ¿Recibió el diploma?
4. ¿Trabajó en el banco?
5. ¿Se hizo rico?

Ejercicio 4 ¿Qué temían ellos?

Ellos temían que . . . .
1. Yo no tuve bastante dinero.
2. Yo no puse mi dinero en el banco.
3. Yo no pude pagar.
4. Yo no quise ahorrar mi dinero.

Ejercicio 5 ¿En qué insististe?

Yo insistí en que . . . .

1. Ellos me devolvieron el cheque.
2. Ellos me cambiaron el dinero.
3. Ellos me dijeron el tipo de cambio.
4. Ellos me dieron suelto.

Ejercicio 6 ¿Qué sería difícil?

Sería difícil que yo. . . .

1. ¿Fuiste al banco?
2. ¿Pagaste con un cheque?
3. ¿Abriste una cuenta?
4. ¿Hiciste el cambio?

Ejercicio 7 Ella sabe mucho de finanzas.
Completen.

1. Ella quiere que yo cambie la moneda.
   Ella quería que yo _____ la moneda.
2. Ella te pide que hables con el cajero.
   Ella te pidió que _____ con el cajero.
3. Ella me aconseja que tenga cheques de viajero.
   Ella me aconsejó que _____ cheques de viajero.
4. Ella insiste en que el banco le haga cambio.
   Ella insistió en que el banco le _____ cambio.
5. Ella les dice que pongan su dinero en el banco.
   Ella les diría que _____ su dinero en el banco.

Ejercicio 8 ¿Qué moneda necesitamos?
Contesten según se indica.

1. ¿Quieres que yo te venda dólares?
   No, pero quería que . . . .
2. ¿Ellos insistirán en que yo tenga pesos?
   No, pero antes insistían en que . . . .
3. ¿El cajero prefiere que escribamos otro cheque?
   No, pero ayer insistió en que nosotros . . . .
4. ¿Esperas que el peso suba en valor?
   Yo siempre esperaba que . . . .

Ejercicio 9 En la oficina
Practiquen la conversación.

Banquero	Venga Ud. aquí, Sánchez.
Sánchez	Tenga Ud. paciencia, Don Claudio.
Banquero	Quiero que me traiga las cuentas.
Sánchez	Es mejor que se las pida a Clara.
Banquero	Dudo que Clara pueda encontrarlas.
Sánchez	Verdad. No creo que ella sepa dónde están.

Ejercicio 10   Contesten según la conversación.

1. ¿Qué le dijo don Claudio a Sánchez?
2. ¿Qué le dijo Sánchez a don Claudio?
3. ¿Qué quería don Claudio?
4. ¿Qué era mejor según Sánchez?
5. ¿Qué dudaba el banquero?
6. ¿Qué no creía Sánchez?

Ejercicio 11   Completen.

El banquero quería que Sánchez le _____ (traer) las cuentas. Sánchez le dijo que _____ (tener) paciencia y que se las _____ (pedir) a Clara. El banquero dudaba que Clara _____ (saber) dónde estaban. Sánchez también temía que Clara no _____ (poder) encontrarlas.

Ejercicio 12   *Tell five things it would be easy for you to do.*
Sería fácil que yo. . . .

Ejercicio 13   *Tell five things your parents wanted you to do.*
Mis padres querían que yo . . . .

Cláusulas con *si*

Si clauses (*if* clauses) have a very definite sequence of tenses. Observe the following sentences.

Si yo tengo el dinero, iré a Buenos Aires.
Si yo tuviera el dinero, iría a Buenos Aires.

Note that if the verb in the main clause is in the future, the verb in the **si** clause is in the present indicative. If the verb in the main clause is in the conditional, the verb in the **si** clause is in the imperfect subjunctive. The present subjunctive is never used after **si**.

Sequence of tenses

Main Clause	*Si clause*
Future	Present indicative
Conditional	Imperfect subjunctive

Ejercicio 14   Si tengo dinero, iré a España.
Contesten.

1. Si recibes mucho dinero, ¿lo pondrás en el banco?
2. Si alguien te da mil dólares, ¿harás un viaje a España?
3. Si vas a España, ¿tendrás que comprar pesetas?
4. Si estás en España, ¿cambiarás tu dinero en el banco o en el hotel?
5. Si haces el viaje a España, ¿irás en avión?

Ejercicio 15   Contesten.

1. Si recibieras mucho dinero, ¿lo pondrías en el banco?
2. Si alguien te diera mil dólares, ¿harías un viaje a España?
3. Si fueras a España, ¿tendrías que comprar pesetas?
4. Si estuvieras en España, ¿cambiarías tu dinero en el banco o en el hotel?
5. Si hicieras el viaje a España, ¿irías en avión?

Expresiones útiles

> The imperfect subjunctive form **quisiera** is used very frequently in Spanish to soften a request.
>
> | | |
> |---|---|
> | **Quisiera cambiar un cheque de viajero.** | *I would like to change a traveler's check.* |

conversación

Cambiando dinero

La joven Perdón, ¿me podría decir cuál es el cambio de pesos a dólares?

Cajero Hoy está a trescientos pesos el dólar.

La joven Muy bien. Quisiera cambiar un cheque de viajero de cien dólares, por favor.

Cajero De acuerdo. Aquí tiene Ud. diez, veinte, treinta mil pesos.

La joven Quisiera que me cambiara este billete de cinco mil pesos, por favor.

Cajero Aquí tiene Ud. cinco billetes de mil pesos.

La joven Perdón, otra vez. No me queda ningún suelto. ¿Podría cambiarme este billete de mil pesos?

Cajero Sí, ¡cómo no! Aquí tiene Ud. diez monedas de cien pesos.

La joven Gracias.

Cajero A sus órdenes.

Ejercicio Contesten.

1. ¿Qué quiere saber la joven?
2. ¿Cuál es el cambio hoy?
3. ¿Cuál es el valor del cheque de viajero?
4. ¿Qué quiere hacer la joven con el cheque?
5. ¿Cuánto le da el cajero por el cheque?
6. ¿Qué le da el cajero por el billete de cinco mil pesos?
7. ¿Por qué quiere la joven cambiar el billete de mil?
8. ¿Qué le da el cajero por el billete de mil?

Lectura cultural

Una situación económica

Algunos países hispanos tienen una moneda bastante estable y su valor[*] comparado con el valor del dólar no varía mucho de un mes a otro. Pero esto no es el caso en muchos países latinoamericanos. A veces el tipo de cambio puede cambiar de la mañana a la tarde del mismo día.

Yo recuerdo que hace algunos años estuve en la Argentina. Durante aquel viaje el cambio estaba a cinco pesos argentinos el dólar. Volví dos años más tarde. Un amigo me acompañaba. Al llegar al aeropuerto de Izeiza en Buenos Aires, él quería que yo le cambiara un cheque de viajero. Como él no hablaba español, prefería que yo le hablara al cajero en el banco. Así hice. No lo pude creer cuando el cajero me dijo que el cambio estaba a sesenta y cuatro pesos el dólar. En dos años el dólar había subido de cinco a sesenta y cuatro pesos. En seguida yo decidí cambiarme un cheque también.

Al llegar al hotel le di al recepcionista mi tarjeta de crédito. Él la miró y me aconsejó que no pagara mi cuenta con la tarjeta. No comprendí por qué me diría tal cosa. Me explicó que si yo pagara con la tarjeta, me cambiarían el dinero al tipo oficial. ¡Al tipo oficial! Yo le pregunté cuántos pesos le daban por el dólar en el hotel. Por poco me morí cuando me dijo que cambiaban el dólar a ciento cuarenta pesos. Durante todo aquel viaje, cada vez que yo quería pagar algo en una tienda con un cheque de viajero, los comerciantes[*] querían que yo les dijera cuál era el tipo de cambio. Cambiaba tan de prisa[*] que ellos nunca sabían el cambio.

---

[*]**valor** *value*   [*]**comerciantes** *merchants*   [*]**tan de prisa** *so quickly*

CAMBIO DE DIVISAS

	Comp.	Vend.
1 dólar EE.UU.	151,307	151,667
1 dólar canadiense	122,709	123,153
1 franco francés	18,997	19,054
1 libra esterlina	227,384	228,531
1 libra irlandesa	179,904	180,938
1 franco suizo	71,689	72,030
100 francos belgas	285,700	286,922
1 marco alemán	58,087	58,337
100 liras italianas	9,563	9,592
1 florín holandés	51,849	52,061
1 corona sueca	19,433	19,504
1 corona danesa	16,081	16,137
1 corona noruega	20,692	20,769
1 marco finlandés	26,827	26,939
100 chelines aust.	825,686	830,369
100 escudos port.	121,825	122,312
100 yens japoneses	64,938	65,233
Fuente: Bolsa de Madrid.		

El cambio de divisas en Madrid en 1984
¿Cuántas pesetas le dan por un dólar americano?

Pero hay que tener cuidado. En algunos países, como este caso en la Argentina, hay un tipo de cambio oficial y otro que no es oficial pero tampoco es ilegal. En otros países tienen un control de divisas* muy estricto porque existe un mercado negro ilegal. Si uno cambiara el dinero en el mercado negro y que lo supieran los oficiales, en seguida le pondrían en la cárcel.*

Hay que comprender que en algunos países la tasa* anual de inflación supera el doscientos por ciento. Lo que hoy cuesta cien pesos costará ciento cincuenta pesos dentro de una semana o de un mes. Yo le pregunté a un amigo argentino lo que hace la gente cuando los precios suben tan de prisa y el valor de la moneda fluctúa* tanto. Esto es lo que me dijo. Los sueldos suelen aumentar a más o menos la misma tasa que la inflación. Sin embargo, el dinero llega a ser nada más que papel. Nadie lo quiere ahorrar cuando saben que lo que hoy cuesta cien, mañana costará ciento cincuenta o doscientos. Así en cuanto* reciben dinero, lo gastan para comprar cualquier cosa porque saben que mañana será más cara. Y si pueden, compran moneda firme*—por ejemplo—dólares estadounidenses, marcos alemanes o francos suizos. Si no compran moneda firme, comprarán oro, diamantes u otras joyas porque el valor de las joyas subirá con la inflación.

---

*divisas *foreign currencies*   *cárcel *jail*   *tasa *rate*   *fluctúa *fluctuates*
*en cuanto *as soon as*   *moneda firme *stable currency*

Ejercicio Escojan.

1. ¿Cuándo es «estable» una moneda?
   a. Cuando vale igual que el dólar.
   b. Cuando varía sólo de mes en mes.
   c. Cuando su valor varía muy poco.

2. ¿Qué ocurre con la moneda en algunos países latinoamericanos?
   a. El valor de la moneda cambia rápidamente.
   b. El cambio de valor ocurre sólo por la mañana.
   c. Tienen varios tipos de moneda.

3. ¿Cuántos años habían pasado entre los dos viajes a la Argentina?
   a. Uno.
   b. Dos.
   c. Cinco.

4. ¿Qué es Izeiza?
   a. Una gran ciudad en la Argentina.
   b. La línea aérea argentina.
   c. El aeropuerto de la capital.

5. ¿Por qué habló el autor con el cajero?
   a. El amigo no sabía hablar español.
   b. El autor necesitaba cambiar moneda.
   c. Quería saber el tipo de cambio.

6. ¿A cuánto estaba el cambio en el aeropuerto?
   a. 5 pesos al dólar.
   b. 64 pesos al dólar.
   c. 140 pesos al dólar.

7. ¿Dónde quiso usar el autor su tarjeta de crédito?
   a. En las tiendas.
   b. En el aeropuerto.
   c. En el hotel.

8. ¿Por qué le sugirieron que no pagara con la tarjeta de crédito?
   a. Porque le darían menos pesos por dólar.
   b. Porque la tarjeta no era de tipo oficial.
   c. Porque con la tarjeta sólo pagarían 140 pesos.

9. ¿Por qué le preguntaban los comerciantes el tipo de cambio?
   a. El tipo de cambio podía cambiar de un momento a otro.
   b. Los oficiales sabían el tipo de cambio y nadie más.
   c. Nadie sabía el valor de los cheques de viajero.

10. ¿Cuántos cambios legales se mencionan en la Argentina?
    a. Uno.
    b. Dos.
    c. Tres.

11. ¿Qué es el mercado negro?

    a. Es un comercio ilegal.

    b. Es un mercado que se limita a dólares.

    c. Es un tipo de cambio legal pero no oficial.

12. ¿A quiénes meterían en la cárcel?

    a. A los que tratan de usar tarjetas de crédito.

    b. A los que cambian divisas en el mercado negro.

    c. A los que reciben 140 pesos por dólar.

13. ¿Qué puede superar el 200 por ciento?

    a. El tipo de cambio.

    b. La moneda argentina.

    c. La inflación anual.

14. ¿Cuál es un efecto de la inflación?

    a. La gente no quiere ahorrar dinero.

    b. El dinero llega a tener mayor importancia.

    c. Los sueldos no aumentan.

15. ¿Qué es el atractivo del dólar, marco alemán y franco suizo?

    a. Son dinero en metálico.

    b. Son muy difíciles de cambiar.

    c. Son monedas muy estables.

Actividades

- ¿Cuántas pesetas te da el banco por un dólar?
- ¿Cuántas pesetas tienes que dar al banco por un dólar?
- ¿Cuál vale más, el dólar estadounidense o el dólar canadiense?

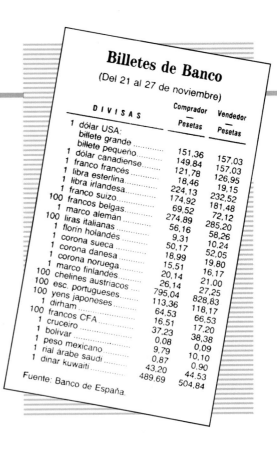

Billetes de Banco
(Del 21 al 27 de noviembre)

DIVISAS	Comprador — Pesetas	Vendedor — Pesetas
1 dólar USA: billete grande		
billete pequeño	151,36	157,03
1 dólar canadiense	149,84	157,03
1 franco francés	121,78	126,95
1 libra esterlina	18,46	19,15
1 libra irlandesa	224,13	232,52
1 franco suizo	174,92	181,48
100 francos belgas	69,52	72,12
1 marco alemán	274,89	285,20
100 liras italianas	56,16	58,26
1 florín holandés	9,31	10,24
1 corona sueca	50,17	52,05
1 corona danesa	18,99	19,80
1 corona noruega	15,51	16,17
1 marco finlandés	20,14	21,00
100 chelines austriacos	26,14	27,25
100 esc. portugueses	795,04	828,83
100 yens japoneses	113,36	118,17
1 dirham	64,53	66,53
100 francos CFA	16,51	17,20
1 cruceiro	37,23	38,38
1 bolívar	0,08	0,09
1 peso mexicano	9,79	10,10
1 rial árabe saudí	0,87	0,90
1 dinar kuwaiti	43,20	44,53
	489,69	504,84

Fuente: Banco de España.

La señora Oliver acaba de cambiar unos dólares americanos en pesetas en el aeropuerto de Barajas en Madrid.

- ¿Cuántos dólares cambió?
- ¿Cómo se llama el banco?
- ¿Cuál fue el tipo de cambio aquel día?
- ¿Cuántas pesetas valían los dólares?
- ¿Cuál fue la comisión en pesetas?
- ¿Cuál fue el por ciento de la comisión?
- ¿Cuántas pesetas recibió la señora?
- ¿Qué será el «ITE»?
- ¿Qué por ciento cobran por el ITE?
- ¿Cuántas pesetas le cobraron a la Sra. Oliver por el ITE?

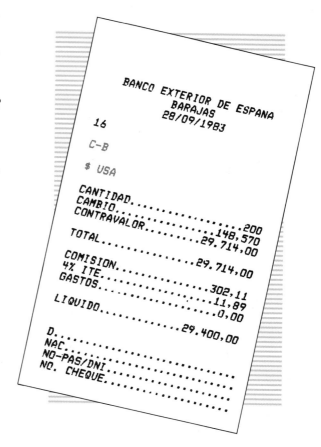

```
BANCO EXTERIOR DE ESPANA
        BARAJAS
      28/09/1983
16

C-B

$ USA

CANTIDAD...................200
CAMBIO.................148,570
CONTRAVALOR.........29.714,00
TOTAL...............29.714,00

COMISION..............302,11
4% ITE.................11,89
GASTOS..................0,00

LIQUIDO............29.400,00

D.........................
NAC.......................
NO-PAS/DNI................
NO. CHEQUE................
            .  .  .  .  .
```

 **Entrevista**

- ¿Tus padres te dan dinero? ¿Cuánto te dan? ¿Con qué frecuencia te lo dan?
- Los jóvenes hispanos generalmente no reciben una cantidad fija de sus padres. Cuando necesitan dinero, se lo piden a los padres. ¿Qué opinas tú? ¿Cuál es preferible, la cuota fija o pedir cuando necesitas? ¿Qué dices tú?

Revista

¿Cuál es el tipo de cambio hoy?

Hay cuatro banderas que se ven después del nombre del banco. ¿Qué representan las banderas?

- ¿Cuántas pesetas daban por una libra esterlina?
- ¿Cuál valía más, el dólar de los EE. UU. o el del Canadá?
- ¿Cuál valía más, una lira italiana o una peseta?

Monedas paraguayas

CAMBIO DE DIVISAS

	Comp.	Vend.
1 dólar EE.UU.	150,120	150,480
1 dólar canadiense	121,852	122,295
1 franco francés	19,016	19,074
1 libra esterlina	225,014	226,156
1 libra irlandesa	179,993	181,027
1 franco suizo	71,417	71,759
100 francos belgas	284,549	285,773
1 marco alemán	58,086	58,339
100 liras italianas	9,538	9,567
1 florín holandés	51,631	51,844
1 corona sueca	19,344	19,416
1 corona danesa	16,029	16,085
1 corona noruega	20,548	20,626
1 marco finlandés	26,676	26,787
100 chelines aust.	825,742	830,463
100 escudos port.	121,456	121,944
100 yens japoneses	64,609	64,904
Fuente: Bolsa de Madrid		

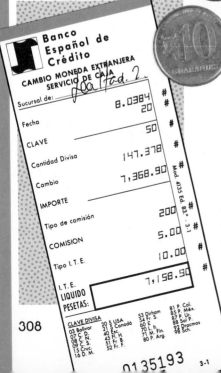

Banco Español de Crédito

CAMBIO MONEDA EXTRANJERA
SERVICIO DE CAJA

Sucursal de:	#
	8.0384 #
	20 #
Fecha	
	50 #
CLAVE	
Cantidad Divisa	147.378 #
Cambio	7,368.90 #
IMPORTE	
Tipo de comisión	200 #
COMISION	5.00 #
Tipo I.T.E.	10.00 #
I.T.E.	7,158.90 #
LIQUIDO PESETAS:	

CLAVE DIVISA
03 Bolívar 20 $ USA 53 Dirham 81 P. Col.
07 C. D. 21 $ Canadá 54 Fr. S. 85 P. Méx.
08 C. N. 40 Esc. 60 £. 87 P. Ur.
09 C. S. 45 Fl. H. 70 L. It. 88 Sol P.
15 Cruc. 51 Fr. B 71 M. Fin. 92 Dracmas
16 D. M. 52 Fr. F. 80 P. Arg. 98 Sch.

0135193   3-1

Se llaman «guaraníes». Los indios de Paraguay eran los guaraníes y hablaban guaraní. Muchos paraguayos todavía hablan guaraní.

- ¿Qué moneda cambió el cliente?
- ¿Cuánto cambió?
- ¿Cuál fue el tipo de cambio?
- ¿Cuántas pesetas recibió?
- ¿Cuánto tuvo que pagar en comisiones, impuestos, etc.?

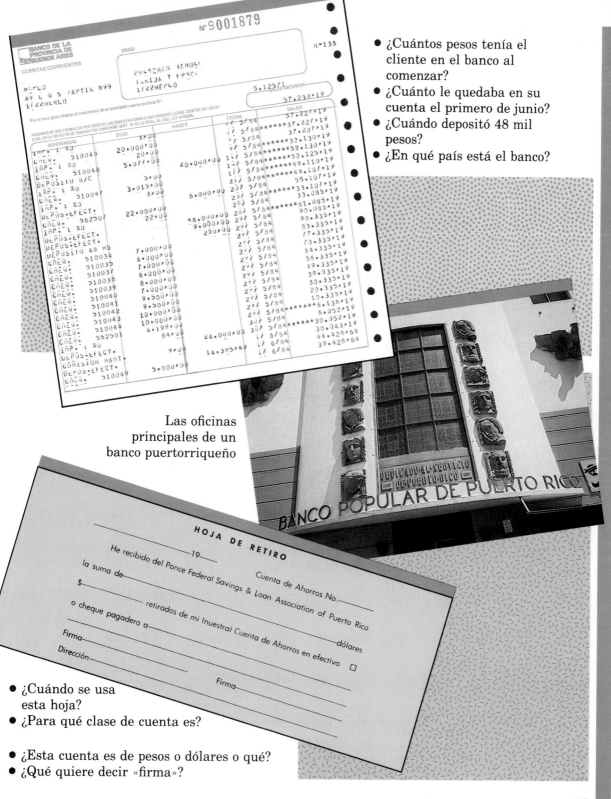

- ¿Cuántos pesos tenía el cliente en el banco al comenzar?
- ¿Cuánto le quedaba en su cuenta el primero de junio?
- ¿Cuándo depositó 48 mil pesos?
- ¿En qué país está el banco?

Las oficinas principales de un banco puertorriqueño

HOJA DE RETIRO

_____ 19___

He recibido del Ponce Federal Savings & Loan Association of Puerto Rico

Cuenta de Ahorros No._____

la suma de_____

$_____ retirados de mi (nuestra) Cuenta de Ahorros en efectivo ☐

o cheque pagadero a_____ dólares

Firma_____

Dirección_____

Firma_____

- ¿Cuándo se usa esta hoja?
- ¿Para qué clase de cuenta es?

- ¿Esta cuenta es de pesos o dólares o qué?
- ¿Qué quiere decir «firma»?

vocabulario

la red

la cancha

la raqueta

el tenis

el palo

el hoyo

el campo

el golf

los esquís

el bastón

la pista

el esquí

la plancha de vela

la natación

el esquí acuático

el surfing

el pícher

el campo

la base

el bateador

el béisbol

Ejercicio 1 Escojan según los dibujos.

1. Teresa está jugando al _____.
   - a. fútbol
   - b. tenis

2. Ella está en la _____.
   - a. cancha
   - b. pista

3. Ella tiene _____ en la mano.
   - a. la raqueta
   - b. el balón

4. Los señores están en _____ de golf.
   - a. el campo
   - b. la pista

5. Ellos juegan al _____.
   - a. golf
   - b. béisbol

6. La señora da a la pelota con _____.
   - a. la raqueta
   - b. el palo

Ejercicio 2 Contesten según el dibujo.

1. ¿Qué bajan los muchachos?
2. ¿Qué llevan en las manos?
3. ¿Qué llevan en los pies?

4. ¿Dónde están los muchachos?
5. ¿Qué practica el muchacho?
6. ¿Qué practica la chica?

7. Y los otros muchachos, ¿en qué están ellos?

8. ¿Quién tira la pelota, el pícher o el bateador?
9. ¿Corre el bateador hacia la pista o hacia la base?
10. ¿Dónde juegan al béisbol?

Ejercicio 3 ¿Qué deporte es?

1. Hay nueve jugadores en cada equipo y todos llevan guante.
2. Es un juego para dos o cuatro personas. Para jugarlo, sólo se necesita pelota, raqueta y red.
3. Se puede practicar en el mar o en un lago, pero los partidos oficiales siempre tienen lugar en piscinas.

Ejercicio 4 Contesten.

1. ¿Qué se necesita para jugar al golf?
2. ¿Qué usas para esquiar?
3. ¿Qué tiempo tiene que hacer para esquiar?
4. ¿Con qué se da a la pelota de tenis?
5. ¿En qué deporte se prohibe usar las manos?
6. ¿En qué deporte se corre de base a base?

εstructura

El subjuntivo en cláusulas adverbiales

The subjunctive is always used after the following conjunctions.

para que	*so that*
de manera que	*in such a way that, so that*
de modo que	*in such a way that, so that*
con tal (de) que	*provided that*
sin que	*without, unless*
a menos que	*unless*

The use of the subjunctive is extremely logical after the above expressions or conjunctions. The subjunctive is used because the information in the clause is not definite. Let us analyze the following sentence.

The teacher explains clearly so that all the students will understand.

Even though the teacher tries his/her best to explain a lesson very clearly so that all his/her students will understand the lesson, it is still possible that some students will not understand it.

Observe the following sentences in Spanish.

El pícher practica mucho para que su equipo gane.
El entrenador explica todo de manera que los jugadores entiendan.
Nosotros jugaremos con tal de que nos paguen.

Note that the tense of the verb in the main clause determines the tense of the subjunctive to be used in the dependent clause.

Main clause	*Dependent clause*
Present ⎰ Future ⎱	Present subjunctive
Preterite ⎱ Imperfect ⎰ Conditional ⎭	Imperfect subjunctive

El entrenador les explica todo ⎰
El entrenador les explicará todo ⎱ **de manera que comprendan.**

El entrenador les explicó todo ⎰
El entrenador les explicaba todo ⎱ **de manera que comprendieran.**
El entrenador les explicaría todo ⎭

Ejercicio 1 El profesional
Contesten.

1. ¿Jugarás sin que te paguen?
2. ¿Practicarás mucho para que ganemos el partido?
3. ¿Marcarás muchos tantos con tal que tengas el balón?
4. ¿Hablarás con el entrenador de modo que sepa que no jugarás sin que te paguen?

Ejercicio 2 No lo haré solo.
Contesten.

¿Lo harás?
Sí, yo lo haré con tal de que tú lo hagas también.

1. ¿Irás?
2. ¿Jugarás?
3. ¿Practicarás?
4. ¿Nadarás?
5. ¿Esquiarás?

Ejercicio 3 Contesten.

¿Lo harías?
No, yo no lo haría sin que Uds. lo hicieran.

1. ¿Irías al partido?
2. ¿Comprarías entradas?
3. ¿Te sentarías en la primera fila?
4. ¿Mirarías el partido en la tele?

Ejercicio 4 Tienes que ganar hoy.
Completen la conversación.

Romero   No jugaré sin que Uds. me _____ (pagar) más.

Entrenador   Tendrías que jugar mejor para que nosotros te _____ (pagar) más. Pero te daremos un poco más con tal de que _____ (ganar) hoy.

Romero   Para que yo _____ (recibir) más dinero tendría que ganar hoy, ¿eh?

Entrenador   Sí, chico. Para que tú te _____ (hacer) rico, es necesario que _____ (jugar) bien.

El subjuntivo con *aunque*

Aunque may be followed by either the subjunctive or the indicative depending upon the meaning of the sentence. Analyze the following sentences.

Jugarán aunque llueva.

The idea expressed is that they will play even though it may rain. It is not raining now, but they are determined to play even if it should rain. Since the rain is not definite, the subjunctive is used.

Jugarán aunque llueve.

The idea expressed is that they will play even though it is raining. It is already raining; therefore no doubt is involved and the indicative is used.

Note too that the tense of the verb in the main clause determines whether the present or imperfect subjunctive should be used in the dependent clause.

Jugarán aunque llueva.
Jugarían aunque lloviera.

Ejercicio 5 A ti te gustan mucho la playa y el mar.
Contesten con *sí.*

1. ¿Irías a la playa aunque hiciera muy mal tiempo?
2. ¿Nadarías aunque estuviera muy fría el agua?
3. ¿Te meterías en el agua aunque no tuvieras traje de baño?
4. ¿Te sentarías en la playa aunque no hubiera sol?

Ejercicio 6   ¿Todavía irías a la playa?

Contesten con *sí*.

1. ¡Qué mal tiempo hace hoy! ¿Irás a la playa aunque hace tan mal tiempo?
2. Creo que va a llover también. ¿Irás a la playa aunque llueva?
3. Es posible que el agua esté fría. ¿Nadarás aunque esté muy fría?
4. Aquí el agua siempre está fría. ¿Nadarás aunque está fría?
5. Pero no tienes traje de baño. ¿Nadarás aunque no tienes traje de baño?
6. Está completamente nublado. ¿Te sentarás en la playa aunque no hay sol?

Ejercicio 7   Escojan.

1. Ayer fuimos a la playa aunque _____ muy mal tiempo.
   a. hacía
   b. hiciera

2. A Carlos no le importa. Él nadaría aunque _____ a dos grados bajo cero.
   a. estaba
   b. estuviera

3. Él está loco. Él se metió en el agua aunque no _____ traje de baño.
   a. tenía
   b. tuviera

4. Él me dijo que nadaría aunque _____ muy fría el agua.
   a. estaba
   b. estuviera

El subjuntivo en cláusulas relativas

A relative, or adjective, clause is a clause that modifies a noun. Observe the following.

Carlos tiene un amigo que habla francés.	*Charles has a friend who speaks French.*
Él lee un libro que es en francés.	*He is reading a book that is in French.*
Carlos busca un amigo que hable español.	*Charles is looking for a friend who speaks Spanish.*
Carlos quiere un libro que sea en español.	*Charles wants a book that is in Spanish.*

Note that the first two sentences describe a definite person or thing. When the noun antecedent modified by the adjective clause is definite, the indicative is used in the adjective clause.

The last two sentences describe an indefinite person or thing. Rather than describing what Charles actually has, it describes something he would like to have. If the noun antecedent modified by the adjective clause is indefinite, the verb in the adjective clause must be in the subjunctive.

Note too that the **a personal** is omitted when the noun is indefinite.

> **Yo conozco a una chica que juega muy bien al béisbol.**
> **Yo necesito una chica que juegue muy bien al béisbol.**

Once again the tense of the verb in the main clause determines the tense of the subjunctive verb in the adjective clause.

> **Carlos buscaba un amigo que hablara español.**
> **Carlos quería un libro que fuera en español.**

Ejercicio 8 Las entrenadoras
Practiquen la conversación.

Sra. Pacheco Necesito una chica que juegue muy bien al béisbol.

Sra. López Pues, tengo una muchacha en mi primera clase que juega muy bien.

Sra. Pacheco Y quiero una chica que también sea muy inteligente.

Sra. López Pues, yo tengo una que es bastante inteligente y que juega muy bien.

Ejercicio 9 Completen según la conversación.

La señora Pacheco está hablando con la señora López. La señora Pacheco le dice a la señora López que ella está buscando una chica que _____ muy bien al béisbol. La señora López conoce a una muchacha que _____ bien. Ella tiene una muchacha en su primera clase que _____ muy bien al béisbol. Pero la señora Pacheco le dice que quiere una muchacha que _____ inteligente también. No hay problema. La señora López tiene una que _____ inteligente y que _____ bien.

Ejercicio 10 Lo que Anita quiere en un amigo

Anita quiere un amigo que. . . .
1. ser sincero
2. tener ojos grandes
3. tener el pelo castaño
4. ser inteligente
5. tocar un instrumento musical
6. jugar al tenis
7. saber esquiar y nadar
8. no vivir lejos

Ejercicio 11 Yo tengo un(a) amigo(a) que . . . . Se llama . . . . ¿Cuál de tus amigos(as) tiene las siguientes características?

1. ser sincero(a)
2. ser inteligente
3. tener ojos negros
4. tener ojos azules
5. tener el pelo castaño
6. tener el pelo rubio
7. tocar un instrumento musical
8. jugar a los deportes
9. vivir cerca
10. saber bailar bien

316

conversación

¿Viste el partido?

Susi	¿Viste el partido de ayer?
Mónica	No. Aunque tenía muchas ganas de verlo, no pude ir.
Susi	Pues, perdiste un juego fantástico.
Mónica	Lo sé. Anita me dijo que el tanto quedó empatado hasta el final del segundo tiempo.
Susi	Sí, quedaban sólo tres minutos cuando Molina metió un gol.

Ejercicio   Contesten.

1. ¿Quién vio el partido?
2. ¿Cuándo tuvo lugar el partido?
3. ¿Mónica quería verlo?
4. ¿Qué perdió Mónica?
5. ¿Qué equipo estaba ganando en el primer tiempo?
6. ¿Qué hizo Molina?
7. ¿En qué tiempo lo metió?

Los deportes en el mundo hispano

Si uno tuviera que decidir cuál es el deporte más popular de todos en la mayoría de los países de habla española, sería necesario escoger° el fútbol. El fútbol tiene más aficionados que cualquier otro deporte en el mundo hispánico. Los jóvenes lo juegan en el parque, en la calle o en el patio de la escuela, y los equipos profesionales lo juegan en los enormes estadios que existen en todas las ciudades. Los partidos nacionales atraen° a muchos aficionados. Miles de espectadores acuden, por ejemplo, al Estadio Nacional en Lima cuando viene la Argentina a jugar contra el Perú. Pero el evento más grande, o sea, más importante es la Copa Mundial. La Copa Mundial tiene lugar cada cuatro años y equipos sudamericanos la han ganado más veces que nadie. En 1978 fue la Argentina pero en 1982 fue Italia.

Como ya hemos dicho el deporte número uno es el fútbol. El béisbol, aunque es un deporte de los Estados Unidos, goza también de bastante popularidad. Pero la popularidad del béisbol se limita a varios países como Puerto Rico, Cuba, la República Dominicana, México, Nicaragua y Venezuela. Es probable que Uds. sepan los nombres de muchos jugadores de nuestras grandes ligas que son de origen hispano. Con tal de que Uds. conozcan el vocabulario del béisbol en inglés, no tendrán ningún problema en comprenderlo en español.

«El bateador bateó un jonrón».

«Valenzuela es un pícher fabuloso».

«Concepción bateó y corrió a la primera base».

En los países hispanos se practican también el tenis y el golf. Sin embargo, estos deportes están reservados a una cierta élite. Por lo general hay que ser miembro de un club o pagar un ingreso° bastante alto para poder jugar en una cancha de tenis o en un campo de golf.

°**escoger** *to choose*   °**atraen** *attract*   °**ingreso** *admission fee*

Aunque la América del Sur es un continente bastante montañoso con la gran cordillera andina, el terreno* es propicio* para el esquí sólo en la Argentina y en Chile. En estos países hay canchas de esquí fabulosas y el deporte tiene muchos aficionados. A muchos americanos les sorprende aprender que también hay muchas canchas de esquí en España, pero así es. A sólo una hora al norte de Madrid hay pistas en la Sierra de Guadarrama. En el sur, en la Sierra Nevada, a sólo unos kilómetros de las playas del Mediterráneo hay también canchas de esquí.

Hablando de las playas, los deportes acuáticos son muy populares en los países hispanos. Si tú miras el mapa del mundo de habla española, verás que casi todas las grandes ciudades están cerca de la costa y por consiguiente cerca de las playas. Como uno no tiene que viajar lejos para llegar al mar, la natación, el esquí acuático, el surfing y, más recientemente, la plancha de vela son deportes populares.

Ejercicio 1 Contesten.

1. ¿Cuál es el deporte más popular en la mayoría de los países hispanos?
2. ¿Dónde juegan al fútbol los jóvenes?
3. ¿Dónde juegan al fútbol los profesionales?
4. ¿Tienen muchos países equipos nacionales?
5. ¿Con qué frecuencia tiene lugar la Copa Mundial?
6. ¿La han ganado muchas veces equipos sudamericanos?
7. ¿La ganó un equipo sudamericano en 1982?
8. ¿Quién la ganó en 1982?

---

terreno land   *propicio* favorable

319

Ejercicio 2 Completen.

1. El béisbol es popular en los siguientes países: _____.
2. Algunos jugadores de origen hispano que juegan con nuestros equipos de las grandes ligas son _____.

Ejercicio 3 *¿Sí o no?*

1. Todo el mundo en los países hispanos practica el golf y el tenis.
2. No cuesta nada jugar al golf ni al tenis.
3. Hay canchas de esquí en todos los países de la América del Sur.
4. El terreno no es propicio para el esquí en muchas partes de la cordillera andina.
5. No se puede esquiar en España.

Ejercicio 4 Contesten.

1. ¿Dónde se puede esquiar en la América del Sur?
2. ¿Dónde se puede esquiar en España?
3. ¿Por qué son muy populares muchos deportes acuáticos en los países hispanos?

Actividades

1 Entrevista

- ¿Cuál es tu deporte favorito?
- ¿Eres aficionado(a) al deporte?
- ¿Eres espectador(a) o participante?
- Tu deporte favorito, ¿es un deporte de individuo o es un deporte de equipo?

2

- ¿Qué es esto?
- ¿Para qué deporte es?
- ¿Para qué campeonato es?
- ¿Cuánto costó la entrada?
- ¿Para qué asiento es?
- ¿En qué sección está?
- ¿Cómo se llaman los equipos?
- ¿Dónde tuvo lugar el partido?

3 Luis Roa quiere aprender a esquiar. Explícale lo que tiene que hacer. Aquí tienes algunas palabras para ayudarte.

los esquís
los bastones
el anorak
la pista
bajar
subir

5 Describa todo lo que Ud. ve en el dibujo.

4 Describa todo lo que Ud. ve en el dibujo.

6 ¿Cuál es su deporte?

- Billie Jean King → *el tenis*
- Roberto Durán
- Nancy López
- Severino Ballesteros
- Guillermo Vilas
- Fernando Valenzuela
- Ángel Cordero
- Pelé
- Alberto Salazar
- Diego Maradona
- Grete Waitz

Revista

Este joven participa en maratones. Es norteamericano de padres cubanos. ¿Quién es?

- ¿En qué ciudad está el equipo de Fernando?
- ¿Cuál es su apellido?
- ¿De dónde es él?
- ¿A qué posición juega?

TEAM MIYATA PROFESIONAL

BICICLETA
IB
MISTER

« LA BICICLETA COMPLETA »

Guillermo Vilas es argentino.
¿Cuál es su deporte?
¿Qué lleva en la mano?

Un anuncio de una revista peruana. Nota el nombre de la bicicleta. ¿Es una palabra española? No. El inglés se usa mucho en la propaganda. ¿Qué otra palabra inglesa usa el anuncio?

El ciclismo es un deporte profesional importante en España y Latinoamérica.

Oechsle

Para deportes tiene todo, toda la vida...

Oechsle

tradición, calidad y elegancia

Esta tienda vende artículos para el baloncesto, el fútbol, ¿y qué más? Pues hay **pesas** para levantar y una **cuerda** para saltar y unos **resortes** para hacer ejercicio. ¿Puedes identificarlos? ¿Tú los usas?

SASTRERIA DE SPORT

Moisés Sancha, s. a.

ROPA Y CALZADO PARA CAZA
EQUITACION

TRAJES CORTOS ESPAÑOLES
ZAHONES · BOTOS CAMPEROS

Nuevo domicilio:
POSTAS, 18

Teléfono 266 50 70

Esta tienda también vende artículos de deporte. ¿Para qué deportes? ¿Quién ha sido uno de sus clientes famosos?

Esto no saldrá barato. ¿Quiénes serán los miembros de este club de tenis en Puerto Vallarta, México? ¿Qué crees que está al otro lado de la tarjeta postal?

JOHN NEWCOMBE TENNIS CLUB VALLARTA

¿Cómo adquirir una membresía residencial?

Nombre _____

Dirección _____

☐ Por correo

☐ Por teléfono

20 Las fiestas

Durante la fiesta

La gente **baila** en la calle.
Llevan **máscaras** y **disfraces**.
Todos **arman un jaleo**.

**Se dispara
un cohete.**

Los toros siguen a **los cabestros**.
Los toros se quedan con **la manada**.
El joven lleva **una faja** y **un pañuelo**.

Ejercicio 1   Contesten.

1. ¿Dónde baila la gente?
2. ¿Qué llevan en la cara?
3. ¿Qué se ha disparado?
4. ¿Qué animales están siguiendo a los cabestros?

5. ¿Cómo se llama un grupo de toros?
6. ¿Cómo se llaman los animales que van con los toros?
7. ¿Qué lleva el muchacho en el cuello?
8. ¿De qué color es la faja que lleva?

Ejercicio 2   Escojan.

1. Quítese la _____; quiero verle la cara.
   a. máscara
   b. faja

2. Los toros corren juntos en _____.
   a. un jaleo
   b. una manada

3. En la manada hay toros y _____.
   a. cohetes
   b. cabestros

4. Los jóvenes llevan _____ en el cuello.
   a. una faja
   b. un pañuelo

5. Los jóvenes llevan _____ en la cintura.
   a. una faja
   b. un pañuelo

6. Ellos van a _____ un cohete.
   a. disparar
   b. bailar

7. ¡Cuánto ruido! ¡Qué música! ¡Qué _____!
   a. arma
   b. jaleo

324

Ejercicio 3 Completen.

1. Los _____ andan en la manada con los toros.
2. Durante las fiestas las bandas tocan música y la gente _____.
3. Algunas personas llevan _____ de animales o monstruos en las fiestas.
4. A veces las personas ponen una _____ para que nadie las reconozca.
5. Dispararon el _____ y subió más de cincuenta metros.
6. Todo el mundo está gritando, cantando y bailando. ¡Qué _____!

Estructura

El subjuntivo en cláusulas adverbiales de tiempo

Study the following adverbial time expressions.

cuando	*when*
en cuanto	*as soon as*
tan pronto como	*as soon as*
hasta que	*until*
después de que	*after*

Observe the following sentences.

Future	*Past*
Yo lo veré cuando esté aquí.	**Yo lo vi cuando estaba aquí.**
Iremos a Pamplona tan pronto como llegue mi primo.	**Fuimos a Pamplona tan pronto como llegó mi primo.**
Los saludaré en cuanto bajen del tren.	**Los saludé en cuanto bajaron del tren.**

Note that whenever the action of the sentence is in the past, the indicative follows the adverbial expression, or conjunction, of time. The indicative is used because the verb tells what in reality happened. When the action of the sentence is in the future, however, the subjunctive must be used after the adverbial conjunction of time. The subjunctive is used because the action has not actually occurred. It may take place and it may not.

Ejercicio 1 Contesten.

1. ¿Verás a tu primo cuando baje del tren?
2. ¿Irás a Pamplona en cuanto llegue tu primo?
3. ¿Estarán Uds. en Pamplona hasta que terminen las fiestas?
4. ¿Viste a tu primo cuando bajó del tren?
5. ¿Fuiste a Pamplona en cuanto él llegó?
6. ¿Estuvieron Uds. en Pamplona hasta que terminaron las fiestas?

Ejercicio 2 ¿Cuándo irás?

Iré tan pronto como ellos me . . . .

1. pagar
2. llamar
3. invitar
4. escribir

Ejercicio 3 ¿Cuándo fuiste?

Fui en cuanto ellos me . . . .
1. pagar
2. llamar
3. invitar
4. escribir

Ejercicio 4 ¿Tocarán los músicos?

Sí, tocarán después de que tú les . . . .
1. obligar
2. pagar
3. hablar
4. dar el contrato

Ejercicio 5 ¿Tocaron los músicos?

Sí, tocaron después de que tú les . . . .
1. obligar
2. pagar
3. hablar
4. dar el contrato

Ejercicio 6 No, no, todavía no.
Completen.

1. No cruzaste la calle hasta que pasaron los toros, ¿verdad?
   No, no. Es que no cruzaré la calle hasta que . . . .
2. Ruiz cantará tan pronto como comience la música, ¿verdad?
   No. Es que Ruiz cantó tan pronto como . . . .
3. Uds. van a correr cuando disparen el cohete, ¿no?
   No, no. Es que corrimos cuando . . . .
4. Los toros se quedaron con la manada después de que abrieron los corrales, ¿no?
   No, no. Es que los toros se quedarán con la manada después de que . . . .

El subjuntivo con *antes de que*

The adverbial conjunction **antes de que** (*before*) is a complete exception. **Antes de que** is always followed by the subjunctive.

> **Él saldrá antes de que Uds. vuelvan.**
> **Él salió antes de que Uds. volvieran.**

Note that the present subjunctive is used after **antes de que** when the verb of the main clause is in the future. The imperfect subjunctive is used after **antes de que** when the verb of the main clause is in the past or conditional.

Ejercicio 7 Ayer y mañana en la fiesta
Contesten.

1. ¿Bailarán Uds. antes de que se vayan los músicos?
2. ¿Bailaron Uds. antes de que se fueran los músicos?
3. ¿Ellos tocarán antes de que llegue la medianoche?
4. ¿Ellos tocaron antes de que llegara la medianoche?
5. ¿Saldrás a la calle antes de que disparen el cohete?
6. ¿Saliste a la calle antes de que dispararan el cohete?
7. ¿El toro se quedará con la manada antes de que comience la corrida?
8. ¿El toro se quedó con la manada antes de que comenzara la corrida?
9. ¿Podré quitarme el disfraz antes de que termine el baile?
10. ¿Podría quitarme el disfraz antes de que terminara el baile?

El subjuntivo con *ojalá, tal vez, quizá(s)*

The expression **ojalá** (*would that, I wish*) and **quizá(s)** (*perhaps*) are always followed by the subjunctive.

¡Ojalá que todos se diviertan durante las fiestas!
¡Ojalá que vinieran!
Quizá(s) vayamos al baile.

The expression **tal vez** (*perhaps, maybe*) can be followed by either the subjunctive or the future tense of the indicative.

Tal vez vayamos al baile.
Tal vez iremos al baile.

Ejercicio 8 Esperamos a Adela.
Contesten según el modelo.

¿Va a venir Adela a la fiesta?
¡Ojalá que venga!

1. ¿Va a estar Adela?
2. ¿Va a llegar mañana?
3. ¿Va a cantar?
4. ¿Va a bailar?
5. ¿Va a ir a la corrida?

Ejercicio 9 ¿Antonio viene también?
Contesten según el modelo.

¿Viene Antonio?
No sé. Quizá venga.

1. ¿Viene Antonio en tren?
2. ¿Llega mañana?
3. ¿Va al desfile?
4. ¿Toma parte en el desfile?
5. ¿Vuelve a casa pasado mañana?

conversación

«La semana americana»

Americano Paco, ¿me dices que tienes que trabajar los sábados?

Español Ay, sí. ¡Ojalá que yo tuviera los sábados libres!

Americano Nosotros casi nunca trabajamos los sábados.

Español Yo lo sé. Es lo que llamamos «la semana inglesa o americana.» Uds. tienen el fin de semana libre.

Americano Es probable que Uds. trabajen más días que nosotros.

Español Pues, no. Yo no diría eso. Antes de que tú creas eso, es necesario que yo te explique algo.

Americano Pues, hombre. ¡Dime! ¡Explícame!

Español La verdad es que nosotros también tenemos bastantes días libres. Aquí tenemos muchas fiestas—y los días festivos no trabajamos.

Ejercicio Contesten.

1. ¿Qué le dijo el español al americano?
2. ¿Qué quisiera el español?
3. ¿Qué día es raro que trabajen los americanos?
4. ¿Cómo se llama la semana de cinco días laborables?
5. ¿Cree el americano que los españoles trabajan más o menos días que los americanos?
6. ¿Está de acuerdo el español?
7. ¿Cuáles son los días libres que tienen los españoles?
8. ¿Qué hacen los españoles los días festivos?

328

Las fiestas en los países hispanos

En los países hispanos hay muchas fiestas durante el año. Aunque la mayoría de la gente trabaja los sábados, no trabajan los días festivos. Así, ellos también disfrutan de bastantes días libres en un año. Muchas de estas fiestas son religiosas. Casi todas las ciudades y aldeas° tienen su santo patrón. Siempre hay una fiesta en honor del santo patrón. Algunas fiestas duran° sólo un día y otras duran una semana o más. ¿Cuáles son algunas de estas fiestas?

¿Has oído hablar del Carnaval en Nueva Orleans en Luisiana? Pues, el carnaval se celebra también en casi todos los países hispanos. ¿Qué quiere decir «carnaval»? Viene del latín y significa «adiós, carne». Y así era. Durante la cuaresma° la gente no podía o no debía comer carne. Antes de que empezara la cuaresma, o los cuarenta días de penitencia, la gente quería divertirse. Sabían que en cuanto empezara la cuaresma no cantarían, no bailarían, no se divertirían. Así durante los tres días antes del miércoles de ceniza° todos se dedicaban al placer. Así era y así es.

°**aldeas** *villages*   °**duran** *last*   °**cuaresma** *Lent*   °**miércoles de ceniza** *Ash Wednesday*

329

Durante el carnaval todos andan por las
calles. Van de juerga* y arman un jaleo.
Cantan y bailan. Pero cuando bailan llevan
máscaras y disfraces. Así pueden hacer lo que
les dé la gana sin que nadie los reconozca.
Son tres días de alegría cuando todos pueden
olvidar sus problemas. En cuanto empiece la
cuaresma se arrepentirán.*

Es el mes de julio y estamos en el pueblo
de Pamplona, Navarra, en el norte de
España. Todos están cantando:

*Uno de enero, dos de febrero
Tres de marzo, cuatro de abril,
Cinco de mayo, seis de junio
Siete de julio, San Fermín.
A Pamplona vamos ya
A Pamplona a ver el encierro.*

Lo dice todo la canción. Empiezan las fiestas de San Fermín en honor del santo
patrón. En cuanto llegue el siete de julio el tranquilo pueblo de Pamplona se
llenará de* gente. De Navarra, de España, de todas partes llegarán. Vendrán a ver
el encierro. Pero, ¿qué es el encierro?

Van de juerga   *They go on a spree*   *se arrepentirán*   *they will repent*
se llenará de   *will fill with*

330

Durante los siete días de fiesta, a las seis de la mañana se dispara un cohete. Las calles se llenan de jóvenes. Todos llevan un pantalón blanco y una camisa blanca con una faja roja y un pañuelo rojo. Van a correr por la calle. ¿Y qué? ¿Por qué es tan interesante o tan divertido que los jóvenes vestidos de blanco y rojo corran por una calle? Pues, corren por la calle de la Estafeta. Ellos van delante. ¿Y quiénes los siguen? ¡Los toros! Los toros que se van a lidiar* en la corrida de la tarde corren por la calle tras* los jóvenes hasta que todos, o casi todos, lleguen a la plaza de toros. ¿Es peligroso? Claro que puede ser peligroso. Pero, por lo general los toros se quedan con los cabestros. Si se quedan con la manada, la verdad es que no les hacen mucho caso a los jóvenes. Pero cuando un toro se separa de la manada se pone desorientado. Atacaría a cualquier joven como si fuera el matador en la plaza. ¿Qué opinas? ¿Tienes ganas de correr en el encierro?

Ejercicio 1 Escojan.

1. ¿Qué ocurre los sábados en los países hispanos?

    a. Casi todos los sábados son días festivos.
    b. Hay muchas fiestas los sábados.
    c. La gente tiene que trabajar.

2. ¿Por qué hay muchos días libres en el año en los países hispanos?

    a. Porque hay muchos días festivos en el año.
    b. Porque no tienen que trabajar los sábados.
    c. Porque disfrutan de los días festivos.

---

* **se van a lidiar** (*the bulls that*) *will be fought*   * **tras** *behind*

3. ¿Qué tienen los pueblos grandes y pequeños?
   a. Un santo patrón.
   b. Días de fiesta los sábados.
   c. Fiestas que duran sólo un día.

4. ¿En qué ciudad norteamericana se celebra carnaval?
   a. En Louisville.
   b. En Nueva Orleans.
   c. En todas las ciudades norteamericanas.

5. ¿Qué significa «carnaval» en latín?
   a. Una despedida a la carne.
   b. Que la carne valía mucho.
   c. La importancia del ganado.

6. ¿Qué es la cuaresma?
   a. Cuarenta días cuando la gente se divierte.
   b. Los primeros días del carnaval.
   c. Un período de penitencia.

7. ¿Qué comienza el miércoles de ceniza?
   a. El carnaval.
   b. La cuaresma.
   c. El placer.

8. Durante carnaval, ¿qué hace la gente en la calle?
   a. Cantan y bailan.
   b. Hacen penitencia.
   c. Andan de iglesia en iglesia.

9. ¿Por qué llevan disfraces?
   a. Para que nadie sepa quiénes son.
   b. Para ser más guapos o bonitas.
   c. Para reconocer a los amigos.

10. Por lo general, ¿cuánto tiempo dura carnaval?
    a. Menos de una semana.
    b. Solamente un miércoles.
    c. Cuarenta días.

Ejercicio 2   Contesten.

1. ¿Dónde está Pamplona?
2. ¿Quién es el santo patrón de Pamplona?
3. ¿Cuál es el día del santo patrón de Pamplona?
4. Durante las fiestas de San Fermín, ¿por dónde corren los toros?
5. ¿Hasta dónde corren?
6. ¿Qué llevan los jóvenes que corren con los toros?
7. ¿Cuándo puede ser peligroso un toro en el encierro?

1 Entrevista

- ¿Tiene tu pueblo un santo patrón? ¿Celebran las fiestas patronales?
- En tu pueblo o ciudad, ¿celebra la gente una fiesta nacional? ¿Cuál es? ¿Fuiste alguna vez a la fiesta?
- Durante la fiesta, ¿había competencias de atletismo? ¿Había un desfile? ¿Había cohetes? ¿Había fuegos artificiales? ¿Bailaba la gente por las calles? ¿Llevaba máscara la gente?
- Y en tu pueblo o ciudad, ¿hay una fiesta regional? ¿Qué hace la gente durante la fiesta?

2

- ¿Qué fiesta se celebra en Puerto Rico el 25 de junio? (Tiene algo que ver con el nombre de la capital.)
- ¿Qué se celebra en los Estados Unidos el 4 de julio?
- ¿Qué se celebra en los Estados Unidos el primer lunes de septiembre?
- ¿Qué se celebra en Francia el 14 de julio? (Tiene algo que ver con la revolución francesa.)

3 Describa Ud. todo lo que ve en el dibujo.

4 Describa Ud. todo lo que ve en el dibujo.

Revista

San Fermín sin muerte

PAMPLONA, España.--Tras ocho días de incesante bailar y beber alcohol, los mozos de esta ciudad cantaban ayer la tradicional canción "Ay, pobre de mí" que marca el final de las fiestas anuales de San Fermín y la corrida de toros por las calles en un rito popular cuyos orígenes se remontan al año 1591. Pero antes de ira a sus casas a dormir, cientos de jóvenes corrieron delante de los seis toros bravos del encierro final hasta la plaza donde los astados perderían la vida más tarde ayer.

Este año, un solo hombre resultó corneado: Stephen Townsend, un militar estadounidense, fue herido de gravedad pero se le salvo la vida mediante, entre otras cosas, no menos de 10 transfusiones de sangre.

Otros 35 mozos debieron recibir atención médica por causa de fracturas y hematomas padecidas tratando de eludir los cuernos taurinos.

EN ESTE siglo, han muerto 12 hombres corriendo los toros por las calles de Pamplona en las fiestas de San Fermín. Los heridos leves suman centenares.

Por costumbre, solo se permite a hombres correr las calles en este festival. Pero el embate femenino no cesa, y hay mujeres locales que dicen que intentarán permanentemente se les permita correr con los mozos, desafiando la muerte.

Los sanfermines son muy alegres pero son peligrosos. ¿Cuántos murieron el año de la noticia? Uno resultó gravemente herido. ¿Quién fue y de dónde era él? ¿Cuántos han muerto corriendo en el encierro de Pamplona en este siglo?

Quiroga, México

Guadalajara, México

Fiestas patronales en un pueblecito y en una ciudad. ¿Qué diferencias notas en los trajes y en los disfraces? ¿Cuáles serán más caros, los disfraces que llevan en Guadalajara o en Quiroga?

Un rodeo en la ciudad minera de Rancagua, Chile. Los *cowboys* de Chile son «huasos». En Chile no hay corridas de toros. Durante las fiestas se dan rodeos. ¿En qué van montados los huasos? ¿Qué corre delante de ellos?

CARNAVAL

España

Venezuela

¡Cuántos colores! ¿Qué lleva esta venezolana en la cabeza? ¿Será ella la reina del carnaval en su ciudad? ¿Se celebra carnaval donde tú vives?

Esta señorita lleva una máscara. ¿De qué está disfrazada ella?

San Miguel es el patrón de Las Rozas.

En las grandes ciudades las fiestas patronales son grandes. En los pueblos pequeños son pequeñas pero no menos alegres. ¿Cuántos músicos hay en la banda del pueblo de Las Rozas? ¿Qué instrumentos tocan ellos? ¿Llevan uniforme?

Repaso

¿Vamos o no?

Carlos ¿Prefieres salir o quedarte en casa?
Diego Prefiero que tú digas lo que quieres hacer.
Carlos Es mejor que alguien decida.
Diego Bueno, yo quiero ir a comer en un restaurante.

Ejercicio 1 Contesten.

1. ¿Qué le pregunta Carlos a Diego?
2. ¿Qué prefiere Diego?
3. ¿Qué cree Carlos que es mejor?
4. ¿Qué quiere hacer Diego?

El infinitivo y el subjuntivo

With verbs or expressions that require the subjunctive, the subjunctive is used only when there is a change of subject in the dependent clause. When there is only one subject, the infinitive is used.

> **Yo quiero salir.**
> **Quiero que ellos salgan.**

Ejercicio 2 Un poco de práctica
Cambien las oraciones según se indica.

Juan prefiere salir hoy. **tú**
Juan prefiere que tú salgas hoy.

1. Yo quiero comer. **los niños**
2. Es imposible ganar. **el equipo**
3. ¿Tú quieres llamar? **él**
4. El doctor sugiere dormir. **el paciente**
5. No queremos comenzar. **ella**
6. Ella desea terminar. **nosotros**
7. ¿Temen Uds. conducir? **Paco**
8. Tengo miedo de caer. **el niño**

Mamá y papá no querían.

Martina Mamá no quería que yo trabajara.
Dora Papá también prohibió que yo buscara empleo.
Martina Era difícil que mamá cambiara de opinión.

Ejercicio 3 Contesten.

1. ¿Qué no quería la madre de Martina?
2. ¿Qué prohibió el padre de Dora?
3. ¿Qué era difícil?

El imperfecto del subjuntivo

Review the forms of regular verbs in the imperfect subjunctive.

Infinitive	hablar	comer	vivir
yo	hablara	comiera	viviera
tú	hablaras	comieras	vivieras
él, ella, Ud.	hablara	comiera	viviera
nosotros, -as	habláramos	comiéramos	viviéramos
(vosotros, -as)	(hablarais)	(comierais)	(vivierais)
ellos, ellas, Uds.	hablaran	comieran	vivieran

To form the root of the imperfect subjunctive of all verbs, the ending of the third person plural preterite **-ron** is dropped and the appropriate imperfect subjunctive endings are added.

Infinitive	*Third person plural preterite*	*Imperfect subjunctive*
hablar	hablaron	hablara
comer	comieron	comiera
vivir	vivieron	viviera
pedir	pidieron	pidiera
dormir	durmieron	durmiera
andar	anduvieron	anduviera
hacer	hicieron	hiciera
decir	dijeron	dijera
leer	leyeron	leyera
ir, ser	fueron	fuera

The same rules that govern the use of the present subjunctive also govern the use of the imperfect subjunctive. The tense of the verb in the main clause determines whether the present or imperfect subjunctive is to be used in the dependent clause. Observe the following sequence of tenses.

Present / Future } Present Subjunctive

Preterite / Imperfect / Conditional } Imperfect Subjunctive

Él quiere que yo vaya.
Él querrá que yo vaya.

Él quería que yo fuera.
Él querría que yo fuera.

Ejercicio 4 Un poco de práctica
Sigan el modelo.

¿Roberto vino ayer?
No, aunque yo quería que viniera ayer.

1. ¿Los «Huracanes» ganaron?
2. ¿Uds. recibieron el cheque?
3. ¿Ramona vendió la casa?
4. ¿El maestro estuvo contento?
5. ¿Luis dijo la verdad?
6. ¿Yo lo hice bien?

Usos del subjuntivo
Con cláusulas adverbiales, con *aunque* y en cláusulas con *si*

Review the conjunctions that are followed by the subjunctive in the dependent clause.

para que	*so that*
de manera que	*so that*
de modo que	*so that*
con tal de que	*provided that*
sin que	*without, unless*

Remember that **aunque** can be followed by either the subjunctive or the indicative. If there is doubt expressed in the verb following **aunque,** the subjunctive is used. If there is no doubt, the indicative is used. For example:

Ganaremos aunque Gómez no pueda jugar.	(It is not known if he will be able to play.)
Ganaremos aunque Gómez no puede jugar.	(It is known that Gomez is not able to play.)

Review the sequence of tenses for **si** clauses.

Verb in main clause	Verb in *si* clause
Present ⎱ Future ⎰	Present indicative
Conditional	Imperfect subjunctive

Remember that the present subjunctive is *never* used after **si.**

Ejercicio 5 Un poco de práctica
Completen.

1. Jugaremos con tal de que tú _____ también.
2. Ellos no volverán sin que nosotros _____ también.
3. Yo abriré una cuenta de manera que Uds. _____ una cuenta también.
4. Uds. comenzaron temprano para que nosotros _____ temprano también.
5. Pablo trajo comida para que tú _____ comida también.

Ejercicio 6 Completen.

1. Bernardo ganó el premio gordo. Aunque _____ mucho dinero, él no ha cambiado. **recibir**
2. Es posible que no haya nieve. Pero aunque no _____, iremos al monte. **nevar**
3. Aunque Don Luis me _____ bien, nunca me hace un favor. **conocer**
4. Aunque ellos _____ muy tarde, todavía fueron al baile. **llegar**
5. Volveremos hoy aunque _____ que caminar mil kilómetros. **tener**

Ejercicio 7 No lo hago solito.
Contesten con *Sí, si tú . . . conmigo.*

1. ¿Tú irías?
2. ¿Tú vas?
3. ¿Tú lo harías?
4. ¿Tú sales?
5. ¿Tú conducirías?

Ejercicio 8 Sólo si Ramón lo hace
Contesten con *Sí, si Ramón . . . también.*

1. ¿Ellos lo compran?
2. ¿Ellos comenzarían?
3. ¿Ellos jugarán?
4. ¿Ellos correrán?
5. ¿Ellos podrían ir?

Ejercicio 9 Completen.

Antes de que tú _____ (terminar) este libro, quisiéramos decirte unas palabras. Quizás tú _____ (encontrar) un poco difícil el curso, de vez en cuando. Y tal vez el español no _____ (ser) siempre tu curso favorito. Pero cuando un día tú _____ (poder) hablar con los mexicanos, españoles y otros millones de hispanos, estarás contento(a). Tan pronto como tú _____ (saber) bastante para conversar con la gente, el español será un placer. Hace años, cuando tú _____ (comenzar) a estudiar español, no podías decir nada. Para que uno _____ (poder) hablar bien es necesario practicar mucho. Ahora sí que entiendes y hablas. Ojalá que tú _____ (disfrutar) del idioma y que el español te _____ (ser) útil en el futuro. Hasta que tú y nosotros nos _____ (conocer), recibe un fuerte abrazo de los autores.

Lectura cultural
opcional

el banco

el cortijo

el conde

la paloma

el obispo

Paloma

Paloma García de Sotomayor era hija de don Rufino García Altanero y doña Prudencia de Sotomayor Oliver de García. La familia de doña Prudencia, los de Sotomayor, sirvieron a los Reyes Católicos durante la Reconquista. Ellos habían sido generales y almirantes, obispos y cardenales. En cualquier libro de la historia de España aparece varias veces el nombre de Sotomayor. La familia de don Rufino no era noble. Y no hay ningún libro de historia en donde figura la familia de don Rufino. Pero su nombre sí figuraba en las listas de directores de bancos, fábricas y comercios. Don Rufino era muy, muy rico. Si no, no se habría casado con doña Prudencia. Pero si tuvieran que escoger entre rico y noble, escogerían rico. Porque con todo su linaje, los de Sotomayor habían venido a menos.* Lo único que les quedaba eran sus tierras en Salamanca y el cortijo. Los toros de Sotomayor eran tan nobles como la familia. Siempre aparecían en las grandes corridas—en la Feria de Sevilla, en los sanisidros en Madrid y en los sanfermines de Pamplona. Los toros de los de Sotomayor les traían mucha fama y muy poco dinero. Los de Sotomayor eran magníficos ganaderos y terribles negociantes.*

Don Rufino se enamoró de Prudencia la primera vez que la vio. Ella reconoció en él la salvación de la familia. Y se casaron. El matrimonio fue un negocio ideal: la unión de una de las familias más nobles con una de las más ricas. El fruto de esa unión fue Paloma. ¡Qué preciosidad de niña! Los padres se reventaban de orgullo. No era bella sólo de cara y cuerpo, sino también de carácter.

---

habían venido a menos   *had become poorer*   *negociantes*   *dealers, merchants*

340

La familia pasaba los veranos en el cortijo.
Allí la niña aprendió a montar a caballo. El
mayoral,° Domingo Romero, la llevaba por todo
el cortijo con su hijo Paquito. Los tres iban a
caballo y observaban el trabajo del cortijo.
Paquito era un niño muy serio. Tenía la misma
edad que Paloma pero parecía un hombre.

La niña siempre se vestía de negro en el
cortijo. El traje corto, las botas, el sombrero y
los guantes, todos eran negros. La niña tenía el
pelo y los ojos negros también.

Durante la primavera, el otoño y el invierno,
Paloma y su familia se quedaban en Madrid.
Casi todos los días la niña iba al Retiro.° Se
sentaba en el mismo banco, miraba el lago y
daba de comer a las palomas. Las palomas la
conocían. Cuando ella llegaba las palomas la
rodeaban. Ella se sentaba y pensaba en el
cortijo, en el señor Romero y en Paquito.

Si uno comprendiera el amor podría evitar
muchos dolores. En fin, aunque comprendiéramos,
haríamos lo mismo, igual que Paquito y
Paloma. A los diez años se enamoraron, a los
trece años se dieron cuenta de su amor, y a los
quince años se declararon el amor.

Durante tres meses del año Paloma estaba con su amor. Durante nueve meses
ella les contaba a los pajaritos del Retiro las maravillas de su Paquito. ¡Qué guapo
era! ¡Y qué bravo! Ella le vio una vez torear una vaquilla.° ¡Qué valiente! —Si Dios
quiere, un día seré torero—le dijo un día Paquito. Ella se lo contaba todo a las
palomas. Y ellas le contestaban dulcemente—«currucucú, currucucú».

Era un amor imposible. Ellos lo sabían. ¿Cómo iba a casarse el hijo del mayoral
con la hija de un millonario? Si él fuera millonario o conde o duque, quizás podrían
casarse. Pero él no tenía ni título ni dos perras gordas.°

Tenía la bella Paloma dieciocho años cuando entró en la casa una tarde don
Rufino:

—¡Prudencia! ¿A que no sabes quién quiere casarse con nuestra hija? Romualdo
Martín. El hijo de don Fernando Martín, el industrialista. ¡Qué suerte! El muchacho
es inteligente, buen mozo y millonario veinte veces.

Paloma miró a su padre y se convirtió en un mar de lágrimas.° Pero obedeció a
su padre. En mayo Paloma y Romualdo se casaron. Paquito no fue a la boda. Aquel
día toreaba en Valencia.

°**mayoral**   *ranch foreman*   °**Retiro**   *park in Madrid*   °**vaquilla**   *young cow*
°**perras gordas**   *old Spanish coins of little value*   °**lágrimas**   *tears*

Pocos días después de la boda Paloma desapareció. No dejó ninguna nota. Nadie pidió rescate.˚ Desapareció sin dejar rastro.˚ Ni la policía ni Interpol ni los millones de su marido y de su padre pudieron encontrarla.

Paquito triunfó en Valencia. Triunfó en todas las grandes capitales de la península. Él llegó a ser el «Número uno». Pero nunca llegó a ser feliz.

Una tarde de otoño él andaba solo por las calles de Madrid. Cansado de tanto andar, entró en el Retiro. Se sentó a descansar. En seguida los pájaros vinieron a buscar comida. Él no tenía nada. Pronto los pájaros se fueron . . . menos uno. Se le acercó a Paquito una paloma totalmente negra. Ella lo miraba. «Currucucú» cantaba con voz suave y dulce.

Paco Romero volvió al Retiro el día siguiente. Volvió todos los días que estaba en Madrid. Y nunca supo por qué.

Ejercicio 1 Pareo

1. hijo de un señor muy rico
2. su familia era noble pero no rica
3. su responsabilidad era el cortijo
4. era rico y se casó con una señora noble
5. el señor cuyo hijo se casó con Paloma
6. la persona que desapareció
7. el torero
8. la persona que siempre daba de comer a los pájaros del Retiro
9. ella se casó para salvar a su familia
10. él pensaba en el matrimonio como negocio
11. el mayoral

a. Paloma
b. Prudencia
c. Rufino
d. Paquito
e. Romualdo
f. Domingo Romero
g. Fernando Martín

˚**rescate** *ransom*   ˚**rastro** *trace*

Ejercicio 2   Escojan.

1. Los de Sotomayor, además de otras cosas, eran _____.
   a. mayorales
   b. ganaderos
   c. industrialistas
   d. toreros

2. Paquito no creía posible casarse con Paloma porque él no era ni rico ni _____.
   a. valiente
   b. joven
   c. noble
   d. guapo

3. Por fin Paloma se casó con _____.
   a. un industrialista viejo y rico
   b. un matador de toros
   c. un famoso ganadero de Salamanca
   d. un muchacho, hijo de un señor rico

4. La joven Paloma pasaba _____ en el cortijo.
   a. los otoños
   b. los inviernos
   c. las primaveras
   d. los veranos

5. Cuando su padre le habló de Romualdo, Paloma _____.
   a. se puso muy feliz
   b. lloró
   c. salió de casa
   d. dijo que no se casaría con él

Ejercicio 3   Completen.

1. Durante la Reconquista los de Sotomayor sirvieron a los _____ _____.
2. El nombre de don Rufino se encontraba en listas de directores de _____.
3. Don Rufino pudo casarse con doña Prudencia porque él era _____.
4. Los de Sotomayor habían venido a _____.
5. Los de Sotomayor tenían un _____ en Salamanca.
6. Domingo Romero era el _____ de la ganadería.
7. El Interpol trató de encontrar a _____.
8. _____ _____ se casó con Paloma.
9. El color que se relaciona con Paloma es _____.
10. En el Retiro Paloma hablaba con los _____.

Ejercicio 4   ¿Qué opinas?

1. ¿Qué crees tú que le ha pasado a Paloma?
2. ¿Por qué se casó ella con Romualdo si no quería?
3. ¿Don Rufino hizo bien o mal cuando casó a su hija con Romualdo?
4. ¿Por qué no hizo nada Paquito?
5. ¿Esa situación podría ocurrir en los Estados Unidos o en el Canadá? ¿Por qué sí o por qué no?
6. ¿Qué harías tú si fueras Paloma o Paquito?
7. ¿Es solamente en España donde alguna gente se casa por el dinero? ¿Qué crees tú?
8. ¿Por qué volvía Paquito al Retiro después de la primera tarde?

Algunas figuras de la Revolución Mexicana de 1914
¿Dónde está Pancho Villa? ¿Y Francisco Madero?

Gregorio López y Fuentes nació en Huasteca, estado de Veracruz, México en 1895, hijo de un agricultor. Estudió para maestro en la Escuela Normal de Maestros en la Ciudad de México. López y Fuentes estudiaba en la capital cuando el general Huerta traicionó al Presidente Madero. Más tarde el autor tomó parte en la revolución.

Entre las obras más importantes de este autor figuran *Campamento* (1934), *Mi General* (1934), *El Indio* (1935), y la obra de la cual viene el fragmento que sigue, *Tierra* (1932). Un famoso crítico literario mexicano dijo, refiriéndose a *Tierra*: —Es la mejor novela que hasta hoy se ha producido inspirada en el agrarismo o zapatismo. Gregorio López y Fuentes murió en 1966.

La revolución mexicana se dividió en tres grandes sectores, cada uno con un caudillo° que dio su nombre a su grupo: Venustiano Carranza—a los carrancistas; Francisco Villa—a los villistas y Emiliano Zapata—a los zapatistas. El fragmento que sigue viene de la novela *Tierra*. Aunque forma parte de la novela, es una fiel° historia de lo que pasó en la hacienda de Chinameca el 10 de abril de 1919.

° **caudillo** *chief, leader* ° **fiel** *faithful*

Emiliano Zapata iba a la hacienda para cenar allí con el coronel Jesús María Guajardo. Guajardo era del partido del general Venustiano Carranza. Guajardo quería convencer a Zapata que él quería unirse a los zapatistas y dejar a Carranza. Para esto permitió fusilar a 59 de sus jefes y oficiales, gente que Zapata consideraba traidores. Al día siguiente, el 11 de abril, don Venustiano Carranza felicita al jefe de Guajardo, el general Pablo González, y dice que dará una promoción a Guajardo más un regalo de 50 mil pesos por su magnífica labor.

Tierra

1ª parte

La casa de la hacienda, en Chinameca, es como muchas casas de hacienda en el Estado de Morelos: verdaderas trampas° o, mejor dicho, verdaderas fortalezas.° Caserón° enorme de buenas paredes. Un portal inmenso. Habitaciones para el patrón, para el administrador, para los empleados y para las visitas . . . Y frente a la casa un espacio cuadrangular, tan grande, que en él se hace el mercado.

En Chinameca esperaba Guajardo al General Zapata. Dentro de la casa estaban los soldados en los más escondidos° lugares. A la vista de quien llegara no había más que seis hombres armados en cada una de las puertas. Cerca del corredor estaba un corneta.°

Se acercaba la hora de la comida. Había como cierta impaciencia en Chinameca. El General Zapata ya tardaba. De pronto llegó un emisario. No se le permitió entrar al patio. Alguien dijo que el general se acercaba.

En verdad, pocos minutos después comenzó a llegar la escolta° del general. No se les permitió a estos hombres tampoco entrar al patio. Los soldados tenían órdenes de no dejarlos pasar, pues había que hacer los honores al jefe. El general entraría por la puerta derecha. Los seis soldados estaban formados impecablemente, en actitud de firmes.°

Emiliano Zapata

°**trampas** *traps* °**fortalezas** *fortresses* °**Caserón** *Large house* °**escondidos** *hidden*
°**corneta** *bugler* °**escolta** *escort* °**actitud de firmes** *at attention*

345

Los carrancistas capturan a los villistas—1915

El general venía en la retaguardia.° Los primeros en llegar echaron pie a tierra. Ellos no sospechaban nada. Había hombres de la escolta sentados tranquilamente en sus caballos. Otros habían quitado la silla. Otros ya estaban descansando en la hierba, bajo los árboles.

Apareció el jefe. Se le conocía a distancia por lo alto de su caballo, por sus grandes bigotes y por algo que siempre ofrecen los que acompañan a un caudillo.

Aún faltaban veinte metros para llegar a la puerta y el corneta comenzó a tocar «marcha de honor». El jefe era recibido como debía ser, con todos los honores. En cuanto sonó la corneta, el cabo° ordenó con voz enérgica:

—Presenten . . . ¡armas!

El caballo se adelantó. Clavaba hacia adelante las pequeñas orejas, todo nervioso, todo electrizado con el toque de la corneta. Los soldados seguían presentando armas. La mano izquierda a la mitad del cañón.° La derecha, un poco más abajo del guardamonte.° Las cabezas rectas.° La punta del cañón entre las cejas° . . .

El general había avanzado cinco metros más allá de la puerta, ya dentro del patio. Entonces los seis soldados que presentaban armas hicieron un pequeño movimiento. Ellos dejaron caer los cañones en un ángulo agudo. Y se escuchó una descarga.°

°**retaguardia** *rearguard*   °**cabo** *corporal*   °**cañón** *barrel (of a gun)*
°**guardamonte** *trigger guard*   °**rectas** *straight*   °**cejas** *eyebrows*   °**descarga** *discharge*

El general Zapata, violentamente, intentó virar al caballo, tal vez con la idea de salir de la trampa. Pero él se quedó a la mitad del movimiento cayendo al suelo. El animal salió corriendo.

El cabo se acercó al general. Con la carabina* le dio el tiro de gracia.*

****

Pusieron el cadáver en una mula. Los pies se caían por un lado. Los brazos por otro lado. Con una fuerte escolta para proteger tan valiosa carga, tomaron el camino hacia Cuautla. Al trotar de la mula, las piernas hacían un movimiento que era como el andar, como si Zapata continuara corriendo por el estado de Morelos. Los brazos parecían hacerse más largos, tal vez queriendo alcanzar la tierra para sus muchachos, la tierra por la que tanto luchó, tan cerca y a la vez tan distante.

En Cuautla fue exhibido el cadáver y en voz baja comenzó la leyenda.

—No es el general.

—¡No va a ser! Está así deformado, por haber venido como vino. La sangre se le fue a la cabeza.

—No compá,* el general tenía una seña* muy particular cerca de un pómulo* . . . y éste no la tiene.

—¡Claro! En el mismo lugar le entró el tiro de gracia.

—¡Quién sabe!

Y el «¡quién sabe!» lleno de esperanzas,* más bien resultaba un sollozo.* Mientras que otros, muy contentos, comentaban:

—¡Vaya, por fin cayó este bandido.

Adapted from Gregorio López y Fuentes

Ejercicio 1   ¿Verdadero o falso?

1. La hacienda adonde iba Zapata estaba en Cuautla.
2. En el espacio frente a la casa se ponía el mercado.
3. El general Zapata iba a la hacienda para comer.
4. Zapata venía a la cabeza de sus tropas.
5. Zapata entró al patio con muchos hombres suyos.
6. El corneta tocó la «marcha real».
7. El caballo de Zapata se escapó.
8. El tiro de gracia se dio con una pistola.
9. Llevaron el cadáver del general en su caballo.
10. Este incidente ocurrió en Chinameca.

---

*carabina   *rifle, carbine*   *tiro de gracia   *coup de grace (after an execution)*
*compá   *godfather* (**compadre**)   *seña   *sign, mark*   *pómulo   *cheekbone*
*esperanzas   *hope*   *sollozo   *sob*

Ejercicio 2 Completen.

1. Zapata no sabía que le habían preparado una _____ en la hacienda.
2. Chinameca está en el estado de _____.
3. El oficial que esperaba a Zapata se llamaba _____.
4. El cabo ordenó a los soldados a presentar _____.
5. En Cuautla permitieron al público ver el _____ del general.
6. El _____ le dio el tiro de gracia al general.
7. Este asesinato ocurrió durante la _____ mexicana.
8. En realidad, Guajardo seguía en el partido del general _____.
9. El caballo del general era muy _____.
10. Los seis soldados que presentaban armas _____ a Zapata.

Ejercicio 3 Para pensar

1. Describa al coronel Guajardo. ¿Qué clase de hombre era? ¿Por qué?
2. ¿Por qué no sospechaba Zapata que algo iba a pasar?
3. ¿Por qué mandaron una fuerte escolta con el cadáver de Zapata?
4. ¿Cómo «comenzó la leyenda»? Explique.
5. ¿Quiénes dijeron «vaya, por fin cayó este bandido»? Y, ¿por qué?
6. Mire la foto de Emiliano Zapata en la página 345 y describa cómo era él.
7. ¿Qué les pasó a los 59 oficiales y jefes del coronel Guajardo? Comente.

2ª parte

La noticia va como un perro hambriento* de puerta en puerta. Se cuenta en voz baja. La cuentan los hombres en el campo y las mujeres en el pozo.* Ya hay quien dice que lo ha visto. Luego es verdad que no ha muerto . . .

—¿Sabe Ud. quién lo vio? La vieja Albina. Y ella lo cuenta con todos los detalles. Y hay que ver que la vieja Albina no sabe decir mentiras.* Ella me dijo:

—Lo vi con estos ojos que los gusanos* van a comer. Había una luna tan bonita cuando él llegó a caballo hasta el corredor . . . Era como un mediodía. Le digo a Ud. que sólo levantando un ojo pude ver claramente quién era. Lo reconocí al segundo. Traía el sombrero echado para atrás, como le gusta llevarlo. Los mismos pantalones con muchos botones. Y esos bigotes, como para reconocerlo a leguas.* Cuando yo iba a abrir para decirle que pasara a tomar una taza de café, él paró el caballo y luego se fue al trote* largo, con esa dirección, mire Ud.: como si fuera para Aneneculco . . .

De vez en cuando los viejos zapatistas sacan de los techos de sus casas la carabina conservada furtivamente. Sin hacer ruido, tiran de la palanca* y hacen correr el cerrojo.* Limpian perfectamente el interior y le ponen aceite.

---

*hambriento *hungry*	*pozo *(water) well*	*mentiras *lies*	*gusanos *worms*
*a leguas *miles away*	*trote *trot*	*palanca *rifle bolt*	*cerrojo *bolt*

348

Pancho Villa, montado a caballo, al lado de su tropa—1914

—¿Y qué vas a hacer con la carabina, hombre?

Es la mujer que teme a los mirones.* Alguien ve algo, y quién sabe lo que puede pasar.

—La estoy limpiando. Hay que estar listo. A lo mejor, viene hoy y me dice que lo siga . . .

Detrás de los bueyes* caminan dos hombres. En voz baja platican.*

—Eso dicen. Y que lo vio la vieja Albina.

Los dos hombres se pierden en sus pensamientos. Entre la hierba a las orillas del camino se encienden las luciérnagas.* En la montaña hay una luz. ¡Si se habrá caído una estrella!

Al mismo tiempo los dos hombres vuelven la cabeza. Están seguros que han oído un caballo. Miran tal vez perfilada* en el fondo del horizonte claro, una figura ecuestre. Pasan las manos sobre los ojos, como lo hacen las personas que salen de la oscuridad a la luz. No hay nada. Sólo el silencio perfecto de los campos.

Adapted from Gregorio López y Fuentes

---

*__mirones__ *onlookers, busybodies*   *__bueyes__ *oxen*   *__platican__ *they chat, gossip*
*__luciérnagas__ *fireflies*   *__perfilada__ *outlined, silhouetted*

Ejercicio 4 Contesten.

1. El autor dice que la noticia va «como un perro hambriento». ¿Qué quiere decir eso?
2. ¿Dónde hablan los hombres y dónde las mujeres? ¿Por qué?
3. ¿Por qué creen en lo que dice Albina?
4. ¿A qué hora vio Albina al hombre a caballo?
5. ¿Cómo sabía Albina que era «él»?
6. ¿Qué será Anenecuilco?
7. ¿Por qué pudo Albina ver al hombre tan claramente?
8. ¿Por qué dice la vieja Albina «con estos ojos que los gusanos van a comer»?
9. ¿Cuáles son algunas cosas que identificarían a Zapata?

Ejercicio 5 Escojan.

1. Los viejos zapatistas guardan sus armas en los _____.
   a. campos
   b. techos
   c. pozos
   d. caminos

2. Cuando limpian las carabinas lo hacen en silencio porque _____.
   a. no quieren hacer correr los rifles
   b. no quieren molestar a la familia
   c. no quieren que nadie sepa lo que hacen
   d. quieren cuidar los cerrojos

3. Las mujeres tienen miedo porque _____.
   a. los rifles se podrían descargar en casa
   b. temen que los hombres salgan a la guerra
   c. no saben usar las armas
   d. alguien podría ver las carabinas

4. Los viejos zapatistas cuidan bien sus armas porque _____.
   a. quieren proteger a sus familias
   b. esperan salir otra vez con Zapata
   c. van a ir en busca de Guajardo
   d. piensan atacar el pueblo de Cuautla

5. Los dos hombres que caminan detrás de los bueyes serán _____.
   a. campesinos
   b. soldados
   c. carrancistas
   d. bandidos

Ejercicio 6 Pareo

1. legua
2. Morelos
3. Guajardo
4. Chinameca
5. Villa
6. cabo
7. buey
8. luciérnaga
9. estrella

a. un cuerpo celestial
b. un coronel carrancista
c. una bestia de carga
d. un estado mexicano
e. un general revolucionario
f. una distancia de varios kilómetros
g. un insecto que tiene una luz
h. un pueblo en México
i. un arma de fuego
j. un tipo de soldado

Ejercicio 7 Para pensar

1. ¿Por qué decía la gente que habían visto vivo a Zapata? ¿Decía mentiras la vieja Albina?
2. ¿Puedes pensar en algún incidente histórico similar a éste?
3. ¿Has visto la película «*Viva Zapata*» con Marlon Brando? ¿Es la muerte de Zapata igual en la película que en este fragmento?
4. ¿Por qué crees que López y Fuentes llamó la novela *Tierra*?
5. ¿Tiene el caballo de Zapata alguna importancia? ¿Cuál será?

Ejercicio 8 Imagínate la conversación entre Carranza y el general Pablo González, el jefe del coronel Guajardo.

Carranza   ¡Qué buenas noticias, Pablo! Cuéntame, ¿cómo ocurrió?
González   Pues, mi general, Guajardo invitó al bandido a cenar. Él llegó . . .
Carranza   ¿Y después . . .?

Appendix

Los verbos

Regular Verbs

<h3 style="text-align:center">Simple Tenses</h3>

	hablar *to speak*	**comer** *to eat*	**vivir** *to live*
Present participle	hablando	comiendo	viviendo
Past participle	hablado	comido	vivido
Present	hablo	como	vivo
	hablas	comes	vives
	habla	come	vive
	hablamos	comemos	vivimos
	habláis	coméis	vivís
	hablan	comen	viven
Imperfect	hablaba	comía	vivía
	hablabas	comías	vivías
	hablaba	comía	vivía
	hablábamos	comíamos	vivíamos
	hablabais	comíais	vivíais
	hablaban	comían	vivían
Preterite	hablé	comí	viví
	hablaste	comiste	viviste
	habló	comió	vivió
	hablamos	comimos	vivimos
	hablasteis	comisteis	vivisteis
	hablaron	comieron	vivieron
Future	hablaré	comeré	viviré
	hablarás	comerás	vivirás
	hablará	comerá	vivirá
	hablaremos	comeremos	viviremos
	hablaréis	comeréis	viviréis
	hablarán	comerán	vivirán
Conditional	hablaría	comería	viviría
	hablarías	comerías	vivirías
	hablaría	comería	viviría
	hablaríamos	comeríamos	viviríamos
	hablaríais	comeríais	viviríais
	hablarían	comerían	vivirían
Present subjunctive	hable	coma	viva
	hables	comas	vivas
	hable	coma	viva
	hablemos	comamos	vivamos
	habléis	comáis	viváis
	hablen	coman	vivan

Imperfect subjunctive	hablara	comiera	viviera
	hablaras	comieras	vivieras
	hablara	comiera	viviera
	habláramos	comiéramos	viviéramos
	hablarais	comierais	vivierais
	hablaran	comieran	vivieran

Compound Tenses

Present perfect	he			
	has			
	ha	hablado	comido	vivido
	hemos			
	habéis			
	han			

Pluperfect	había			
	habías			
	había	hablado	comido	vivido
	habíamos			
	habíais			
	habían			

Future perfect	habré			
	habrás			
	habrá	hablado	comido	vivido
	habremos			
	habréis			
	habrán			

Conditional perfect	habría			
	habrías			
	habría	hablado	comido	vivido
	habríamos			
	habríais			
	habrían			

Present perfect subjunctive	haya			
	hayas			
	haya	hablado	comido	vivido
	hayamos			
	hayáis			
	hayan			

Pluperfect subjunctive	hubiera			
	hubieras			
	hubiera	hablado	comido	vivido
	hubiéramos			
	hubierais			
	hubieran			

Commands

Informal (*tú* and *vosotros* forms)

Affirmative	habla (tú)	come (tú)	vive (tú)
	hablad	comed	vivid
Negative	no hables	no comas	no vivas
	no habléis	no comáis	no viváis

Formal

	hable Ud.	coma Ud.	viva Ud.
	hablen Uds.	coman Uds.	vivan Uds.

Stem-changing Verbs

First Class

	-ar *verbs*		-er *verbs*	
	e – ie	*o –ue*	*e – ie*	*o – ue*
	sentar[1]	**contar**[2]	**perder**[3]	**soler**[4]
	to seat	*to tell*	*to lose*	*to be accustomed*
Present participle	sentando	contando	perdiendo	soliendo
Past participle	sentado	contado	perdido	solido
Present	siento	cuento	pierdo	suelo
	sientas	cuentas	pierdes	sueles
	sienta	cuenta	pierde	suele
	sentamos	contamos	perdemos	solemos
	sentáis	contáis	perdéis	soléis
	sientan	cuentan	pierden	suelen
Present subjunctive	siente	cuente	pierda	suela
	sientes	cuentes	pierdas	suelas
	siente	cuente	pierda	suela
	sentemos	contemos	perdamos	solamos
	sentéis	contéis	perdáis	soláis
	sienten	cuenten	pierdan	suelan

---

[1] *Cerrar, comenzar, despertar, empezar,* and *pensar* are similar.
[2] *Acordar, acostar, almorzar, apostar, colgar, costar, encontrar, jugar, mostrar, probar, recordar, rogar,* and *volar* are similar.
[3] *Defender* and *entender* are similar.
[4] *Disolver, doler, envolver, llover,* and *volver* are similar.

Second Class

	e – ie, i	o – ue, u
	sentir[5]	**morir**[6]
	to regret	to die
Present participle	sintiendo	muriendo
Past participle	sentido	muerto
Present	siento	muero
	sientes	mueres
	siente	muere
	sentimos	morimos
	sentís	morís
	sienten	mueren
Preterite	sentí	morí
	sentiste	moriste
	sintió	murió
	sentimos	morimos
	sentisteis	moristeis
	sintieron	murieron
Present subjunctive	sienta	muera
	sientas	mueras
	sienta	muera
	sintamos	muramos
	sintáis	muráis
	sientan	mueran
Imperfect subjunctive	sintiera	muriera
	sintieras	murieras
	sintiera	muriera
	sintiéramos	muriéramos
	sintierais	murierais
	sintieran	murieran

Third Class

	e – i
	pedir[7]
	to ask for, to request
Present participle	pidiendo
Past participle	pedido
Present	pido
	pides
	pide
	pedimos
	pedís
	piden
Preterite	pedí
	pediste
	pidió
	pedimos
	pedisteis
	pidieron
Present subjunctive	pida
	pidas
	pida
	pidamos
	pidáis
	pidan
Imperfect subjunctive	pidiera
	pidieras
	pidiera
	pidiéramos
	pidierais
	pidieran

Irregular Verbs

andar   to walk, to go
Preterite   anduve, anduviste, anduvo, anduvimos, anduvisteis, anduvieron

caber   to fit
Present   quepo, cabes, cabe, cabemos, cabéis, caben
Preterite   cupe, cupiste, cupo, cupimos, cupisteis, cupieron
Future   cabré, cabrás, cabrá, cabremos, cabréis, cabrán
Conditional   cabría, cabrías, cabría, cabríamos, cabríais, cabrían

---

[5] *Mentir, preferir,* and *sugerir* are similar.
[6] *Dormir* is similar; however, the past participle is regular—*dormido.*
[7] *Conseguir, despedir, elegir, perseguir, reír, repetir, freír, medir,* and *seguir* are similar.

caer[8]   *to fall*

Present	caigo, caes, cae, caemos, caéis, caen

conocer   *to know, to be acquainted with*

Present	conozco, conoces, conoce, conocemos, conocéis, conocen

dar   *to give*

Present	doy, das, da, damos, dais, dan
Present subjunctive	dé, des, dé, demos, deis, den
Preterite	di diste, dio, dimos, disteis, dieron

decir   *to say, to tell*

Present participle	diciendo
Past participle	dicho
Present	digo, dices, dice, decimos, decís, dicen
Preterite	dije, dijiste, dijo, dijimos, dijisteis, dijeron
Future	diré, dirás, dirá, diremos, diréis, dirán
Conditional	diría, dirías, diría, diríamos, diríais, dirían
Command (tú)	di

estar   *to be*

Present	estoy, estás, está, estamos, estáis, están
Present subjunctive	esté, estés, esté, estemos, estéis, estén
Preterite	estuve, estuviste, estuvo, estuvimos, estuvisteis, estuvieron

haber   *to have*

Present	he, has, ha, hemos, habéis, han
Present subjunctive	haya, hayas, haya, hayamos, hayáis, hayan
Preterite	hube, hubiste, hubo, hubimos, hubisteis, hubieron
Future	habré, habrás, habrá, habremos, habréis, habrán
Conditional	habría, habrías, habría, habríamos, habríais, habrían

hacer   *to do, to make*

Past participle	hecho
Present	hago, haces, hace, hacemos, hacéis, hacen
Preterite	hice, hiciste, hizo, hicimos, hicisteis, hicieron
Future	haré, harás, hará, haremos, haréis, harán
Conditional	haría, harías, haría, haríamos, haríais, harían
Command (tú)	haz

incluir[9]   *to include*

Present indicative	incluyo, incluyes, incluye, incluimos, incluís, incluyen

ir[10]   *to go*

Present	voy, vas, va, vamos, vais, van
Present subjunctive	vaya, vayas, vaya, vayamos, vayáis, vayan
Imperfect	iba, ibas, iba, íbamos, ibais, iban
Preterite	fui, fuiste, fue, fuimos, fuisteis, fueron
Command (tú)	ve

---

[8] Spelling changes are found in the present participle—*cayendo;* past participle—*caído;* and preterite—*caiste, cayó, caímos, caísteis, cayeron.*

[9] Spelling changes are found in the present participle—*incluyendo;* and preterite—*incluyó, incluyeron.* Similar verbs are *atribuir, constituir, contribuir, distribuir, fluir, huir, influir,* and *sustituir.*

[10] A spelling change is found in the present participle—*yendo.*

	oír[11] *to hear*
Present	oigo, oyes, oye, oímos, oís, oyen

	poder *to be able*
Present participle	pudiendo
Present indicative	puedo, puedes, puede, podemos, podéis, pueden
Preterite	pude, pudiste, pudo, pudimos, pudisteis, pudieron
Future	podré, podrás, podrá, podremos, podréis, podrán
Conditional	podría, podrías, podría, podríamos, podríais, podrían

	poner *to put, to place*
Past participle	puesto
Present	pongo, pones, pone, ponemos, ponéis, ponen
Preterite	puse, pusiste, puso, pusimos, pusisteis, pusieron
Future	pondré, pondrás, pondrá, pondremos, pondréis, pondrán
Conditional	pondría, pondrías, pondría, pondríamos, pondríais, pondrían
Command (tú)	pon

	producir *to produce*
Present	produzco, produces, produce, producimos, producís, producen
Preterite	produje, produjiste, produjo, produjimos, produjisteis, produjeron

	querer *to wish, to want*
Present	quiero, quieres, quiere, queremos, queréis, quieren
Preterite	quise, quisiste, quiso, quisimos, quisisteis, quisieron
Future	querré, querrás, querrá, querremos, querréis, querrán
Conditional	querría, querrías, querría, querríamos, querríais, querrían

	saber *to know*
Present	sé, sabes, sabe, sabemos, sabéis, saben
Present subjunctive	sepa, sepas, sepa, sepamos, sepáis, sepan
Preterite	supe, supiste, supo, supimos, supisteis, supieron
Future	sabré, sabrás, sabrá, sabremos, sabréis, sabrán
Conditional	sabría, sabrías, sabría, sabríamos, sabríais, sabrían

	salir *to leave, to go out*
Present	salgo, sales, sale, salimos, salís, salen
Future	saldré, saldrás, saldrá, saldremos, saldréis, saldrán
Conditional	saldría, saldrías, saldría, saldríamos, saldríais, saldrían
Command (tú)	sal

	ser *to be*
Present	soy, eres, es, somos, sois, son
Present subjunctive	sea, seas, sea, seamos, seáis, sean
Imperfect	era, eras, era, éramos, erais, eran
Preterite	fui, fuiste, fue, fuimos, fuisteis, fueron
Command (tú)	sé

---

[11] Spelling changes are found in the present participle—*oyendo;* past participle—*oído;* present indicative—*oímos;* and preterite—*oíste, oyó, oímos, oísteis, oyeron.*

	tener *to have*
Present	tengo, tienes, tiene, tenemos, tenéis, tienen
Preterite	tuve, tuviste, tuvo, tuvimos, tuvisteis, tuvieron
Future	tendré, tendrás, tendrá, tendremos, tendréis, tendrán
Conditional	tendría, tendrías, tendría, tendríamos, tendríais, tendrían
Command (tú)	ten

	traer[12] *to bring*
Present	traigo, traes, trae, traemos, traéis, traen
Preterite	traje, trajiste, trajo, trajimos, trajisteis, trajeron

	valer *to be worth*
Present	valgo, vales, vale, valemos, valéis, valen
Future	valdré, valdrás, valdrá, valdremos, valdréis, valdrán
Conditional	valdría, valdrías, valdría, valdríamos, valdríais, valdrían

	venir *to come*
Present participle	viniendo
Present	vengo, vienes, viene, venimos, venís, vienen
Preterite	vine, viniste, vino, vinimos, vinisteis, vinieron
Future	vendré, vendrás, vendrá, vendremos, vendréis, vendrán
Conditional	vendría, vendrías, vendría, vendríamos, vendríais, vendrían
Command (tú)	ven

	ver[13] *to see*
Past participle	visto
Present indicative	veo, ves, ve, vemos, veis, ven
Imperfect	veía, veías, veía, veíamos, veíais, veían

---

[12] Spelling changes are found in the present participle—*trayendo;* and the past participle—*traído.*
[13] Spelling changes are found in the preterite—*vi, vio.*

The following Spanish-English and English-Spanish Vocabularies contain all the words and expressions that appear in this Spanish text. The numbers or letters after each entry indicate the lesson in which the word or expression is first presented. Note that the following abbreviations are used throughout: *A* to *E* refers to **Repaso A** to **E**, *RG* refers to the **Repaso general** after every four lessons, and *LCO* refers to the **Lectura cultural opcional**.

Spanish-English Vocabulary

A

a to, at, by *A*
  a beneficio de for the benefit of *15*
  a causa de because of *LCO*
  a eso de about *1*
  a la ____ at ____ o'clock *B*
  a la derecha to the right *14*
  a la izquierda to the left *14*
  a menos que unless *19*
  a menudo often *1*
  a pie on foot *A*
  a propósito by the way *A*
  a sus órdenes at your service *9*
  a veces sometimes *1*
abandonar to abandon *LCO*
el, la abogado, -a lawyer *7*
los aborígenes aborigines *12*
abrazar to hug, to embrace *7*
el abrazo hug *7*
abrir to open *1*
la abuela grandmother *B*
el abuelo grandfather *B*
  los abuelos grandparents *B*
aburrido, -a boring *3*
acabar to finish *4*
  acabar de to have just *4*
el aceite oil *E*
el acelerador accelerator *E*
acelerar to accelerate *E*
aceptar to accept *9*
la acera sidewalk *LCO*
acercarse to approach *LCO*

acomodado, -a rich, well-off *17*
acompañar to accompany *4*
aconsejar to advise *16*
acordarse (ue) to remember *LCO*
acostarse (ue) to go to bed *1*
acuático, -a pertaining to water *A*
acudir to go, to attend *8*
  acudir al quite to enter to distract the bull *LCO*
el acuerdo agreement *4*
  de acuerdo O.K., agreed *4*
adelantarse to go forward *LCO*
adelante ahead *LCO*
además moreover, besides *LCO*
adentro inside *RG*
adiós good-bye *A*
el, la admirador, -ra admirer *RG*
admirar to admire *17*
adonde where *10*
¿adónde? where? *C*
aéreo, -a pertaining to the air *RG*
  la línea aérea airline *12*
el aeropuerto airport *C*
aficionado, -a fond of *1*
el, la aficionado, -a fan *8*
la afluencia traffic *8*
afuera outside *9*
las afueras outskirts, environs *9*
el, la agente agent *8*
agosto August *12*
agotado, -a sold out *11*
el agrarismo agrarianism *LCO*
el agricultor farmer *15*

el agua (*f*) water *D*
  el agua de colonia cologne *2*
aguantar to bear *LCO*
agudo, -a sharp *LCO*
ahora now *A*
ahorrar to save *18*
el aire air *E*
  el aire acondicionado air conditioning *9*
aislado, -a isolated *3*
el ajo garlic *LCO*
el ala (*f*) wing *12*
el alambre wire *RG*
el albergue inn *12*
el alcalde mayor *10*
la aldea village *LCO*
alegrarse to be happy *9*
alegre happy *11*
la alegría happiness *20*
alemán, -ana German *LCO*
la alergia allergy *3*
el álgebra (*f*) algebra *A*
algo something *C*
el algodón cotton *4*
alguien someone, somebody *1*
alguno, -a some *D*
el alimento food *LCO*
el almirante admiral *LCO*
almorzar (ue) to have lunch *RG*
el almuerzo lunch *6*
alojarse to lodge, to reside *9*
alquilar to rent *12*
la alternativa bullfight ceremony that makes a novillero a matador *LCO*
alto, -a tall *B*
allá over there *12*
allí there *1*
amable kind *14*
amazónico, -a of or from the Amazon *12*

ambos, -as both *E*

americano, -a American *3*

la amiga girlfriend *A*

el amigo boyfriend *A*

la amistad friendship *7*

el amor love *5*

la anatomía anatomy *3*

ancho, -a wide *LCO*

andaluz, -za of or from Andalusia *LCO*

andar (por) to walk (around) *E*

el andén platform *C*

andino, -a of or from the Andes *19*

el ángel angel *4*

el ángulo angle *LCO*

el animal animal *4*

el anillo ring *16*

anoche last night *D*

anunciar to announce *RG*

ante before, in front of *14*

anteayer the day before yesterday *D*

anterior previous *RG*

antes de before *E*

el antibiótico antibiotic *3*

el anticucho marinated meat or fowl skewered on a strip of cane and roasted over a brazier with a sauce of chile pepper (Perú) *8*

antiguo, -a old, ancient *1*

antipático, -a unpleasant *14*

anual annual *18*

el anuncio advertisement, announcement *4*

añadir to add *1*

el año year *A*

el año pasado last year *D*

aparecer to appear *1*

el apartamento apartment *A*

el apellido surname, last name *13*

apetecer to like, to taste *8*

el aplauso applause *LCO*

aprender to learn *A*

apropiado, -a correct *5*

el apunte note *A*

aquel, -la that *LCO*

aquí here *B*

árabe Arab, Arabic *LCO*

aragonés, -esa of or from Aragón *LCO*

el árbol tree *10*

el arma (*f*) weapon *12*

armar to load *20*

armar un jaleo to create an uproar *20*

la arquitectura architecture *3*

el arte art *8*

el artefacto handiwork *8*

el, la artesano, -a craftsperson, skilled worker *LCO*

el artículo article *D*

la artritis arthritis *3*

el arrabal slum *8*

arrancar to start (a car) *E*

arreglar to arrange, to fix *RG*

arrepentirse to repent *20*

arriba above, over, high *RG*

el arroz rice *2*

asar to roast, to broil *LCO*

la ascendencia origin, background *13*

el ascensor elevator *2*

asegurar to assure *3*

el asesinato assassination *LCO*

así so, thus *1*

el asiento seat *C*

la asignatura (school) subject *B*

la asistencia assistance *3*

asistir to attend *1*

el asma (*f*) asthma *3*

el asopao de camarones shrimp and rice dish *8*

la aspiración high hope, aspiration *13*

la aspirina aspirin *3*

atacar to attack *10*

el ataque attack *14*

atascado, -a tied up *8*

la atención attention *3*

atender (ie) to attend to, to help, to take care of *2*

atlético, -a athletic *B*

el atletismo track *20*

atraer to attract *19*

atrás back, in the back, behind *LCO*

aumentar to grow, to increase *18*

aún even, still *4*

aunque although *LCO*

el auricular phone receiver *5*

auscultar to listen with a stethoscope *3*

la ausencia absence *10*

australiano, -a of or from Australia *LCO*

el autobús bus (Spain) *A*

la autopista highway *14*

el, la autor, -ra author *2*

el auxilio help *LCO*

avanzado, -a advanced *5*

avanzar to advance *LCO*

la avenida avenue *A*

el avión airplane *C*

¡ay! ay!, alas! *B*

¡ay de mí! gosh! woe is me! *A*

ayer yesterday *D*

la ayuda help *LCO*

ayudar to help *2*

la azotea flat roof *10*

el, la azteca Aztec *6*

azul blue *B*

B

bailar to dance *1*

el baile dance *2*

bajar to go down, to descend *D*

bajo, -a short *B*

el balcón balcony *9*

el balón ball (soccer) *B*

el ballet ballet *8*

el banco bank, bench *14*

el bandido bandit *LCO*

el banquero banker *18*

el banquete banquet *8*

bañarse to bathe *8*

el baño bath *9*

el traje de baño bathing suit *19*

barato, -a cheap *2*

la barba beard *RG*

el barco boat *10*

la **base** base *LCO*
el **básquetbol** basketball
    B
bastante enough *3*
bastar to be enough *12*
el **bastón** ski pole *7*
la **batalla** battle *10*
el **bateador** batter *LCO*
batear to bat *LCO*
la **batería** battery *E*
el, la **baturro, -a** Aragonese
    peasant *LCO*
el **baúl** trunk (of a car) *C*
el **bautizo** baptism *13*
el, la **bebé** baby *LCO*
beber to drink *RG*
la **beca** scholarship *7*
el **béisbol** baseball *B*
la **belleza** beauty *7*
bello, -a beautiful *LCO*
bendito, -a blessed *E*
el **beneficio** benefit *15*
besar to kiss *7*
el **besito** little kiss *7*
el **beso** kiss *7*
bien well *A*
el **bigote** moustache *LCO*
bilingüe bilingual *LCO*
el **billete** ticket *7*
la **biología** biology *A*
la **bisabuela** great-
    grandmother *13*
el **bisabuelo** great-
    grandfather *13*
el **bistec** steak *6*
blanco, -a white *1*
el **bloc** notebook *A*
la **blusa** blouse *2*
la **boca** mouth *3*
la **bocacalle** intersection
    14
la **bocina** horn *E*
la **boda** wedding *13*
el **boleto** ticket *C*
    el **boleto de ida y
        vuelta** round-trip
        ticket *C*
    el **boleto sencillo** one-
        way ticket *C*
el **bolsillo** pocket *1*
bonito, -a pretty *A*
la **bota** boot *4*
la **botella** bottle *2*
el **botón** (push) button *5*
el **botones** bellhop *9*
el **boxeador** boxer *3*
el **brazo** arm *7*

bromear to joke *11*
bucear to snorkle, to go
    scuba-diving *D*
bueno, -a good *A*
    buenos días good
        morning *A*
el **buey** ox *LCO*
el **bufete** office *13*
el **burro** donkey *LCO*
el **bus** bus *2*
buscar to look for, to
    search *2*
el **buzón** mailbox *12*

C

el **caballero** gentleman *2*
el **caballo** horse *1*
    el **caballo de
        carrera** racehorse
        LCO
la **cabeza** head *3*
el **cabestro** ox leading a
    herd of bulls *20*
la **cabina telefónica**
    telephone booth *5*
el **cabo** corporal *LCO*
el **cacharro** jalopy, old
    wreck, piece of junk *E*
cada each *1*
el **cadáver** body *LCO*
caerse to fall *RG*
el **café** cafe, coffee *1*
la **cafetería** cafeteria *D*
la **caja** cash register, box *2*
el, la **cajero, -a** teller, cashier
    18
los **calcetines** socks *2*
la **calefacción** heat *9*
la **calidad** quality *2*
el **calor** heat *LCO*
callarse to be quiet *13*
la **calle** street *A*
    la **calle de sentido
        único** one-way
        street *14*
la **cama** bed *RG*
la **cámara** camera *2*
el **camarón** shrimp *8*
    el **asopao de
        camarones** shrimp
        and rice dish *8*
cambiar to change *2*
caminar to walk *1*
el **camino** road *LCO*
el **camión** truck, bus
    (México) *8*

la **camisa** shirt *2*
la **camisería** shirt shop *2*
la **camiseta** undershirt *4*
el **campeón** champion
    LCO
el **campeonato**
    championship *17*
el, la **campesino, -a** farmer *8*
el **campo** field, country *B*
el, la **canadiense** Canadian
    LCO
el **canario** canary *LCO*
el **cáncer** cancer *4*
la **canción** song *A*
la **cancha** court, field *19*
    la **cancha de esquí**
        ski resort *19*
la **canoa** canoe *12*
cansado, -a tired *1*
cansar to tire *RG*
el, la **cantante** singer *2*
cantar to sing *A*
la **cantidad** quantity *2*
el **cañón** cannon, barrel (of
    a gun) *LCO*
la **capital** capital *1*
el **capitán** captain *10*
el **capote** cape used by
    bullfighters *LCO*
capturar to capture *10*
la **cara** face *LCO*
la **carabina** rifled carbine
    LCO
el **carácter** character *LCO*
la **característica**
    characteristic *8*
¡caramba! gracious!, an
    expression of surprise,
    dismay, anger, etc. *1*
el, la **caraqueño, -a** of or from
    Caracas *8*
la **caravana** caravan *6*
la **cárcel** jail *10*
el **cardenal** cardinal *LCO*
la **carga** load, cargo, freight
    LCO
el **cariño** affection *7*
cariñoso, -a affectionate,
    friendly *7*
el **carnaval** carnival, Mardi
    Gras *20*
la **carne** meat *LCO*
    la **carne de res** beef
        6
la **carnicería** butcher shop,
    meat market *2*
caro, -a expensive *3*

la **carta** letter *D*
el **cartel** poster, sign *11*
el **cartón** cardboard, box *LCO*
la **carrera** career *LCO*
la **carretera** highway *14*
el **carril** lane (of a highway) *LCO*
el **carro** car *A*
la **casa** house, home *A*
el **casamiento** marriage *16*
   casarse to get married *LCO*
el **caserón** large house *LCO*
   casi almost *1*
el **castellano** Spanish, Castilian *LCO*
   castigar to punish *LCO*
   catalán, -ana of or from Cataluña *15*
la **catástrofe** catastrophe *LCO*
la **catedral** cathedral *LCO*
el **caudillo** chief, leader *LCO*
la **causa** cause *LCO*
   causar to cause *LCO*
el, la **cazador, -ra** hunter *12*
   cazar to hunt *12*
la **ceja** eyebrow *LCO*
el **cementerio** cemetery *RG*
el **cemento** cement *RG*
   cenar to have dinner *1*
el **centavo** cent, penny *4*
la **central** switchboard *5*
el **centro** center, downtown *2*
la **cerbatana** blow gun *12*
   cerca (de) near *RG*
   cero zero *19*
   cerrar (ie) to close *1*
el **cerrojo** bolt *LCO*
   ciego, -a blind *15*
el **cielo** sky *1*
la **ciencia** science *17*
   cierto, -a certain *4*
el **cigarro** cigar *6*
   cinco five *A*
el **cine** movie theater *D*
la **cintura** waist *20*
la **cirujía** surgery *3*
la **ciudad** city *1*
el, la **ciudadano, -a** citizen *LCO*

la **civilización** civilization *6*
el **clarín** trumpet *LCO*
   claro, -a clear *1*
   ¡claro! of course! *2*
la **clase** class *A*
   clavado, -a fixed *LCO*
   clavar con to stick with *14*
la **clave de área** area code *5*
el, la **cliente** client, customer *2*
el **clima** climate *12*
la **clínica** clinic *3*
el, la **cobarde** coward *12*
la **cobardía** cowardice *10*
   cobrar to charge, to collect, to cash *5*
la **cocina** kitchen *D*
el, la **cocinero, -a** cook *6*
el **cohete** rocket *20*
la **cola** line, tail *17*
   colaborar to collaborate *12*
el **color** color *B*
la **comedia** comedy *LCO*
el **comedor** dining room *D*
   comenzar (ie) to begin *B*
   comer to eat *A*
el, la **comerciante** merchant *A*
el **comercio** business, trade *LCO*
los **comestibles** food *2*
   cometer to commit *10*
   cómico, -a funny *LCO*
la **comida** food, meal *1*
el, la **comilón, -ona** big eater *5*
la **comisión** commission *18*
el **comité** committee *LCO*
   como as, like *D*
   ¿cómo? how? *A*
   cómodo, -a comfortable *9*
el, la **compañero, -a** companion *13*
la **compañía** company *RG*
   compartir to share *13*
el, la **compatriota** compatriot *LCO*
la **competencia** competence, competition *20*
   completamente completely *4*

la **composición** composition *D*
la **compra** buy *13*
   comprar to buy *C*
   comprender to understand *D*
   comprometerse to become engaged *16*
el **compromiso** engagement *16*
el, la **computador, -ra** computer *13*
   común common *8*
   comunicar to talk, to communicate *5*
   con with *A*
   con tal (de) que provided that *19*
el **concierto** concert *11*
el **conde** count *LCO*
la **condición** condition *E*
   conducir to drive *5*
la **confusión** confusion *LCO*
   conmigo with me *4*
   conocer to know, to be familiar with *1*
la **conquista** conquest *10*
el, la **conquistador, -ra** conqueror *10*
   conquistar to conquer *1*
   conservar to conserve *6*
la **construcción** construction *6*
la **consulta** office *3*
la **contaminación** pollution *8*
   contaminar to pollute *8*
   contar (ue) to tell, to count *RG*
   contemporáneo, -a contemporary *17*
   contento, -a happy *3*
la **contestación** answer *14*
   contestar to answer *A*
   contigo with you *4*
el **continente** continent *6*
la **continuación** continuation *LCO*
   a continuación following *LCO*
   continuar to continue *E*
   contra against *B*
el **contrario** opposite *14*
   contribuir to contribute *LCO*
   convencer to convince *7*

conveniente convenient
2

la **conversación** conversation *D*

conversar to talk, to converse *RG*

la **Copa Mundial** World Cup *19*

la **copiadora** copier *LCO*

el **corazón** heart *3*

la **corbata** tie *2*

el **cordero** lamb *6*

la **cordillera** mountain range *19*

el **corneta** bugler *LCO*

la **corneta** bugle *LCO*

cortar to cut *5*

la **corte** court *13*

la **cortesía** courtesy *7*

el **cortijo** ranch *LCO*

corto, -a short *2*

el **corral** pen, yard *20*

el **corredor** corridor *LCO*

el **correo** post office, mail *5*

el correo aéreo airmail *12*

correr to run *2*

la **corrida** course, race *1*

la corrida de toros bullfight *1*

la **cosa** thing *E*

la **costa** coast *10*

costar (ue) to cost *9*

la **costumbre** custom *7*

crear to create *8*

crecer to grow *6*

el **crédito** credit *9*

creer to believe, to think *A*

criarse to raise, to grow up *6*

el **crimen** crime *1*

el, la **criminal** criminal *10*

el **crítico** critic *LCO*

el **cruce** intersection *E*

crudo, -a raw *LCO*

cruzar to cross *11*

el **cuaderno** notebook *A*

la **cuadra** city block *14*

cuadrangular quadrangular (four-sided) *LCO*

la **cuadrilla** those who take care of a matador *LCO*

el **cuadro** painting, picture, portrait *14*

¿cuál? which? which one? *A*

cualquier any *3*

cuando when *1*

¿cuándo? when? *A*

¿cuánto? how much? *A*

en cuanto as soon as *18*

la **cuaresma** Lent *20*

el **cuarto** quarter, room *2*

cubrir to cover *LCO*

el **cuello** neck *20*

la **cuenta** bill, account *D*

el **cuerno** horn *LCO*

el **cuerpo** body *LCO*

el **cuidado** care *7*

cuidar to take care of *6*

cultivar to cultivate *6*

la **cultura** culture *6*

cumplir to reach *4*

el **cumpleaños** birthday *2*

el **cupón** coupon *15*

el **curso** course, subject *A*

CH

la **chaqueta** jacket *4*

charlatán, -ana talkative *5*

el **cheque** check *18*

el cheque de viajero traveler's check *18*

la **chica** girl *4*

el **chico** boy *4*

chino, -a Chinese *13*

el **chiste** joke *RG*

el **choclo** corncob, ear of corn *8*

el **chocolate** chocolate *2*

la **chuleta** chop *6*

el **churrasco** barbecued beef *8*

el **chuzo** pole, cane *1*

D

la **dama** lady *2*

la dama de honor bridesmaid *16*

dar to give *A*

dar a to face *9*

dar de comer to feed *LCO*

dar golpes to hit, to strike *1*

dar las gracias to thank *RG*

dar la mano to shake hands *7*

dar palmadas to clap hands *1*

dar un paseo to take a walk *17*

dar la vuelta to turn around *14*

darse cuenta de to realize *LCO*

de of, from *A*

de acuerdo in agreement, O.K. *4*

de manera que so that *19*

de modo que so that *19*

de nada you're welcome *14*

de nuevo again *2*

¿de veras? really? *5*

de vez en cuando from time to time *5*

debajo de underneath, below *10*

deber should, ought to *6*

débil weak *B*

decidir to decide *LCO*

decir to say, to tell *C*

la **decoración** decoration *6*

decorar to decorate *11*

dedicarse to dedicate *2*

el **dedo** finger *16*

el **defecto** defect *LCO*

deformado, -a deformed *LCO*

dejar to leave *RG*

delante (de) in front of *1*

delgado, -a thin *B*

demasiado too much *1*

denso, -a thick *12*

dentro (de) within *1*

el **departamento** department *2*

el, la **dependiente** employee *2*

el **deporte** sport *B*

el, la **deportista** athlete *2*

deportivo, -a athletic, pertaining to sports *LCO*

derecho, -a straight; right *LCO*

a la derecha to the right *14*

derrotar to destroy *10*

la **desaparición** disappearance *1*

desaparecer to disappear *1*

el **desarrollo** development *11*

desayunarse to have breakfast *8*

descansar to rest *1*

la **descarga** discharge *LCO*

descolgar (ue) to pick up *5*

describir to describe *1*

el, la **descubridor, -ra** discoverer *10*

el **descubrimiento** discovery *6*

el **descuento** discount *13*

desde since *1*

desear to want, to wish *5*

desempleado, -a unemployed *8*

desfilar to march *16*

el **desfile** parade *1*

desgraciadamente unfortunately *8*

desnudo, -a naked *12*

desorientado, -a disoriented, lost *20*

despacio slowly *40*

la **despedida** farewell *A*

despedirse (i, i) to say good-bye *7*

despegar to take off (airplane) *LCO*

despejado, -a cloudless *1*

después (de) after *C*

la **destrucción** destruction *LCO*

destruir to destroy *LCO*

el **detalle** detail *LCO*

detenerse to stop *11*

detestar to hate, to dislike *LCO*

detrás behind *LCO*

devolver (ue) to return *10*

el **día** day *A*

el **diamante** diamond *16*

el **dibujo** drawing, picture *1*

el **diccionario** dictionary *11*

diciembre December *LCO*

difícil difficult *A*

la **dificultad** difficulty *10*

el **dineral** fortune *LCO*

el **dinero** money *1*

el **dios** god *10*

la **dirección** direction *E*

las **direccionales** (directional) signal lights *E*

el, la **director, -ra** director *LCO*

dirigir to direct *7*

dirigir la palabra to address *7*

el **disco** record, disk *2*

discutir to discuss *9*

el **disfraz** disguise *20*

disfrutar to enjoy *8*

disparar to fire *20*

la **distancia** distance *5*

distinto, -a different *E*

la **diversión** diversion *8*

divertido, -a funny *B*

divertirse (ie, i) to have a good time *1*

dividir to divide *LCO*

la **divisa** foreign exchange *18*

doblado, -a dubbed *17*

doblar to turn *E*

el, la **doctor, -ra** doctor *3*

el **doctorado** doctorate *3*

el **dólar** dollar *18*

doler (ue) to hurt *3*

el **dolor** pain, ache *3*

domingo Sunday *1*

don sir, title of respect used before a man's first name *1*

donde where *LCO*

¿dónde? where? *A*

doña title of respect used before a woman's first name *4*

dormir (ue, u) to sleep *B*

la **duda** doubt *6*

dudoso, -a doubtful *RG*

el, la **dueño, -a** owner; chaperone *3*

dulce sweet *LCO*

el **dulce** candy *4*

el **duque** duke *LCO*

durante during *1*

durar to last, to continue *6*

duro, -a hard *1*

el **duro** coin *1*

E

económico, -a economic, cheap *D*

ecuestre equestrian *LCO*

echar to throw *12*

echar la carta to mail *12*

la **edad** age *3*

el **edificio** building *1*

la **educación** education *8*

el **efecto** effect *1*

el **ejercicio** exercise *A*

el the *B*

él he *A*

la **elección** election *10*

el, la **electricista** electrician *RG*

el **electrodoméstico** home electrical appliance *2*

electrónico, -a electronic *2*

el **elefante** elephant *3*

elegir (i, i) to elect *RG*

elemental elementary *1*

el, la **élite** elite *19*

ella she *A*

ellas they *A*

ellos they *A*

el **embotellamiento** bottleneck *14*

el **emisario** emissary *LCO*

la **empanada** meat pie *17*

empatado, -a tied *19*

el **emperador** emperor *10*

empezar (ie) to begin *B*

el, la **empleado, -a** employee *9*

emprender to undertake *10*

el, la **empresario, -a** businessperson *11*

empujar to push *5*

en in *A*

en actitud de firmes at attention *LCO*

en aquel entonces at that time *10*

en cuanto as soon as *18*

en punto exactly, on the dot *1*

en seguida at once, immediately *1*

en todas partes everywhere *2*

en venta for sale *4*
en voz alta out loud *1*
enamorado, -a in love *7*
enamorarse to fall in love *7*
encantar to enchant *RG*
el encanto enchantment *LCO*
el encierro driving of bulls into the pen *20*
encontrar (ue) to find, to be located *2*
la enchilada enchilada (filled tortilla) *6*
el, la enemigo, -a enemy *10*
la enfermedad sickness *3*
el, la enfermero, -a nurse *3*
enfermo, -a sick *3*
enriquecer to enrich *13*
la ensalada salad *D*
enseñar to teach, to show *A*
entero, -a whole, entire *9*
entonces then *A*
la entrada admission ticket *D*
entrar to enter *2*
entre between, among *4*
el, la entrenador, -ra trainer *19*
la entrevista interview *11*
entrevistar to interview *11*
entusiasmado, -a enthused *7*
envejecer to become old *11*
enviado, -a sent *10*
envolver (ue) to wrap *RG*
el epilepsia epilepsy *3*
la época age, time, era *1*
el equipaje luggage *C*
el equipo team, equipment *B*
equivocado, -a wrong *5*
el error error *10*
la escalera stairs *2*
la escalera mecánica escalator *2*
el escalofrío chill *3*
el escaparate display window *LCO*
escocés, -esa Scottish *LCO*
la escolta escort *LCO*

escondido, -a hidden *10*
escribir to write *A*
el, la escritor, -ra writer *3*
escuchar to listen to *LCO*
el escudero squire *1*
la escuela school *A*
ese, -a that *1*
eso that *1*
a eso de about *1*
el espacio space *LCO*
la espalda shoulder *7*
español, -a Spanish *B*
el, la especialista specialist *3*
especializado, -a specialized *RG*
especializarse to specialize *2*
la especia spice *6*
el, la espectador, -ra spectator *8*
la esperanza hope *LCO*
esperar to wait for, to hope *C*
el esquí ski, skiing *7*
la cancha de esquí ski resort *19*
esquiar to ski *D*
la esquina corner *E*
doblar la esquina to turn the corner *E*
estable stable *18*
la estación season, station *C*
estacionar to park *14*
el estadio stadium *8*
el estado state *1*
estadounidense of or from the United States *18*
estar to be *A*
la estatua statue *1*
este, -a this *A*
estereofónico, -a stereophonic, stereo *2*
el estereotipo stereotype *LCO*
el estoque bullfighter's sword *LCO*
estrecho, -a narrow *12*
la estrella star *LCO*
estricto, -a strict *18*
la estructura structure *A*
el, la estudiante student *1*
estudiar to study *A*
étnico, -a ethnic *13*
europeo, -a European *6*

evitar to avoid *LCO*
la exageración exaggeration *LCO*
exagerar to exaggerate *LCO*
el examen examination, test *RG*
examinar to examine *3*
exasperado, -a exasperated *5*
excavar to dig *12*
excelente excellent *3*
exigente demanding *15*
la expedición expedition *10*
explicar to explain *3*
la exposición exposition *8*
la expresión expression *2*
extranjero, -a foreign, strange *9*
extraño, -a strange *1*

F

la fábrica factory *LCO*
fácil easy *6*
la facultad department, faculty (of a school) *3*
la faja scarf *20*
la falda skirt *4*
la falta lack *8*
faltar to lack *3*
la fama fame *LCO*
la familia family *D*
famoso, -a famous *1*
el, la fanático, -a fanatic, fan *11*
fantástico, -a fantastic *B*
el, la farmacéutico, -a pharmacist *LCO*
la farmacia pharmacy *3*
fascinar to fascinate *LCO*
la fase phase *LCO*
favor de please *3*
favorito, -a favorite *A*
la fecha date *C*
felicitar to congratulate *16*
felino, -a catlike *12*
feliz happy *LCO*
feo, -a ugly *B*
el ferrocarril railroad *C*
festivo, -a festive *20*
la ficha registration card, form *5*

la **ficción** fiction *17*
la **fiebre** fever *3*
fiel faithful *10*
la **fiesta** party *E*
la **figura** figure *RG*
figurar to figure *LCO*
fijarse to notice, to set, to establish *7*
fijo, -a fixed *16*
la **fila** row, line *5*
el **fin** end *C*
el fin de semana weekend *C*
la **fisiología** physiology *3*
flaco, -a thin *1*
la **flecha** arrow *7*
fluctuar to fluctuate *18*
folklórico, -a folkloric *8*
el **fondo** background *LCO*
los fondos funds *3*
la **fortaleza** fortress *LCO*
la **fotografía** photograph *B*
el **fragmento** fragment *LCO*
francamente frankly *C*
francés, -esa French *LCO*
el **franco** Swiss frank *18*
el **franqueo** postage *12*
la **frecuencia** frequency *1*
el **freno** brake *E*
fresco, -a fresh, cool *6*
el **frío** cold *1*
hacer frío to be cold (weather) *1*
frito, -a fried *6*
la **frontera** boundary, border *11*
la **fruta** fruit *LCO*
la **frutería** fruit store, fruit market *2*
el **fruto** result, fruit *LCO*
el **fuego** fire *20*
el fuego artificial firework *20*
la **fuente** source, fountain *LCO*
fuera (de) outside *LCO*
fuerte strong *B*
la **fuerza** force, strength *LCO*
fumar to smoke *C*
la **función** function, show *11*
furioso, -a angry *RG*
furtivo, -a sly *A*
fusilar to shoot *LCO*
el **fútbol** football *B*

G

la **gabardina** raincoat *7*
la **gana** desire, hope *1*
la **ganadería** cattle ranch *LCO*
el **ganadero** cattle breeder *LCO*
el **ganado** cattle *6*
el, la **ganador, -ra** winner *15*
ganar to win, to earn *B*
la **ganga** bargain *2*
el **garaje** garage *E*
la **garantía** guarantee *12*
la **garganta** throat *3*
la **garita de peaje** toll booth *14*
la **gasolina** gasoline *E*
gastar to spend *2*
el, la **gato, -a** cat *B*
el **general** general *LCO*
generalizar to generalize *4*
el **genio** genius *A*
la **gente** people *1*
la **geografía** geography *3*
la **geometría** geometry *A*
la **ginecología** gynecology *3*
la **gira** tour *11*
el, la **gobernador, -ra** governor *10*
el **gobierno** government *LCO*
el **gol** goal *B*
meter (marcar) un gol to score a goal *B*
el **golf** golf *B*
el **golpe** blow, kick *1*
golpear to hit *1*
el **golpecito** little blow *1*
gordo, -a fat *B*
la **gorila** gorilla *20*
gozar (de) to enjoy *13*
gracias thank you *1*
el **grado** grade *1*
graduarse to graduate *RG*
el **gramo** gram *RG*
grande large, big *B*
el **grano** grain *6*
gratuito, -a free *3*
grave serious *3*
la **gripe** flu *3*
gris gray *4*
gritar to shout, to scream *1*

el **grito** shout *LCO*
el **grupo** group *2*
el **guacamole** savory spread or salad made of avocado, onions, herbs, and chili peppers *6*
el **guante** glove *2*
guapo, -a handsome *B*
el **guardamonte** trigger guard *LCO*
guardar to save, to keep *RG*
la **guía** guide *5*
la guía telefónica telephone book (directory) *5*
la **guitarra** guitar *A*
el **gusano** worm *LCO*
gustar to be pleasing, to like *1*
el **gusto** taste *4*

H

la **habichuela** bean *LCO*
la **habitación** room *9*
habitar to live *12*
hablar to talk, to speak *A*
hace ago (+ *time*) *RG*
hacer to do, to make *C*
hacer calor to be hot (weather) *4*
hacer caso to pay attention *7*
hacer frío to be cold (weather) *1*
hacer mal tiempo to be bad weather *1*
hacerse to become *3*
hacer un viaje to take a trip *C*
hacia toward *10*
la **hacienda** hacienda *6*
hallar to find *12*
hambriento, -a hungry *LCO*
hasta until, even *A*
hasta la vista so long, good-bye *A*
hasta luego so long, good-bye *A*
hasta mañana until tomorrow, see you tomorrow *A*
hasta pronto see you soon *A*

hay there is, there are *A*

    hay que one must *LCO*

la **hermana** sister *C*

el **hermano** brother *B*

    hermoso, -a good-looking, beautiful *20*

el **héroe** hero *LCO*

el **híbrido** hybrid, something created from two different species *LCO*

la **hierba** grass *6*

la **hija** daughter *3*

el **hijo** son *3*

    los hijos children *3*

    hispano, -a Hispanic *3*

    hispanoamericano, -a Spanish American *3*

la **historia** history *A*

    histórico, -a historic *RG*

la **historieta** cartoon, illustrated short story *17*

el **hogar** home *16*

    hola hello *A*

el **hombre** man *A*

    el hombre de confianza best man *16*

    hondo, -a deep *3*

    honrar to honor *16*

la **hora** hour, time *C*

    ¿a qué hora? at what time? *C*

la **hormiga** ant *12*

    hospedarse to lodge, to reside *9*

el **hospital** hospital *3*

el **hotel** hotel *LCO*

    hoy today *D*

    hoy en día nowadays *1*

el **hoyo** hole, indention, pit *19*

    huir to flee *10*

la **humedad** humidity *12*

    humilde humble *7*

el **humor** humor *A*

I

la **idea** idea *4*

el **idioma** language *8*

la **iglesia** church *LCO*

    igual equal, the same *2*

    ilegal illegal *18*

    imaginar to imagine *1*

la **impaciencia** impatience *LCO*

    impecable impeccable *LCO*

    importante important *C*

    importar to be important, to matter *4*

    improbable unlikely *15*

el **impuesto** tax, duty *9*

    inánime lifeless *LCO*

el **incidente** incident *LCO*

    incluso even, including *15*

    incómodo, -a uncomfortable *9*

    increíble incredible *E*

    indicar to indicate *3*

    indígena native *8*

el, la **indio, -a** Indian *6*

el **individuo** individual *LCO*

    industrialista pertaining to industrialism *LCO*

la **inflación** inflation *18*

la **influencia** influence *LCO*

el **informe** report *17*

    inglés, -esa English *A*

el **ingreso** admission fee *19*

    insistir to insist *A*

    inspirado, -a inspired *LCO*

la **institución** institution *LCO*

el **instrumento** instrument *B*

    inteligente intelligent *B*

    intentar to try *5*

    intercambiar to exchange *16*

el **interés** interest *LCO*

    interesante interesting *B*

el **interior** interior *10*

el, la **interlocutor, -ra** speaker *5*

    interurbano, -a intercity *5*

la **intriga** intrigue *10*

    introducir to put in *5*

    inundar to flood *12*

el, la **invasor, -ra** invader *10*

    invencible unconquerable *B*

el **inventario** inventory *13*

el **invierno** winter *12*

    invitar to invite *RG*

la **inyección** injection, shot *3*

    ir to go *A*

    ir a to be going to *B*

    ir de compras to go shopping *1*

    ir de juerga to go on a spree *20*

    irlandés, -esa Irish *LCO*

    irrazonable unreasonable *RG*

la **isla** island *LCO*

    izquierda left *14*

    a la izquierda to the left *14*

J

el **jabón** soap *LCO*

el **jaleo** uproar *20*

    jamás ever *9*

    japonés, -esa Japanese *4*

el **jardinero** fielder *LCO*

el **jefe** leader, chief *LCO*

    ¡Jesús! God bless you! *3*

    joven young *2*

la **joya** jewel *2*

el **juego** game *LCO*

    jueves Thursday *2*

el, la **jugador, -ra** player *B*

    jugar (ue) to play *B*

el **juguete** toy *2*

    julio July *12*

    junio June *12*

    juntarse to gather, to join *LCO*

    junto, -a together *D*

    junto a next to *LCO*

    justo, -a fair *17*

    juvenil juvenile *4*

la **juventud** youth *4*

K

el **kilo** kilogram *LCO*

L

la **la** the, her, it *A*

la **labor** work *LCO*

laborable working *20*

el, la labrador, -ra worker *18*

el lado side *LCO*
    al lado de next to *LCO*

el lago lake *19*

la lágrima tear *LCO*

lamentar to lament, to cry about *1*

la lana wool *4*

largo, -a long *2*

las the, you, them *C*

la lata can, tin can *12*

lavarse to wash oneself *2*

le him, to him, for him, her, to her, for her, you, to you, for you *D*

la lección lesson *13*

la leche milk *13*

la lechuga lettuce *6*

leer to read *A*

legionario, -a legionary *6*

la legumbre vegetable *6*

lejano, -a distant *LCO*

lejos (de) far *RG*

lento, -a slow *LCO*

les them, to them, for them, you, to you, for you (plural) *D*

levantarse to get up *1*

la ley law *13*

la leyenda legend *10*

la libertad liberty *LCO*

libre free *8*

la librería bookstore *2*

el libro book *A*
    el libro de bolsillo paperback (pocket) book *17*

la licenciatura licentiate, master's degree *7*

la liga league *LCO*

limeño, -a of or from Lima, Perú *8*

limitar to limit *19*

limpiar to clean *E*

limpio, -a clean *9*

el linaje lineage *LCO*

lindo, -a pretty *9*

la línea line *5*
    la línea aérea airline *12*

la liquidación sale *3*

liso, -a smooth *12*

la lista list *LCO*

listo, -a ready, smart *LCO*

literario, -a literary *LCO*

lo it, him *C*
    lo que what *2*

la localidad place *11*

loco, -a crazy *1*

los the, them *A*

la lotería lottery *15*

la luciérnaga firefly *LCO*

luchar to fight *10*

luego then, next *A*
    hasta luego so long, good-bye *A*

el lugar place *2*

el lujo luxury *9*

la luna moon *4*

la luz light *E*

LL

la llamada call *5*
    la llamada por cobrar collect call *5*

llamar to call *C*
    llamarse to be named (called) *C*

la llave key *1*

el llavero keyring, keeper of the keys *1*

la llegada arrival *6*

llegar to arrive *1*
    llegar a ser to become *15*

llenar to fill *E*

lleno, -a full *LCO*

llevar to wear, to carry, to take *C*

llorar to cry *LCO*

llover (ue) to rain *4*

la lluvia rain *12*

M

la madera wood *12*

la madre mother *1*

madrileño, -a of or from Madrid *1*

la madrina godmother; maid of honor *16*

el, la maestro, -a teacher *1*

el maíz corn *6*

el mal evil *1*

la maleta suitcase *C*

malo, -a bad *B*

la mamá mom, mother *2*

la manada herd, crowd *20*

mandar to send, to order *LCO*

el mando command *LCO*

la manera manner, way *4*

la manga sleeve *2*

la mano hand *1*

mantener to maintain, to keep *LCO*

la mantequilla butter *6*

la manzana city block *1*

el mañana tomorrow *8*

la mañana morning *A*

el mapa map *13*

la máquina machine *LCO*

el mar sea *LCO*

la maravilla marvel, wonder *8*

la marca brand, kind *RG*

marcar to score *B*
    marcar el número to dial the number *5*

el marco mark, monetary unit of Germany *18*

la marcha march, speed *10*

marchar to march *10*

la marea alta high tide *12*

el marido husband *LCO*

el marisco shellfish *8*

más more *1*

la máscara mask *20*

el matador bullfighter *LCO*

matar to kill *6*

el matrimonio marriage *4*

máximo, -a maximum *14*

mayo May *1*

mayor older, oldest *3*

el mayoral boss *LCO*

la mayoría majority *17*

me me, to me, for me *C*

mecánico, -a mechanic *2*

la medianoche midnight *20*

las medias stockings *2*

la medicina medicine *3*

médico, -a medical *3*

el, la médico, -a doctor *3*

medio, -a half, medium, middle *1*
    término medio medium (cooked) *LCO*

el **medio** means *12*
el **mediodía** noon *RG*
medir (i, i) to measure *3*
la **mejilla** cheek *7*
mejor better *1*
menor younger, youngest *3*
menos less *1*
el **mensaje** message *RG*
mental mental *3*
la **mente** mind *15*
la **mentira** lie *13*
el **menú** menu *A*
menudo, -a small *1*
a menudo often *1*
el **mercado** market *E*
la **merced** mercy *10*
el **mes** month *LCO*
la **mesa** table *2*
el **mesero** waiter *5*
meter to put, to place *B*
meter un gol to score a goal *B*
el **metro** meter *20*
la **metrópoli** metropolis *8*
mexicano, -a Mexican *6*
mi my *A*
mí me *4*
el **miedo** fear *A*
el, la **miembro, -a** member *2*
mientras while, as *1*
miércoles Wednesday *20*
el miércoles de ceniza Ash Wednesday *20*
la **migración** migration *8*
mil one thousand *2*
el **militar** military person *1*
el **millón** million *RG*
el, la **millonario, -a** millionaire *11*
mínimo, -a minimum *18*
mío, -a mine *3*
mirar to look at, to watch *D*
el, la **mirón, -ona** onlooker, busybody *LCO*
mismo, -a same *A*
la **mitad** half *LCO*
la **moda** style *4*
de moda in style *4*
los **modales** manners, behavior *7*
moderno, -a modern *3*
el **modo** manner, way, mode *4*

el **molde** mold *10*
molestar to bother, to annoy *RG*
el **momento** moment *1*
el **monarca** monarch *10*
la **moneda** coin *1*
la moneda firme stable currency *18*
el **mono** monkey *12*
el **monstruo** monster *LCO*
la **montaña** mountain *3*
montañoso, -a mountainous *19*
montar to mount *10*
montar a caballo to ride horseback *LCO*
el **monte** mountain *RG*
el **montón** a great deal *5*
moreno, -a dark-haired, brown, brunette *B*
morir (ue, u) to die *3*
morir de hambre to die of hunger *6*
el **mosquito** mosquito *3*
el **mostrador** counter *2*
la **motocicleta** motorcycle *RG*
moverse (ue) to move *8*
el **movimiento** movement *LCO*
el **mozo** young man, porter, bellhop *C*
la **muchacha** girl *B*
el **muchacho** boy *B*
mucho, -a much, a lot *A*
mudarse to move *LCO*
el **mueble** furniture *2*
la **muerte** death *10*
la **mujer** woman, wife *7*
la **mula** mule *LCO*
la **muleta** bullfighter's cape *LCO*
la **multa** fine *14*
el **mundo** world *1*
el **museo** museum *8*
la **música** music *2*
el, la **músico, -a** musician *1*
muy very *A*

N

nacer to be born *LCO*
la **nacionalidad** nationality *B*
nada nothing *C*
nadar to swim *D*
nadie no one *D*

la **natación** swimming *19*
la **naturaleza** nature *LCO*
la **navaja** razor *LCO*
la **Navidad** Christmas *LCO*
necesario, -a necessary *2*
necesitar to need *2*
el, la **negociante** dealer, merchant *LCO*
el **negocio** business, occupation *LCO*
negro, -a black *4*
nervioso, -a nervous *3*
el **neumático** tire *E*
nevar (ie) to snow *1*
ni neither, nor *B*
la **nieta** granddaughter *LCO*
el **nieto** grandson *LCO*
los nietos grandchildren *LCO*
la **nieve** snow *LCO*
ninguno, -a no, not any, none *8*
la **niña** girl *1*
el **niño** boy *1*
no no, not *B*
noble noble *LCO*
la **noche** night *C*
la **Nochebuena** Christmas Eve *LCO*
la **Nochevieja** New Year's Eve *LCO*
nombrar to name *10*
el **nombre** name *3*
el **nordeste** northeast *LCO*
el **norte** north *LCO*
norteamericano, -a North American *3*
nos us, to us, for us *C*
nosotros, -as we *A*
la **nota** note, (class) grade *A*
las **noticias** news, notice *LCO*
la **novela** novel *2*
la **novia** girlfriend, fiancée *D*
el **novillero** novice bullfighter *LCO*
el **novio** boyfriend, fiancé *1*
la **nube** cloud *1*
nublado, -a cloudy *19*
nuestro, -a our *1*

nuevo, -a new *1*
   de nuevo again *2*
el **número** number *C*
  nunca never, ever *1*

O

  o or *A*
  obedecer to obey *LCO*
el **obispo** bishop *LCO*
  obligatorio, -a obligatory *3*
la **obra** work *8*
  obstinado, -a stubborn *E*
la **ocasión** occasion *4*
el **océano** ocean *10*
  ocupado, -a busy *5*
  ocurrir to occur *1*
el **oeste** west *LCO*
  ofender to offend *10*
  ofrecer to offer *2*
  oír to hear *E*
  ojalá would that *20*
el **ojo** eye *B*
  oler (ue) to smell *LCO*
  olvidar to forget *9*
el, la **operador, -ra** operator *5*
  operar to operate *RG*
  opinar to think *7*
la **opinión** opinion *RG*
la **oportunidad** opportunity *LCO*
el **orden** order *5*
  ordenar to order *LCO*
la **oreja** ear *LCO*
  orgánico, -a organic *3*
el **orgullo** pride *LCO*
  orgulloso, -a proud *17*
el **origen** origin *LCO*
la **orilla** bank (of a river), shore *12*
el **oro** gold *LCO*
la **ortopedia** orthopedics *3*
la **oscuridad** darkness *1*
  oscuro, -a dark *1*
el **otoño** autumn *LCO*
  otro, -a another *1*
  otra vez again *4*
la **oveja** sheep *6*
  obligar to oblige *20*

P

el, la **paciente** patient *3*
el **padre** father *B*
  los padres parents *B*

el **padrino** godfather, best man *16*
la **paella** saffron-flavored dish of rice with seafood, chicken, and vegetables *14*
  pagar to pay *D*
el **pago** pay *6*
el **país** country *3*
la **paja** straw *12*
el **pajarito** little bird *LCO*
el **pájaro** bird *12*
el **paje de honor** usher (in a bridal party) *16*
la **palabra** word *1*
el **palacio** palace *10*
la **palanca** gear shift lever; pole; rifle bolt *LCO*
el **palo** stick *19*
la **paloma** dove, pigeon *LCO*
  palpable clear, evident *LCO*
el **pan** bread *6*
la **panadería** bread store *2*
el **pantalón** pants *3*
la **pantalla** movie screen *16*
el **pañuelo** handkerchief *20*
la **papa** potato *6*
el **papá** papa *2*
el **papel** paper, role *LCO*
  hacer el papel to play the role *LCO*
el **paquete** package *2*
el **par** pair *2*
  para for, in order to *C*
  para que so that *19*
el **parabrisas** windshield *E*
la **parada** stop *14*
el **parador** inn, hostel, roadhouse *9*
  parar to stop *B*
  parecer to seem *5*
la **pared** wall *11*
la **pareja** couple *16*
el, la **pariente** relative *7*
el **parque** park *1*
el **parquímetro** parking meter *14*
la **parte** part *1*
  particular private, particular *A*
el **partido** game, match *B*

  pasado, -a past *1*
  pasado mañana day after tomorrow *11*
el, la **pasajero, -a** passenger *C*
  pasar to pass (time), to happen, to spend *1*
  pasear to go for a walk *LCO*
el **paseíllo** parade before bullfight *LCO*
el **pasodoble** graceful march played during the bullfight *LCO*
el **pastel** pastry *2*
la **pastelería** pastry shop *2*
la **pastilla** pill *3*
el **pastor** shepherd *6*
la **pata** paw *12*
el **pato** duck *17*
el **patriotismo** patriotism *13*
el **patrón** patron *1*
  patronal pertaining to a patron saint *1*
la **patrulla** patrol *1*
  patrullar to patrol *1*
el **peaje** toll *14*
  la garita de peaje toll booth *14*
el **pedazo** piece *15*
  pedir (i, i) to ask for, to order *1*
la **pedrada** stoning *10*
  pelear to fight *1*
la **película** film *D*
el **peligro** danger *RG*
  peligroso, -a dangerous *RG*
  pelirrojo, -a redhead *B*
el **pelo** hair *B*
la **pelota** ball *2*
la **pena** pain, grief *LCO*
la **penicilina** penicillin *3*
la **península** peninsula *LCO*
la **penitencia** penance, penalty *20*
el **pensamiento** thought *LCO*
  pensar (ie) to think *4*
la **pensión** boarding house *9*
  peor worse *3*
  pequeño, -a small *2*
  perder (ie) to lose *B*

¡perdón! pardon, excuse me *12*

perfilado, -a streamlined *LCO*

el **perfume** perfume *2*

el **periódico** newspaper *D*

el, la **periodista** journalist *LCO*

la **perla** pearl *2*

pero but *B*

la **perra gorda** old Spanish coin of little value *LCO*

la **persona** person *1*

persuadir to persuade *10*

peruano, -a Peruvian *4*

el **perro** dog *B*

pesar to weigh *3*

el **pescado** fish *6*

la **peseta** monetary unit of Spain *1*

el **peso** peso, monetary unit of several Latin American countries *2*

el **piano** piano *2*

el **picador** picador *LCO*

picar to sting *3*

el **picnic** picnic *17*

el **pie** foot *A*

de pie standing *LCO*

la **piedra** stone *12*

la **pierna** leg *RG*

el **pilote** support, pillar *12*

el **piloto** pilot *LCO*

la **pintura** painting *8*

la **piraña** piranha *12*

la **piscina** pool *1*

el **piso** floor, story (of a building) *2*

la **pista** runway, slope *LCO*

la **pistola** gun *LCO*

la **pizarra** chalkboard *13*

el **placer** pleasure *20*

la **plancha** board, plank *19*

la plancha de vela sailboard, windsurf board *19*

la **planta** plant, floor *6*

la planta baja ground floor *2*

la **plata** silver, money *RG*

platicar to chat, to gossip *LCO*

el **plato** plate, dish *2*

la **playa** beach *1*

la **plaza** public square *LCO*

la plaza de toros bullring *8*

la **pluma** pen *11*

pobre poor *1*

poco, -a little, few *1*

poder (ue) to be able *B*

el **policía** police officer *1*

la **policía** police force *1*

policíaco, -a detective *17*

político, -a political *LCO*

el **pollo** chicken *6*

el **pómulo** cheekbone *LCO*

poner to put, to place *C*

poner a cargo to put in charge *10*

ponerse to put on; to become *4*

popular popular *B*

la **popularidad** popularity *19*

por by, through *C*

por eso therefore *5*

por favor please *2*

por fin finally *5*

por lo menos at least *LCO*

por la mañana in the morning *C*

por la noche in the evening *C*

por la tarde in the afternoon *C*

¿por qué? why? *A*

porque because *B*

por si acaso just in case *5*

¡por supuesto! of course! *4*

el **portal** gate, door *1*

el **portamonedas** change purse *1*

porteño, -a of or from Buenos Aires *8*

el, la **portero, -a** goalie *B*

la **posesión** possession *LCO*

postal postal *12*

la tarjeta postal postcard *12*

el **postre** dessert *6*

el **pozo** (water) well *LCO*

practicar to practice *19*

el **precio** price *C*

la **preciosidad** delightfulness *LCO*

precioso, -a darling *LCO*

precisamente exactly *9*

la **preferencia** preference *LCO*

preferir (ie, i) to prefer *B*

el **pregón del vendedor** street vendor's cry *15*

preguntar to ask *2*

el **prejuicio** prejudice *LCO*

el **premio** prize *LCO*

el premio gordo grand prize *15*

prender to seize *10*

la **prensa** press *LCO*

preparar to prepare *D*

presentar to present, to introduce *1*

el **presente** present *A*

el **presidente** president *E*

la **presión** pressure *3*

la presión arterial blood pressure *3*

prestar to lend *4*

prestar atención to pay attention *RG*

primario, -a primary, elementary *RG*

la **primavera** spring *LCO*

primero, -a first *B*

el, la **primo, -a** cousin *B*

la **prisa** haste *18*

de prisa quickly *18*

el, la **prisionero, -a** prisoner *10*

privado, -a private *3*

el **problema** problem *3*

la **procesión** procession *1*

el **producto** product *2*

el, la **profesor, -ra** professor, teacher *A*

prohibido, -a prohibited *16*

el **promedio** average *LCO*

la **promoción** promotion *LCO*

pronto soon *A*

propicio, -a favorable *19*

la **propina** tip *D*

propio, -a own *8*

proteger to protect *LCO*

el **provecho** advantage *6*
  ¡buen provecho! bon appetit! *6*
próximo, -a next *LCO*
la **publicidad** publicity, advertising *4*
el **pueblo** town *3*
el **puente** bridge *3*
la **puerta** gate, door *C*
el **puerto** port *10*
puertorriqueño, -a Puerto Rican *LCO*
pues well, then *B*
el **puesto** stand, stall (market) *RG*
el **punto** point *15*
  el punto de vista point of view *7*
la **puya** steel point *LCO*

Q

que that, who, which *A*
¿qué? what? how? *A*
  ¿qué hay? what's up? *A*
  ¡qué lástima! what a pity! *RG*
  ¡qué pena! what a shame! *B*
  ¿qué tal? how are things? *A*
quedarse to stay, to remain *RG*
quejarse to complain *1*
quemar to burn *10*
querer (ie) to wish, to want *B*
el **queso** cheese *LCO*
quien who, whom *1*
¿quién? who? whom? *A*
la **química** chemistry *A*
quinto, -a fifth *1*
el **quite** hindrance; removal *LCO*
  acudir al quite to enter to distract the bulls *LCO*
quizás perhaps *13*

R

el **radiador** radiator *E*
la **radiología** radiology *3*
la **ranura** slot, groove *5*
rápido, -a fast *2*
la **raqueta** racket *19*

el **rascacielos** skyscraper *8*
el **rastro** trace *LCO*
la **raya** stripe *2*
razonable reasonable *8*
realizar to realize, to achieve *LCO*
la **recepción** reception, front desk *9*
el, la **recepcionista** receptionist *9*
la **receta** prescription; recipe *3*
recibir to receive *A*
reciente recent *16*
  el, la recién casado, -a newlywed *16*
recientemente recently *1*
reconocer to recognize *20*
recordar (ue) to remember *9*
recto, -a straight *LCO*
la **red** net *19*
referir (ie, i) to refer *1*
el **refresco** refreshment *D*
el **refuerzo** reinforcement *10*
regalar to give as a gift *4*
el **regalo** present *C*
la **región** region *3*
la **regla** rule *16*
regresar to return *10*
regular regular *A*
el **rehén** hostage *10*
la **reina** queen *8*
reinar to reign *10*
reír to laugh *LCO*
  reír a carcajadas to burst out laughing *LCO*
relacionarse to associate *LCO*
la **reliquia** relic *17*
el **reloj** watch *8*
relleno, -a filled *6*
remar to row *12*
remoto, -a remote *3*
el **repaso** review *A*
repetir (i, i) to repeat *6*
el, la **reportero, -a** reporter *11*
la **res** head of cattle *LCO*
el **rescate** ransom *LCO*
resolver (ue) to resolve *RG*

el **respeto** respect *7*
la **respiración** breathing *LCO*
respirar to breathe *3*
responder to respond *LCO*
la **responsabilidad** responsibility *1*
el **restaurante** restaurant *D*
resumir to summarize *11*
la **retaguardia** rearguard *LCO*
reunirse to meet *2*
revelar to reveal *10*
reventar (ie) to explode, to burst *LCO*
revisar to check *E*
la **revista** magazine *C*
la **revolución** revolution *LCO*
revolucionario, -a revolutionary *LCO*
el **rey** king *8*
rico, -a rich *11*
el **río** river *3*
la **risa** laughter *LCO*
el **ritmo** rhythm *11*
robar to rob *14*
rodeado, -a surrounded *10*
rodear to surround *7*
rogar (ue) to beg, to ask for *16*
rojo, -a red *E*
el **rollo** roll *2*
romano, -a Roman *6*
romper to break *RG*
la **ropa** clothing *C*
roto, -a broken *10*
el **rótulo** street sign *14*
rubio, -a blond(e) *B*
el **ruedo** bullring *LCO*
el **ruido** noise *1*
la **ruina** ruin *LCO*
el **rumor** rumor *10*
rural rural *3*
la **ruta** route *6*

S

sábado Saturday *B*
saber to know (a fact) *C*
el **sabor** taste, flavor *6*
sacar to get, to take out, to pull out *A*

el **saco** sack, bag *4*
la **sal** salt *6*
la **sala** living room *D*
   la sala de espera
     waiting room *C*
el **salario** salary *1*
la **salida** departure, exit *10*
   salir to leave *C*
   ¡Salud! God bless you! *3*
   saludar to greet *1*
el **saludo** greeting *A*
   salvar to save, to rescue *LCO*
   salvo, -a safe *15*
el **sándwich** sandwich *D*
la **sangre** blood *LCO*
   sanjuanero, -a of or from San Juan *8*
   sano, -a healthy *15*
el, la **santo, -a** saint, saint's day *1*
   se himself, herself, themselves *1*
la **sección** section *C*
el, la **secretario, -a** secretary *10*
el **secreto** secret *1*
   secundario, -a secondary *LCO*
la **segregación** segregation *LCO*
   seguir (i, i) to follow, to continue *5*
   según according to *4*
   segundo, -a second *B*
la **seguridad** safety, security *11*
   seguro, -a sure, safe *LCO*
la **selección** selection *2*
la **selva** jungle *12*
   selvático, -a pertaining to the jungle *12*
el **sello** stamp *7*
el **semáforo** traffic light *E*
la **semana** week *C*
   el fin de semana weekend *C*
   la semana pasada last week *D*
   semanal weekly *18*
   sencillo, -a simple *6*
   sentar (ie) to sit *1*
el **sentido** sense, meaning *LCO*
   sentir (ie, i) to feel *3*

la **seña** sign, mark *LCO*
la **señal** signal *5*
   señalar to point out *17*
el **señor** Mr., gentleman *1*
la **señora** Mrs., Ms., lady *4*
la **señorita** Miss, Ms., young lady *8*
   separar to separate *20*
   septiembre September *12*
   séptimo, -a seventh *2*
   ser to be *A*
   el ser humano human being *LCO*
el **sereno** night watchman *1*
la **serie** series *LCO*
   la Serie Mundial World Series *LCO*
   serio, -a serious *B*
la **serpiente** snake *12*
el **servicio** service *D*
   sevillano, -a of or from Seville *LCO*
   sexto, -a sixth *2*
   si if *C*
   sí yes *A*
   siempre always *A*
la **sierra** mountain range *RG*
la **siesta** nap *1*
el **siglo** century *6*
el **significado** meaning *1*
   significar to mean *1*
   siguiente following *2*
el **silencio** silence *5*
la **silla** seat, chair *9*
   simpático, -a nice *B*
   sin without *1*
   sin embargo nevertheless *5*
   sin que without, unless *19*
el **síntoma** symptom *3*
el **sistema** system *1*
el **sitio** place *6*
la **situación** situation *3*
   sobre over, above, on *LCO*
el **sobre** envelope *12*
la **sobrepoblación** overpopulation *8*
la **sociedad** society *7*
el, la **socio, -a** member *LCO*
el **sofá** sofa *2*
el **sol** sun *D*
   solamente only *2*

el **soldado** soldier *6*
   soler (ue) to be accustomed to *7*
   solo, -a alone *1*
   sólo only *1*
   soltero, -a single (unmarried) *16*
el **sollozo** sob *LCO*
la **sombrerería** hatshop *2*
el **sombrero** hat *LCO*
   sonar (ue) to ring, to sound *2*
la **sonrisa** smile *1*
la **sopa** soup *6*
   soplar to blow *12*
   soportar to support *12*
   sorprender to surprise *5*
la **sortija** engagement ring *16*
   sospechar to suspect *10*
el **sótano** basement *2*
   su his, her, its, their, your *A*
   suave soft *A*
   subir to go up *D*
el **subtítulo** subtitle *17*
   sucio, -a dirty *9*
el **sueldo** salary *18*
el **suelo** floor *7*
el **suelto** change *18*
el **sueño** dream *LCO*
la **suerte** luck *5*
   sufrir to suffer *3*
   suizo, -a Swiss *18*
   superar to stand out *18*
   superior superior *1*
el **supermercado** supermarket *RG*
el **sur** south *LCO*
   surgir to rise *10*
   suyo, -a his, her, its, theirs, yours *LCO*

T

el **tabaco** tobacco *6*
el **taco** taco (filled and fried tortilla) *6*
   tal such *E*
la **talla** size (clothing) *2*
el **tamal** dish made of corn meal, chicken or meat, and chili wrapped in banana leaves or corn husk *6*
el **tamaño** size *2*

también too, also *A*

tampoco either *3*

tan so *E*

el **tanque** tank *E*

tanto, -a so much *9*

el **tanto** score *B*

la **tapa** hors d'oeuvre *8*

la **taquilla** ticket window *D*

el, la **taquillero, -a** ticket agent *11*

tardar to take time *12*

tarde late *2*

la **tarde** afternoon *B*

la **tarea** task, work *11*

la **tarjeta** card *9*

    la tarjeta postal postcard *12*

la **tasa** rate *18*

el, la **taxista** taxi driver *13*

la **taza** cup *LCO*

te you, to you, for you *C*

teatral theatrical *8*

el **teatro** theater *E*

el **techo** roof *12*

la **tecnología** technology *5*

tejano, -a Texan *LCO*

la **tela** material *4*

telefónico, -a telephone, telephonic *5*

el **teléfono** telephone *D*

la **televisión** television *D*

el **televisor** television set *2*

temer to fear *LCO*

la **temperatura** temperature *3*

la **temporada** season *B*

temprano early *1*

tener to have *B*

    tener _____ años to be _____ years old *B*

    tener cuidado to be careful *RG*

    tener éxito to be successful *2*

    tener ganas de to feel like *1*

    tener gracia to be funny *LCO*

    tener hambre to be hungry *1*

    tener lugar to take place *1*

    tener miedo to be afraid *6*

    tener que to have to *B*

    tener razón to be right *4*

    tener sueño to be sleepy *14*

    tener suerte to be lucky *15*

el **tenis** tennis *B*

el, la **tenista** tennis player *3*

la **tensión** tension *3*

    la tensión arterial blood pressure *3*

tercero, -a third *2*

terco, -a stubborn *LCO*

terminar to end *1*

el **término** end *LCO*

    término medio medium (cooked) *LCO*

el **termómetro** thermometer *3*

el **terremoto** earthquake *LCO*

el **terreno** land *19*

el **tesoro** treasure *10*

ti you *4*

la **tía** aunt *5*

el **tiempo** time, weather *B*

la **tienda** store *2*

    la tienda por departamentos department store *2*

tierno, -a tender *11*

la **tierra** land *LCO*

el **tío** uncle *B*

típico, -a typical *3*

el **tipo** type *1*

    el tipo de cambio exchange rate *18*

la **tira** shot *15*

tirar to throw *7*

el **tiro de gracia** coup de grace (after an execution) *LCO*

el **titular** headline *17*

el **título** title *7*

tocar to play, to touch *A*

    tocarle a uno to be (someone's) turn *LCO*

todavía still, yet *1*

todo, -a all *D*

    todo el mundo everyone *4*

tomar to take *A*

    tomarle el pelo a uno to tease someone *C*

tomar parte to participate *1*

el **tomate** tomato *6*

tonto, -a foolish, dumb *RG*

el **toque** ringing, beating (of a drum) *LCO*

torear to fight bulls *LCO*

el **toril** bullpen (adjoining the bullring) *LCO*

el **toro** bull *1*

la **torre** tower *3*

la **tortilla** type of pancake made from corn *6*

toser to cough *3*

el **tostón** fried banana *8*

totalmente totally *5*

trabajar to work *A*

el **trabajo** work *A*

traducir to translate *17*

traer to bring *C*

el **tráfico** traffic *8*

la **tragedia** tragedy *LCO*

traicionar to betray *LCO*

el, la **traidor, -ra** traitor *10*

el **traje** suit *2*

    el traje de baño bathing suit *19*

el **trámite** step, procedure *5*

la **trampa** trap *LCO*

tranquilo, -a calm *1*

el **transporte** transportation *12*

tras after, behind *LCO*

tratar to try, to treat *5*

tremendo, -a tremendous *2*

el **tren** train *C*

la **tribu** tribe *8*

el **trigo** wheat *6*

triste sad *1*

la **tristeza** sadness *11*

triunfar to triumph *LCO*

el **triunfo** triumph *LCO*

el **tronco** tree trunk *12*

la **tropa** troop *10*

trotar to trot *LCO*

el **trote** trot *LCO*

tu your *A*

tú you *A*

el **tuberculosis** tuberculosis *3*

el **tubo** pipe *RG*

el, la **turista** tourist *8*
tutearse to address with the familiar form of **tú** *7*

U

Ud. you (sing. polite) *A*
Uds. you (pl. polite) *A*
último, -a last *7*
un, uno, -a a, one *A*
único, -a unique *LCO*
la **unión** union *LCO*
unir to unite *10*
unirse to join *LCO*
la **universidad** university *C*
unos, -as some, a few *1*
urbano, -a urban *8*
usar to use *1*
útil useful *RG*

V

la **vaca** cow *6*
la **vacación** vacation *1*
valer to be worth *14*
valiente brave *10*
valioso, -a valuable *LCO*
el **valor** value *2*
el **vaquero** cowboy *6*
la **vaquilla** young cow *LCO*
variar to vary *2*
la **variedad** variety *6*
varios, -as various *1*
vasco, -a Basque *LCO*

la **vasija** bowl, container, receptacle *2*
el, la **vecino, -a** neighbor *1*
la **vegetación** vegetation *12*
el **vegetal** vegetable *4*
veintitantos twenty or so *LCO*
la **velocidad** speed *14*
el, la **vendedor, -ra** seller *2*
el **veneno** poison *12*
venenoso, -a poisonous *12*
venir to come *E*
venir a menos to become poorer *LCO*
la **venta** sale *13*
la **ventana** window *13*
la **ventanilla** little window, ticket window *C*
ver to see *D*
el **verano** summer *1*
el **verbo** verb *A*
la **verdad** true, truth *3*
verdadero, -a true, real *8*
la **verónica** pass with the capote *LCO*
el **vestido** dress *2*
vestir (i, i) to dress *2*
la **vez** time *1*
a veces at times *17*
de vez en cuando sometimes *1*
viajar to travel *2*
el **viaje** trip *C*
la **víctima** victim *LCO*
la **vida** life *1*

viejo, -a old *1*
viernes Friday *C*
la **vigilancia** vigilance *1*
vigilar to watch, to guard *1*
el **vino** wine *6*
virar to turn *14*
la **virtud** virtue *LCO*
visitar to visit *C*
la **vista** sight *A*
la **vivienda** housing, dwelling *8*
vivir to live *A*
el **vocabulario** vocabulary *19*
volar (ue) to fly *4*
el **vólibol** volleyball *B*
volver (ue) to return *B*
volverse (ue) to become *15*
la **voz** voice *11*
el **vuelo** flight *C*

Y

y and *A*
ya already *4*
yo I *A*

Z

la **zapatería** shoe shop *2*
la zapatilla de tenis tennis shoe *4*
el **zapato** shoe *2*
la **zona** zone *3*

English-Spanish Vocabulary

A

a un, uno, -a *A*
able: to be able poder (ue) *B*
to abandon abandonar *LCO*
aborigines los aborígenes *12*
about a eso de *1*
above arriba *RG;* sobre *LCO*
absence la ausencia *10*
to accelerate acelerar *E*
accelerator el acelerador *E*
to accept aceptar *9*
to accompany acompañar *4*
according to según *4*
account la cuenta *D*
accustomed: to be accustomed to soler (ue) *7*
ache el dolor *3*
to achieve realizar *LCO*
to add añadir *1*
to address dirigir la palabra *7*
admiral el almirante *LCO*
to admire admirar *17*
admirer el, la admirador, -ra *RG*
to advance avanzar *LCO*
advanced avanzado, -a *5*
advantage el provecho *6*
advertisement el anuncio *4*
to advise aconsejar *16*
affection el cariño *7*
afraid: to be afraid tener miedo *6*
affectionate cariñoso, -a *7*
after después (de) *C;* tras *LCO*
afternoon la tarde *B*
in the afternoon por la tarde *C*
again de nuevo *2;* otra vez *4*
against contra *B*
age la edad *3*
agent el, la agente *8*
ago hace *RG*
agrarianism el agrarismo *LCO*
agreed de acuerdo *4*
agreement el acuerdo *4*

ahead adelante *LCO*
air el aire *E*
air conditioning el aire acondicionado *9*
pertaining to the air aéreo, -a *RG*
airline la línea aérea *12*
airmail el correo aéreo *12*
airplane el avión *C*
airport el aeropuerto *C*
algebra el álgebra (*f*) *A*
all todo, -a *D*
allergy la alergia *3*
almost casi *1*
alone solo, -a *1*
already ya *4*
also también *A*
although aunque *LCO*
always siempre *A*
Amazon (of or from) amazónico, -a *12*
American americano, -a *3*
among entre *4*
anatomy la anatomía *3*
ancient antiguo, -a *1*
and y *A*
Andalusia (of or from) andaluz, -za *LCO*
Andes (of or from) andino, -a *19*
angel el ángel *4*
angle el ángulo *4*
angry furioso, -a *RG*
animal el animal *4*
to announce anunciar *RG*
announcement el anuncio *4*
to annoy molestar *RG*
annual anual *18*
answer la contestación *14*
to answer contestar *A*
ant la hormiga *12*
antibiotic el antibiótico *3*
any cualquier *3;* ninguno, -a *8*
apartment el apartamento *A*
to appear aparecer *1*
applause el aplauso *LCO*
to approach acercarse *LCO*
Arab el árabe *LCO*
Arabic árabe *LCO*
Aragon (of or from) aragonés, -esa *LCO*
architecture la arquitectura *3*

area code la clave de área *5*
arm el brazo *7*
to arrange arreglar *RG*
arrival la llegada *6*
to arrive llegar *1*
arrow la flecha *7*
art el arte *8*
arthritis la artritis *3*
article el artículo *D*
as como *D;* mientras *1*
Ash Wednesday el miércoles de ceniza *20*
to ask (a question) preguntar *2*
to ask for pedir (i, i) *1;* rogar (ue) *16*
aspiration la aspiración *13*
aspirin la aspirina *3*
assassination el asesinato *LCO*
assistance la asistencia *3*
to associate relacionarse *LCO*
to assure asegurar *3*
asthma el asma (*f*) *3*
at a *A*
at least por lo menos *LCO*
at _____ o'clock a la(s) _____ *B*
at once en seguida *LCO*
athlete el, la deportista *2*
athletic atlético, -a *B;* deportivo, -a *LCO*
attack el ataque *14*
to attack atacar *10*
to attend asistir *1;* acudir *8*
to attend to atender (ie) *2*
attention la atención *3*
attention: to pay attention hacer caso *7;* prestar atención *RG*
to attract atraer *19*
August agosto *12*
aunt la tía *5*
Australia (of or from) australiano, -a *LCO*
author el, la autor, -ra *2*
autumn el otoño *LCO*
avenue la avenida *A*
average el promedio *LCO*
to avoid evitar *LCO*
ay ¡ay! *B*
Aztec el, la azteca *6*

B

baby el, la bebé *LCO*
back atrás *LCO*
background la ascendencia
13; el fondo *LCO*
bad malo, -a *B*
  to be bad weather hacer
mal tiempo 1
bag el saco 1
balcony el balcón 9
ball el balón *B;* la pelota
2
ballet el ballet 8
banana (fried) el tostón 8
bandit el bandido *LCO*
bank el banco 14
  river bank la orilla 12
banker el banquero 18
banquet el banquete 8
baptism el bautizo 13
bargain la ganga 2
barrel (of a gun) el cañón
LCO
base la base *LCO*
baseball el béisbol *B*
basement el sótano 2
basketball el básquetbol *B*
Basque el, la vasco, -a
LCO
to bat batear *LCO*
bath el baño 9
to bathe bañarse 8
bathing suit el traje de baño
19
batter el bateador *LCO*
battery la batería *E*
battle la batalla 10
to be estar *A;* ser *A*
  to be able poder (ue) *B*
  to be accustomed to
soler (ue) 7
  to be afraid tener miedo
6
  to be bad (weather)
hacer mal tiempo 1
  to be born nacer *LCO*
  to be careful tener
cuidado *RG*
  to be cold (weather)
hacer frío 1
  to be funny tener gracia
LCO
  to be hot (weather)
hacer calor 4
  to be hungry tener
hambre 1

  to be important
importar 4
  to be lucky tener suerte
15
  to be named llamarse
C
  to be pleasing gustar 1
  to be quiet callarse 13
  to be right tener razón
4
  to be sleepy tener sueño
14
  to be successful tener
éxito 2
  to be worth valer 14
beach la playa 1
beard la barba *RG*
to bear aguantar *LCO*
beautiful bello, -a *LCO;*
hermoso, -a 20
beauty la belleza 7
because porque *B*
  because of a causa de
LCO
to become hacerse 3; llegar a
ser 15; ponerse 4;
volverse 15
  to become poorer venir
a menos *LCO*
bed la cama *RG*
  to go to bed acostarse
(ue) 1
beef la carne de res 6
  barbecued beef el
churrasco 8
before antes de *E*
to beg rogar (ue) 16
to begin comenzar (ie) *B;*
empezar (ie) *B*
behind atrás *LCO;* detrás
LCO
to believe creer *A*
bellhop el botones 9; el
mozo *C*
below debajo de 10
bench el banco 14
benefit el beneficio 15
  for the benefit of a
beneficio de 15
besides además *LCO*
best man el padrino 16
between entre 4
to betray traicionar *LCO*
better mejor 1
big grande *B*
bilingual bilingüe *LCO*
bill la cuenta *D*

binge: to go on a binge ir
de juerga 20
biology la biología *A*
bird el pájaro 12
birthday el cumpleaños 2
bishop el obispo *LCO*
black negro, -a 4
blessed bendito, -a *E*
blind ciego, -a 15
block (city) la manzana 1;
la cuadra 14
blond(e) rubio, -a *B*
blood la sangre *LCO*
  blood pressure la
tensión arterial 3
blouse la blusa 2
blow el golpe 1
  blow gun la cerbatana 12
blue azul *B*
board la plancha 19
  sailboard la plancha de
vela 17
  windsurf board la
plancha de vela 17
boarding house la pensión
9
boat el barco 10
body el cuerpo; el cadáver
LCO
bolt el cerrojo *LCO*
book el libro *A*
  paperback (pocket)
book el libro de
bolsillo 17
bon appetit! ¡buen provecho!
6
bookstore la librería 2
boot la bota 4
border la frontera 11
boring aburrido, -a 3
born: to be born nacer
LCO
boss el mayoral *LCO*
both ambos, -as *E*
to bother molestar *RG*
bottle la botella 2
bottleneck el
embotellamiento 14
boundary la frontera 11
box (cardboard) el cartón
LCO
boxer el boxeador 3
boy el chico 4; el muchacho
B; el niño 1
boyfriend el amigo *A;* el
novio 1
brake el freno *E*

brand la marca *RG*
brave valiente *10*
bread el pan *6*
   bread store la panadería *2*
to **break** romper *RG*
breakfast: to have
   breakfast desayunarse *8*
to **breathe** respirar *3*
breathing la respiración
   LCO
bridesmaid la dama de
   honor *16*
bridge el puente *3*
to **bring** traer *C*
to **broil** asar *LCO*
broken roto, -a *10*
brother el hermano *B*
brown moreno, -a *B*
brunette moreno, -a *B*
Buenos Aires (of or from)
   porteño, -a *8*
bugle la corneta *LCO*
bugler el corneta *LCO*
building el edificio *1*
bull el toro *1*
   to fight bulls torear
     LCO
bullfight la corrida *1*
bullfighter el matador
   LCO
   novice bullfighter el
     novillero *LCO*
bullring la plaza de toros
   8; el ruedo *LCO*
to **burn** quemar *10*
to **burst** reventar (ie) *LCO*
bus el autobús (Spain) *A;*
   el camión (México) *8*
business el comercio *LCO;*
   el negocio *LCO*
businessperson el, la
   empresario, -a *11*
busy ocupado, -a *5*
busybody el, la mirón, -ona
   LCO
but pero *B*
butcher shop la carnicería
   LCOa 2
butter la mantequilla *6*
buy la compra *13*
to **buy** comprar *C*
by a *A;* por *C*

C

cafe el café *1*
cafeteria la cafetería *D*

call la llamada *5*
   collect call la llamada a
     (por) recobrar *5*
to **call** llamar *C*
calm tranquilo, -a *1*
camera la cámara *2*
can la lata *12*
Canadian canadiense *LCO*
canary el canario *LCO*
cancer el cáncer *3*
candy el dulce *4*
cane el chuzo (del sereno) *1*
cannon el cañón *LCO*
canoe la canoa *12*
cape (bullfighter's) la
   muleta *LCO;* el capote
   LCO
capital la capital *1*
captain el capitán *10*
to **capture** capturar *10*
car el carro, el coche *A*
Caracas (of or from)
   caraqueño, -a *8*
caravan la caravana *6*
card la tarjeta *9*
cardinal el cardenal *LCO*
careful: to be careful tener
   cuidado *RG*
cargo la carga *LCO*
carnival el carnaval *20*
care el cuidado *7*
   to take care of cuidar *6*
career la carrera *LCO*
to **carry** llevar *C*
cartoon la historieta
   (cartoon, illustrated short
   story) *17*
cash register la caja *2*
to **cash** cobrar *5*
cashier el, la cajero, -a *18*
Castilian el castellano
   LCO
cat el, la gato, -a *B*
Cataluña (of or from)
   catalán, -ana *15*
catastrophe la catástrofe
   LCO
cathedral la catedral *LCO*
catlike felino, -a *12*
cattle el ganado *6*
   head of cattle la res
     LCO
   cattle breeder el
     ganadero *LCO*
   cattle ranch la
     ganadería *LCO*
cause la causa *LCO*

to **cause** causar *LCO*
cement el cemento *RG*
cemetery el cementerio *RG*
cent el centavo *4*
center el centro *2*
century el siglo *6*
certain cierto, -a *4*
chalkboard la pizarra *13*
champion el campeón *LCO*
championship el
   campeonato *17*
change el suelto *18*
to **change** cambiar *2*
chaperone la dueña *3*
character el carácter *LCO*
characteristic la
   característica *8*
to **charge** cobrar *5*
to **chat** platicar *LCO*
cheap barato, -a *2*
check el cheque *18*
to **check** revisar *E*
cheek la mejilla *7*
cheekbone el pómulo *LCO*
cheese el queso *LCO*
chemistry la química *A*
chicken el pollo *6* ,
chief el caudillo *LCO;* el
   jefe *LCO*
children los hijos *3*
chill el escalofrío *3*
Chinese chino, -a *13*
chocolate el chocolate *2*
chop la chuleta *6*
Christmas la Navidad
   LCO
   Christmas Eve la
     Nochebuena *LCO*
church la iglesia *LCO*
citizen el, la ciudadano, -a
   LCO
city la ciudad *1*
civilization la civilización
   6
to **clap (hands)** dar palmadas
   1
class la clase *A*
clean limpio, -a *9*
to **clean** limpiar *E*
clear claro, -a *1;* palpable
   LCO
client el, la cliente *2*
climate el clima *12*
clinic la clínica *3*
to **close** cerrar (ie) *1*
clothing la ropa *C*
cloud la nube *1*

cloudless despejado, -a *1*
cloudy nublado, -a *19*
coast la costa *10*
coffee el café *1*
coin la moneda *1*
cold el frío *1*
  to be cold (weather)
    hacer frío *1*
to **collaborate** colaborar *12*
cologne el agua de colonia *2*
color el color *B*
to **come** venir *E*
comedy la comedia *LCO*
comfortable cómodo, -a *9*
command el mando *LCO*
commission la comisión *18*
to **commit** cometer *10*
committee el comité *LCO*
common común *8*
to **communicate** comunicar *5*
companion el, la
  compañero, -a *13*
company la compañía *RG*
compatriot el, la
  compatriota *LCO*
competition la competencia
  20
to **complain** quejarse *1*
completely completamente
  4
composition la composición
  D
computer el, la
  computador, -ra *13*
concert el concierto *11*
condition la condición *E*
confusion la confusión
  LCO
to **congratulate** felicitar *16*
to **conquer** conquistar *1*
conqueror el, la
  conquistador, -ra *10*
conquest la conquista *10*
to **conserve** conservar *6*
construction la construcción
  6
contemporary
  contemporáneo, -a *17*
continent el continente *6*
continuation la
  continuación *LCO*
to **continue** continuar *E;*
  seguir (i, i) *5*
to **contribute** contribuir *LCO*
convenient conveniente *2*
conversation la
  conversación *D*

to **converse** conversar *RG*
to **convince** convencer *7*
cook el, la cocinero, -a *6*
cool fresco, -a *6*
copier la copiadora *LCO*
corn el maíz *6*
corner la esquina *E*
  to turn the corner
    doblar la esquina *E*
corporal el cabo *LCO*
correct apropiado, -a *5*
corridor el corredor *LCO*
to **cost** costar (ue) *9*
cotton el algodón *4*
to **cough** toser *3*
to **count** el conde *LCO*
to **count** contar (ue) *RG*
counter el mostrador *2*
country el campo *B;* el
  país *3*
couple la pareja *16*
coupon el cupón *15*
course la corrida *1;* el
  curso *A*
  of course! ¡claro! *2;* ¡por
    supuesto! *4*
court la cancha *19;* la corte
  13
courtesy la cortesía *7*
cousin el, la primo, -a *B*
to **cover** cubrir *LCO*
cow la vaca *6*
coward el, la cobarde *12*
cowardice la cobardía *10*
cowboy el vaquero *6*
crazy loco, -a *1*
to **create** crear *8*
credit el crédito *9*
crime el crimen *1*
criminal el, la criminal *10*
critic el crítico *LCO*
to **cross** cruzar *11*
crowd la manada *20*
to **cry** llorar *LCO*
  to cry about lamentar
    1
to **cultivate** cultivar *6*
culture la cultura *6*
cup la taza *LCO*
custom la costumbre *7*
customer el, la cliente *2*
to **cut** cortar *5*

D

dance el baile *2*
to **dance** bailar *1*

danger el peligro *RG*
dangerous peligroso, -a
  RG
dark oscuro, -a *1*
  dark-haired moreno, -a
    B
darkness la oscuridad *1*
darling precioso, -a *LCO*
date la fecha *C*
daughter la hija *3*
day el día *A*
dealer el, la negociante
  LCO
death la muerte *10*
December diciembre *LCO*
to **decide** decidir *LCO*
to **decorate** decorar *11*
decoration la decoración *6*
to **dedicate** dedicar *2*
deep hondo, -a *3*
defect el defecto *LCO*
deformed deformado, -a
  LCO
delightfulness la
  preciosidad *LCO*
demanding exigente *15*
department el
  departamento *2*
  department of a
    school la facultad *3*
departure la salida *10*
to **descend** bajar *D*
to **describe** describir *1*
to **desire** la gana *1*
to **despise** detestar *LCO*
dessert el postre *6*
to **destroy** derrotar *10;*
  destruir *LCO*
destruction la destrucción
  LCO
detail el detalle *LCO*
detective policíaco, -a *17*
development el desarrollo *11*
to **dial (the number)** marcar el
  número *5*
diamond el diamante *16*
dictionary el diccionario *11*
to **die** morir (ue, u) *3*
  to die of hunger morir
    de hambre *6*
different distinto, -a *E*
difficult difícil *A*
difficulty la dificultad *10*
to **dig** excavar *12*
dining room el comedor *D*
dinner: to have
  dinner cenar *1*

to **direct** dirigir 7
direction la dirección E
director el, la director, -ra
   LCO
dirty sucio, -a 9
to **disappear** desaparecer 1
disappearance la
   desaparición 1
discharge la descarga
   LCO
discount el descuento 13
discoverer el, la
   descubridor, -ra 10
discovery el descubrimiento
   6
to **discuss** discutir 9
dish el plato 2
disk el disco 2
disguise el disfraz 20
disoriented desorientado, -a
   20
display window el
   escaparate LCO
distance la distancia 5
distant lejano, -a LCO
diversion la diversión 8
to **divide** dividir LCO
to **do** hacer C
doctor el, la doctor, -ra 3;
   el, la médico, -a 3
doctorate el doctorado 3
dog el perro B
dollar el dólar 18
donkey el burro LCO
door la puerta C
doubt la duda 6
doubtful dudoso, -a RG
dove la paloma LCO
down: to go down bajar D
downtown el centro 2
drawing el dibujo 1
dream el sueño LCO
dress el vestido 2
to **dress** vestir (i, i) 2
to **drink** beber RG
to **drive** conducir 5
dubbed doblado, -a 17
duck el pato 17
duke el duque LCO
dumb tonto, -a RG
during durante 1
duty el impuesto 9

E

each cada 1
ear la oreja LCO

early temprano 1
to **earn** ganar B
earthquake el terremoto
   LCO
easy fácil 6
to **eat** comer A
economical económico, -a
   D
education la educación 8
effect el efecto 1
either tampoco 3
to **elect** elegir (i, i) RG
election la elección 10
electrician el, la electricista
   RG
electronic electrónico, -a 2
elementary elemental 1;
   primario, -a RG
elephant el elefante 3
elevator el ascensor 2
elite el, la élite 19
to **embrace** abrazar 7
emissary el emisario LCO
emperor el emperador 10
employee el, la empleado, -a
   9
to **enchant** encantar RG
enchantment el encanto LCO
enchilada la enchilada 6
end el fin C; el término
   LCO
to **end** terminar 1
enemy el, la enemigo, -a 10
**engaged; to become
   engaged** comprometerse
   16
engagement el compromiso
   16
English inglés, -esa A
to **enjoy** disfrutar 8 gozar (de)
   13
enough bastante 3
enough: to be enough
   bastar 12
to **enrich** enriquecer 13
to **enter** entrar 2
enthused entusiasmado, -a 7
entire entero, -a 9
envelope el sobre 12
epilepsy la epilepsia 3
equal igual 2
equestrian ecuestre LCO
equipment el equipo B
era la época 1
error el error 10
escalator la escalera
   mecánica 2

escort la escolta LCO
ethnic étnico, -a 13
European europeo, -a 6
even aún 4; hasta A;
   incluso 15
evening: in the evening por
   la noche C
ever jamás 9; nunca 1
everyone todo el mundo 4
everywhere en todas partes
   2
evident palpable LCO
evil el mal 1
exactly en punto 1;
   precisamente 9
to **exaggerate** exagerar LCO
exaggeration la exageración
   LCO
examination el examen
   RG
to **examine** examinar 3
exasperated exasperado, -a
   5
excellent excelente 3
to **exchange** intercambiar,
   cambiar 16
   exchange rate el tipo de
      cambio 18
excuse me ¡perdón! 12
exercise el ejercicio A
exit la salida 10
expedition la expedición
   10
expensive caro, -a 3
to **explain** explicar 3
to **explode** reventar (ie) LCO
exposition la exposición 8
expression la expresión 2
eye el ojo B
eyebrow la ceja LCO

F

face la cara LCO
to **face** dar a 9
factory la fábrica LCO
faculty la facultad 3
fair justo, -a 17
faithful fiel 10
to **fall** caerse RG
fame la fama LCO
**familiar: to be familiar
   with** conocer 1
family la familia D
famous famoso, -a 1
fan el, la aficionado, -a 8;
   el, la fanático, -a 11

fanatic el, la fanático, -a *11*

fantastic fantástico, -a *B*

far lejos (de) *RG*

farewell la despedida *A*

farmer el agricultor *15;* el campesino *8*

to **fascinate** fascinar *LCO*

fast rápido, -a *2*

fat gordo, -a *B*

father el padre *B*

favorable propicio, -a *19*

favorite favorito, -a *A*

to **fear** temer *LCO*

fear el miedo *A*

fee (admission) el ingreso *19*

to **feed** dar de comer *LCO*

to **feel** sentir (ie, i) *3*

to feel like tener ganas de *1*

festive festivo, -a *20*

fever la fiebre *3*

few poco *B*

fiancé el novio *1*

fiancée la novia *D*

fiction la ficción *17*

field el campo *B;* la cancha *19*

fielder (baseball) el jardinero *LCO*

fifth quinto, -a *1*

to **fight** luchar *10;* pelear *1*

to **figure** figurar *LCO*

figure la figura *RG*

to **fill** llenar *E*

filled relleno, -a *6*

film la película *D*

finally por fin *5*

to **find** encontrar (ue) *2;* hallar *12*

fine la multa *14*

finger el dedo *16*

to **finish** acabar *4*

fire el fuego *20*

to **fire** disparar *20*

firefly la luciérnaga *LCO*

firework el fuego artificial *20*

first primero, -a *B*

fish el pescado *6*

to **fix** arreglar *RG*

fixed clavado, -a *LCO;* fijo, -a *16*

to **flee** huir *10*

flight el vuelo *C*

to **flood** inundar *12*

floor el suelo *7*

floor el piso *2*

ground floor la planta baja *2*

flu la gripe *3*

to **fluctuate** fluctuar *18*

to **fly** volar (ue) *4*

folkloristic folklórico, -a *8*

to **follow** seguir (i, i) *5*

following siguiente *2;* a continuación *LCO*

fond of aficionado, -a *8*

food el alimento *LCO;* los comestibles *2;* la comida *1*

foolish tonto, -a *RG*

foot el pie *A*

on foot a pie *A*

football el fútbol *B*

for para *C;* por *A*

force la fuerza *LCO*

foreign extranjero, -a *9*

foreign exchange la divisa *18*

to **forget** olvidar *9*

fortress la fortaleza *LCO*

fortune el dineral *LCO*

forward: to go forward adelantarse *LCO*

fountain la fuente *LCO*

fragment el fragmento *LCO*

frank (Swiss currency) el franco *18*

frankly francamente *C*

free gratuito, -a *3;* libre *8*

freight la carga *LCO*

French francés, -esa *LCO*

frequency la frecuencia *1*

fresh fresco, -a *6*

Friday viernes *C*

fried frito, -a *6*

fried banana el tostón *8*

friend el, la amigo, -a *A*

friendly cariñoso, -a *7*

friendship la amistad *7*

from de *A*

front: in front of delante (de) *1*

front desk la recepción *9*

fruit la fruta *LCO*

fruit market la frutería *2*

fruit store la frutería *2*

full lleno, -a *LCO*

function la función *11*

funds los fondos *3*

funny divertido, -a *B;* cómico, -a *LCO*

funny: to be funny tener gracia *LCO*

furniture el mueble *2*

G

game el juego *LCO;* el partido *B*

garage el garaje *E*

garlic el ajo *LCO*

gasoline la gasolina *E*

gate el portal *1;* la puerta *C*

to **gather** juntarse *LCO*

general el general *LCO*

to **generalize** generalizar *4*

genius el genio *A*

gentleman el caballero *2;* el señor *1*

geography la geografía *3*

geometry la geometría *A*

German alemán, -ana *LCO*

to **get** sacar *A*

to get up levantarse *1*

gift: to give as a gift regalar *4*

girl la chica *4;* la muchacha *B;* la niña *1*

girlfriend la amiga *A;* la novia *D*

to **give** dar *A*

glove el guante *2*

to **go** ir *A*

to be going to ir a *B*

to go for a walk pasear *LCO*

to go down bajar *D*

to go on a spree ir de juerga *20*

to go scuba diving bucear *D*

to go shopping ir de compras *1*

to go up subir *D*

goal el gol *B*

to score a goal meter (marcar) un gol *B*

goalie el, la portero, -a *B*

god el dios *10*

God bless you! ¡Jesús! *3*

godfather el padrino *16*

godmother la madrina *16*

gold el oro *LCO*

golf el golf *B*

good bueno, -a *A*

  good morning buenos días *A*

  good-bye adiós *A;* hasta la vista *A;* hasta luego *A*

good-bye: to say good-bye despedirse (i, i) de *7*

good-looking hermoso, -a *20;* guapo, -a *D*

gorilla la gorila *20*

gosh! ¡ay de mí! *A*

to **gossip** platicar *LCO*

government el gobierno *LCO*

governor el, la gobernador, -ra *10*

grade el grado *1;* la nota *A*

to **graduate** graduarse *RG*

grain el grano *6*

gram el gramo *RG*

grandchildren los nietos *LCO*

granddaughter la nieta *LCO*

grandfather el abuelo *B*

grandmother la abuela *B*

grandparents los abuelos *B*

grandson el nieto *B*

grass la hierba *6*

gray gris *4*

great deal el montón *5*

great-grandfather el bisabuelo *13*

great-grandmother la bisabuela *13*

to **greet** saludar *1*

greeting el saludo *A*

grief la pena *LCO*

groove la ranura *5*

ground floor la planta baja *2*

to **grow** aumentar *18;* crecer *6*

  to grow old envejecer *11*

  to grow up criarse *13*

group el grupo *2*

guarantee la garantía *12*

to **guard** vigilar *1*

guide el, la guía *5*

guitar la guitarra *A*

gun la pistola *LCO*

gynecology la ginecología *3*

H

hacienda la hacienda *6*

handkerchief el pañuelo *20*

hair el pelo *B*

half medio, -a *1;* la mitad *LCO*

hand la mano *1*

  to clap hands dar palmadas *1*

  to shake hands dar la mano *7*

handiwork el artefacto *8*

handsome guapo, -a *B*

to **happen** pasar *1*

happiness la alegría *20*

happy alegre *11;* contento, -a *3;* feliz *LCO*

happy: to be happy alegrarse *9*

hard duro, -a *1*

haste la prisa *18*

hat el sombrero *LCO*

hatshop la sombrerería *2*

to **hate** detestar *LCO*

to **have** tener (ie) *B*

  to have breakfast desayunarse *8*

  to have a good time divertirse (ie, i) *1*

  to have just acabar de *4*

  to have to tener que *B*

he él *A*

head la cabeza *3*

headline el titular *17*

healthy sano, -a *15*

to **hear** oír *E*

heart el corazón *3*

heat la calefacción *9;* el calor *LCO*

hello hola *A*

help el auxilio *LCO;* la ayuda *LCO*

to **help** atender (ie) *2;* ayudar *2*

herd la manada *20*

here aquí *B*

hero el héroe *LCO*

hidden escondido, -a *10*

high arriba *RG*

highway la autopista *14;* la carretera *14*

Hispanic hispano, -a *3*

historic histórico, -a *RG*

history la historia *A*

to **hit** golpear *1;* dar golpes *1*

hole el hoyo *19*

home la casa *A;* el hogar *16*

honor: maid of honor la madrina *16*

to **honor** honrar *16*

hope la esperanza *LCO;* la gana *1*

to **hope** esperar *C*

horn (of a car) la bocina *E;* el cuerno **(of an animal)** *LCO*

hors d'oeuvre la tapa *8*

horse el caballo *1*

hospital el hospital *3*

hostage el rehén *10*

hot: to be hot (weather) hacer calor *4*

hotel el hotel *LCO*

hour la hora *C*

house la casa *A*

how? ¿cómo? *A;* ¿qué? *A*

  how are things? ¿qué tal? *A*

  how much? ¿cuánto? *A*

hug el abrazo *7*

to **hug** abrazar *7*

human being el ser humano *LCO*

humble humilde *7*

humidity la humedad *12*

humor el humor *A*

hungry hambriento, -a *LCO*

  to be hungry tener hambre *1*

to **hunt** cazar *12*

hunter el, la cazador, -ra *12*

to **hurt** doler (ue) *3*

husband el marido *LCO*

hybrid el híbrido *LCO*

I

I yo *A*

idea la idea *4*

if si *C*

illegal ilegal *18*

to **imagine** imaginar *1*

immediately en seguida *1*

impatience la impaciencia *LCO*

impeccable impecable *LCO*

important importante *C*

important: to be important
importar *4*
in en *A*
in front of delante de *1*
in order to para *C*
incident el incidente *LCO*
to **increase** aumentar *18*
incredible increíble *E*
Indian el, la indio, -a *6*
to **indicate** indicar *3*
individual el individuo *LCO*
inflation la inflación *18*
influence la influencia *LCO*
injection la inyección *3*
inn el albergue *12*
inside adentro *RG*
·to **insist** insistir *A*
inspired inspirado, -a *LCO*
institution la institución *LCO*
instrument el instrumento *B*
intelligent inteligente *B*
intercity interurbano, -a *5*
interest el interés *LCO*
interesting interesante *B*
interior el interior *10*
intersection la bocacalle *14;* el cruce *E*
interview la entrevista *11*
to **interview** entrevistar *11*
intrigue la intriga *10*
to **introduce** presentar *1*
invader el, la invasor, -ra *10*
inventory el inventario *13*
to **invite** invitar *RG*
Irish irlandés, -esa *LCO*
island la isla *LCO*
isolated aislado, -a *3*

J

jacket la chaqueta *4*
jackpot el premio gordo *15*
jail la cárcel *10*
jalopy el cacharro *E*
Japanese japonés, -esa *4*
jewel la joya *2*
to **join** unirse *LCO*
joke el chiste *RG*
to **joke** bromear *11*
journalist el, la periodista *LCO*
July julio *12*

June junio *12*
jungle la selva *12*
pertaining to the jungle selvático, -a *12*
just in case por si acaso *5*
juvenile juvenil *4*

K

to **keep** guardar *RG;* mantener *LCO*
key la llave *1*
keeper of the keys el llavero *1*
keyring el llavero *1*
kick el golpe *1*
kidney bean la habichuela *LCO*
to **kill** matar *6*
kilogram el kilo *LCO*
kind la marca *RG;* amable *14*
king el rey *8*
kiss el beso *7*
to **kiss** besar *7*
kitchen la cocina *D*
to **know (be acquainted with)** conocer *1;* **(a fact)** saber *C*

L

lack la falta *8*
to **lack** faltar *3*
lady la dama *2;* la señora *4*
lake el lago *19*
lamb el cordero *6*
land el terreno *19;* la tierra *LCO*
lane (on highway) el carril *LCO*
language el idioma *8*
large grande *B*
last último, -a *7*
last name el apellido *13*
to **last** durar *6*
late tarde *2*
to **laugh** reír *LCO*
to burst out laughing reír a carcajadas *LCO*
laughter la risa *LCO*
law la ley *13*
lawyer el, la abogado, -a *7*
leader el caudillo *LCO;* el jefe *LCO*
league la liga *LCO*

to **learn** aprender *A*
to **leave** dejar *RG;* salir *C*
left izquierda *14*
to the left a la izquierda *14*
leg la pierna *RG*
legend la leyenda *10*
legionary legionario, -a *6*
to **lend** prestar *4*
Lent la cuaresma *20*
less menos *1*
lesson la lección *13*
letter la carta *D*
lettuce la lechuga *6*
lever la palanca *LCO*
liberty la libertad *LCO*
lie la mentira *13*
life la vida *1*
lifeless inánime *LCO*
light la luz *E*
like como *D*
to **like** gustar *1;* apetecer *8*
Lima (of or from) limeño, -a *8*
to **limit** limitar *19*
line la cola *17;* la fila *5;* la línea *5*
lineage el linaje *LCO*
list la lista *LCO*
to **listen to** escuchar *LCO*
literary literario, -a *LCO*
little poco *1*
to **live** vivir *A;* habitar *12*
living room la sala *D*
load la carga *LCO*
located: to be located encontrarse (ue) *2*
to **lodge** hospedarse *9;* alojarse *9*
long largo, -a *2*
so long hasta la vista *A;* hasta luego *A*
to **look at** mirar *D*
to **look for** buscar *2*
to **lose** perder (ie) *B*
lottery la lotería *15*
love el amor *5*
in love enamorado, -a *7*
to fall in love enamorarse de *7*
luck la suerte *5*
lucky: to be lucky tener suerte *15*
luggage el equipaje *C*
lunch el almuerzo *6*
to have lunch almorzar (ue) *RG*
luxury el lujo *9*

M

machine la máquina *LCO*
Madrid (of or from)
   madrileño, -a *1*
magazine la revista *C*
maid of honor la madrina
   16
mail el correo *5*
to **mail** echar la carta *12*
mailbox el buzón *12*
to **maintain** mantener (ie)
   LCO
majority la mayoría *17*
to **make** hacer *C*
man el hombre *A*
   best man el padrino *16*
manner la manera *4*
map el mapa *13*
march (played during
   bullfight) el pasodoble
   LCO
march la marcha *10*
to **march** desfilar *16;* marchar
   10
Mardi Gras el carnaval *20*
mark la seña *LCO*
market el mercado *E*
marriage el casamiento *16;*
   el matrimonio *4*
to **marry** casar *LCO*
married: to get married
   casarse con *LCO*
marvel la maravilla *8*
mask la máscara *20*
match (sports) el partido
   B
material (clothing) la tela
   4
to **matter** importar *4*
maximum máximo, -a *14*
May mayo *1*
mayor el alcalde *10*
meal la comida *1*
to **mean** significar *1*
meaning el sentido *LCO;*
   el significado *1*
means el medio *12*
to **measure** medir (i, i) *3*
meat la carne *LCO*
   meat market la
      carnicería *2*
   meat pie la empanada
      17
mechanic mecánico, -a *2*
medical médico, -a *3*
medicine la medicina *3*

medium medio, -a *1*
   medium cooked término
      medio *LCO*
to **meet** reunirse *2*
member el, la socio, -a
   LCO; el, la miembro, -a *2*
mental mental *3*
menu el menú *A*
merchant el, la comerciante
   A; el, la negociante *LCO*
mercy la merced *10*
message el mensaje *RG*
meter el metro *20*
metropolis la metrópoli *8*
Mexican mexicano, -a *6*
middle medio, -a *1*
midnight la medianoche *20*
migration la migración *8*
milk la leche *13*
military person el militar
   1
million el millón *RG*
millionaire el, la millonario, -a
   11
mind la mente *15*
mine mío, -a *3*
minimum mínimo, -a *18*
Miss la señorita *8*
modern moderno, -a *3*
mold el molde *10*
mom, mommy la mamá *2*
moment el momento *1*
monarch el monarca *10*
money el dinero *1*
monkey el mono *12*
monster el monstruo *LCO*
month el mes *LCO*
moon la luna *4*
more más *1*
moreover además *LCO*
morning la mañana *A*
   in the morning por la
      mañana *C*
mosquito el mosquito *3*
mother la madre *1*
motorcycle la motocicleta
   RG
to **mount** montar *10*
mountain la montaña *3*
mountain el monte *RG*
   mountain range la
      cordillera *19;* la sierra
      RG
mountainous montañoso, -a
   19
moustache el bigote *LCO*
mouth la boca *3*

to **move** moverse (ue) *8;*
   mudarse *LCO*
movement el movimiento
   LCO
movie theater el cine *D*
Mr. el señor *1*
Mrs. la señora *4*
Ms. la señora, la señorita *4*
much mucho, -a *A*
mule la mula *LCO*
museum el museo *8*
music la música *2*
musician el, la músico, -a *1*
my mi *A*

N

naked desnudo, -a *12*
name el nombre *3*
   last name el apellido *13*
to **name** nombrar *10*
named: to be named
   llamarse *C*
nap la siesta *1*
narrow estrecho, -a *12*
native indígena *8*
nationality la nacionalidad
   B
nature la naturaleza *LCO*
near cerca (de) *RG*
necessary necesario, -a *2*
neck el cuello *20*
to **need** necesitar *2*
neighbor el, la vecino, -a *1*
neither ni *B*
nervous nervioso, -a *3*
never nunca *1*
nevertheless sin embargo
   5
new nuevo, -a *1*
newlywed el, la recién
   casado, -a *16*
news las noticias *LCO*
newspaper el periódico *D*
New Year's Eve la
   Nochevieja *LCO*
next luego *A;* próximo, -a
   LCO
   next to al lado de *LCO;*
      junto a *LCO*
nice simpático, -a *B*
night la noche *C*
   last night anoche *D*
no ninguno, -a *8;* no *B*
noble noble *LCO*
nobody nadie *D*
noise el ruido *1*

noon el mediodía *RG*
no one nadie *D*
nor ni *B*
north el norte *LCO*
North American
    norteamericano, -a *3*
northeast el nordeste *LCO*
not no *B*
note el apunte *A;* la nota
    A
notebook el bloc *A;* el
    cuaderno *A*
nothing nada *C*
notice la noticia *LCO*
to **notice** fijarse en *7*
novel la novela *2*
novice bullfighter el
    novillero *LCO*
now ahora *A*
nowadays hoy en día *1*
number el número *C*
    to dial the number
        marcar el número *5*
nurse el, la enfermero, -a *3*

O

to **obey** obedecer *LCO*
obligatorio, -a obligatory *3*
to **oblige** obligar *20*
occasion la ocasión *4*
occupation el negocio *LCO*
to **occur** ocurrir *1*
ocean el océano *10*
of de *A*
    of course ¡claro! *2;* ¡por
        supuesto! *4*
to **offend** ofender *10*
to **offer** ofrecer *2*
office el bufete *13;* la
    consulta *3*
often a menudo *1*
oil el aceite *E*
O.K. de acuerdo *4*
old antiguo, -a *1;* viejo, -a
    1
old: to grow old envejecer
    11
older mayor *3*
oldest el, la mayor *3*
on sobre *LCO*
one un, uno, -a *A*
only solamente *2;* sólo *1*
to **open** abrir *1*
to **operate** operar *RG*
operator el, la operador, -ra
    5

opinion la opinión *RG*
opportunity la oportunidad
    LCO
opposite el contrario *14*
or o *A*
order el orden *5*
    in order to para *C*
to **order** ordenar *LCO;*
    mandar *LCO;* pedir (i, i)
    1
organic orgánico, -a *3*
origin el origen *LCO;* la
    ascendencia *13*
orthopedics la ortopedía *3*
other otro, -a *1*
ought to deber *6*
our nuestro, -a *1*
out loud en voz alta *1*
outside afuera *9;* fuera (de)
    LCO
outskirts las afueras *9*
over arriba *RG;* sobre
    LCO
    over there allá *12*
overpopulation la
    sobrepoblación *8*
own propio, -a *8*
owner el, la dueño, -a *3*
ox el buey *LCO*

P

package el paquete *2*
paella la paella *14*
pain el dolor *3;* la pena
    LCO
painting el cuadro *14;* la
    pintura *8*
pair el par *2*
palace el palacio *10*
pants los pantalones *3*
papa el papá *2*
paper el papel *LCO*
parade el desfile *1*
    parade before a
        bullfight el paseíllo
        LCO
pardon ¡perdón! *12*
parents los padres *B*
park el parque *1*
to **park** estacionar *14*
parking meter el
    parquímetro *14*
part la parte *1*
to **participate** tomar parte *1*
particular particular *A*
party la fiesta *E*

to **pass (time)** pasar *1*
passenger el, la pasajero, -a
    C
past pasado, -a *1*
pastry el pastel *2*
    pastry shop la pastelería
        2
patient el, la paciente *3*
patriotism el patriotismo
    13
patrol la patrulla *1*
to **patrol** patrullar *1*
patron patrón *1*
paw la pata *12*
pay el pago *6*
to **pay (for)** pagar *D*
to **pay attention** hacer caso
    7; prestar atención *RG*
pearl la perla *2*
pen la pluma *11*
    pen (for animals) el
        corral *9*
penance la penitencia *20*
penicillin la penicilina *3*
peninsula la península
    LCO
penny el centavo *4*
people la gente *1*
perfume el perfume *2*
perhaps quizás *13*
person la persona *1*
to **persuade** persuadir *10*
Peruvian peruano, -a *4*
peseta (Spanish
    currency) la peseta *1*
peso (currency of several
    Latin American
    countries) el peso *2*
pharmacist el, la
    farmacéutico, -a *LCO*
pharmacy la farmacia *3*
phase la fase *LCO*
photograph la fotografía *B*
physiology la fisiología *3*
piano el piano *2*
picador el picador *LCO*
to **pick up (telephone)**
    descolgar (ue) *5*
picnic el picnic *17*
picture el cuadro *14;* el
    dibujo *1*
piece el pedazo *15*
pigeon la paloma *LCO*
pill la pastilla *3*
pillar el pilote *12*
pilot el piloto *LCO*
pipe el tubo *RG*

pity la lástima *RG*
   what a pity! ¡qué lástima! *RG;* ¡qué pena! *B*
place la localidad *11;* el sitio *6;* el lugar *2*
   to take place tener lugar *2*
to **place** meter *B;* poner *C*
plank la plancha *19*
plant la planta *6*
plate el plato *2*
platform el andén *C*
to **play** jugar (ue) *B*
   to play a musical instrument tocar *A*
play el, la jugador, -ra *B*
please favor de *3;* por favor *2*
pleasing: to be pleasing gustar *1*
pleasure el placer *20*
pocket el bolsillo *1*
point el punto *15*
   point of view el punto de vista *7*
to **point out** señalar *17*
poison el veneno *12*
poisonous venenoso, -a *12*
pole la palanca *LCO*
police force la policía *1*
police officer el policía *1*
political político, -a *LCO*
to **pollute** contaminar *8*
pollution la contaminación *8*
pool la piscina *1*
poor pobre *1*
   to become poorer venir a menos *LCO*
popular popular *B*
popularity la popularidad *19*
port el puerto *10*
porter el mozo *C*
portrait el cuadro *14*
possession la posesión *LCO*
postage el franqueo *12*
postal postal *12*
postcard la tarjeta postal *12*
poster el cartel *11*
post office el correo *5*
potato la papa *6*
to **practice** practicar *19*
to **prefer** preferir (ie, i) *B*

preference la preferencia *LCO*
prejudice el prejuicio *LCO*
to **prepare** preparar *D*
prescription la receta *3*
present el presente *A;* el regalo *C*
to **present** presentar *1*
president el presidente *E*
press la prensa *LCO*
pressure la presión *3*
   blood pressure la presión arterial *3*
pretty lindo, -a *9;* bonito, -a *A*
previous anterior *RG*
price el precio *C*
pride el orgullo *LCO*
primary primario, -a *RG*
prisoner el, la prisionero, -a *10*
private particular *A;* privado, -a *3*
prize el premio *LCO*
problem el problema *3*
procession la procesión *1*
product el producto *2*
professor el, la profesor, -ra *A*
prohibited prohibido, -a *16*
promotion la promoción *LCO*
to **protect** proteger *LCO*
proud orgulloso, -a *17*
provided that con tal (de) que *19*
publicity la publicidad *4*
Puerto Rican puertorriqueño, -a *LCO*
to **pull out** sacar *A*
to **punish** castigar *LCO*
to **push** empujar *5*
   push button el botón *5*
to **put** meter *B;* poner *C*
   to put in introducir *5*
   to put on (clothing) ponerse *4*

Q

quality la calidad *2*
quantity la cantidad *2*
quarter el cuarto *2*
queen la reina *8*
quickly de prisa *18*
quiet: to be quiet callarse *13*

R

race la corrida *1*
racehorse el caballo de carrera *LCO*
racket la raqueta *19*
radiator el radiador *E*
radiology la radiología *3*
railroad el ferrocarril *C*
rain la lluvia *12*
to **rain** llover (ue) *4*
raincoat la gabardina *7*
to **raise** criarse *6*
ranch el cortijo *LCO*
ransom el rescate *LCO*
rate la tasa *18*
raw crudo, -a *LCO*
razor la navaja *LCO*
to **read** leer *A*
ready listo, -a *LCO*
real verdadero, -a *8*
really? ¿de veras? *5*
to **realize** darse cuenta de *LCO;* realizar *LCO*
rearguard la retaguardia *LCO*
reasonable razonable *8*
to **receive** recibir *A*
receiver (telephone) el auricular *5*
recent reciente *16*
recently recientemente *1*
reception la recepción *9*
receptionist el, la recepcionista *9*
to **recognize** reconocer *20*
record el disco *2*
red rojo, -a *E*
redhead pelirrojo, -a *B*
to **refer** referir (ie, i) *1*
refreshment el refresco *E*
region la región *3*
registration card (form) la ficha *5*
regular regular *A*
to **reign** reinar *10*
reinforcement el refuerzo *10*
relative el, la pariente *7*
to **remain** quedarse *RG*
to **remember** acordarse (ue) *LCO;* recordar (ue) *9*
remote remoto, -a *3*
to **rent** alquilar *12*
to **repeat** repetir (i, i) *6*
to **repent** arrepentirse (ie, i) *20*

report el informe *17*
reporter el, la reportero, -a *11*
to **rescue** salvar *LCO*
to **reside** alojarse *9;* hospedarse *9*
to **resolve** resolver (ue) *RG*
resort (ski) la cancha de esquí *19*
respect el respeto *7*
to **respond** responder *LCO*
responsibility la responsabilidad *1*
to **rest** descansar *1*
restaurant el restaurante *D*
result el fruto *LCO*
return el regreso *10*
to **return** devolver (ue) *10;* regresar *10;* volver (ue) *B*
to **reveal** revelar *10*
review el repaso *A*
revolution la revolución *LCO*
revolutionary revolucionario, -a *LCO*
rhythm el ritmo *11*
rice el arroz *2*
rich acomodado, -a *17;* rico, -a *11*
to **ride horseback** montar a caballo *LCO*
right derecho, -a *LCO*
to the right a la derecha *14*
right: to be right tener razón *4*
ring el anillo *16;* (engagement) la sortija *16*
to **ring** sonar (ue) *2*
to **rise** surgir *10*
river el río *3*
road el camino *LCO*
to **roast** asar *LCO*
to **rob** robar *14*
rocket el cohete *20*
role el papel *LCO*
to play the role hacer el papel *LCO*
roll el rollo *2*
Roman romano, -a *6*
roof la azotea *10;* el techo *12*
room el cuarto *2;* la habitación *9*

dining room el comedor *D*
living room la sala *D*
waiting room la sala de espera *C*
route la ruta *6*
row la fila *5*
to **row** remar *12*
ruin la ruina *LCO*
rule la regla *16*
rumor el rumor *10*
to **run** correr *2*
runway la pista *LCO*
rural rural *3*

S

sack el saco *4*
sad triste *1*
sadness la tristeza *11*
safe salvo, -a *15;* seguro, -a *LCO*
safety la seguridad *11*
sailboard la plancha de vela *19*
saint el, la santo, -a *1*
saint's day el día del santo *1*
salad la ensalada *D*
salary el salario *1;* el sueldo *18*
sale la liquidación *2;* la venta *13*
for sale en venta *4*
salesclerk el, la dependiente *2*
salt la sal *6*
same mismo, -a *A*
sandwich el sándwich *D*
San Juan (of or from) sanjuanero, -a *8*
Saturday sábado *B*
to **save** ahorrar *18;* guardar *RG;* salvar *LCO*
to **say** decir *C*
scarf la faja *20*
scholarship la beca *7*
school la escuela *A*
school subject la asignatura *A*
science la ciencia *17*
score el tanto *B*
to **score** marcar, meter *B*
to score a goal marcar (meter) un gol *B*
to score a point marcar un tanto *B*

Scottish escocés, -esa *LCO*
to **scream** gritar *1*
screen (movie) la pantalla *16*
scuba diving: to go scuba diving bucear *D*
sea el mar *LCO*
to **search** buscar *2*
season la estación *C;* la temporada *B*
seat el asiento *C;* la silla *9*
second segundo, -a *B*
secondary secundario, -a *LCO*
secret el secreto *1*
secretary el, la secretario, -a *10*
section la sección *C*
security la seguridad *11*
to **see** ver *D*
to **seem** parecer *5*
segregation la segregación *LCO*
to **seize** prender *10*
selection la selección *2*
seller el, la vendedor, -ra *2*
to **send** mandar *LCO*
sense el sentido *LCO*
sent enviado, -a *10*
to **separate** separar *20*
September septiembre *12*
series la serie *LCO*
World Series (baseball) la Serie Mundial *LCO*
serious grave *3;* serio, -a *B*
service el servicio *D*
at your service a sus órdenes *9*
seventh séptimo, -a *2*
Seville (of or from) sevillano, -a *LCO*
to **shake hands** dar la mano *7*
to **share** compartir *13*
sharp agudo, -a *LCO*
she ella *A*
sheep la oveja *6*
shellfish el marisco *8*
shepherd el pastor *6*
shirt la camisa *2*
shirt shop la camisería *2*
shoe el zapato *2*
shoe shop la zapatería *2*

to **shoot** fusilar *LCO*
shopping: to go shopping
ir de compras *1*
shore la orilla *12*
short bajo, -a *B;* corto, -a *2*
shot la inyección *3;* la tira *15*
to **should** deber *6*
shoulder la espalda *7*
shout el grito *LCO*
to **shout** gritar *1*
show la función *11*
to **show** enseñar *A*
shrimp el camerón *8*
sick enfermo, -a *3*
sickness la enfermedad *3*
side el lado *LCO*
sidewalk la acera *LCO*
sight la vista *A*
sign el cartel *11;* la seña *LCO*
street sign el rótulo *14*
signal la señal *5*
signal lights (directional) las direccionales *E*
silence el silencio *5*
simple sencillo, -a *6*
since desde *1*
to **sing** cantar *A*
singer el, la cantante *2*
single (unmarried) soltero, -a *16*
sister la hermana *C*
to **sit** sentarse (ie) *1*
situation la situación *3*
sixth sexto, -a *2*
size (clothing) la talla *2;* el tamaño *2*
ski el esquí *7*
ski pole el bastón *7*
ski resort la cancha de esquí *19*
ski slope la pista *19*
to **ski** esquiar *D*
skiing el esquí *7*
skilled worker el, la artesano, -a *LCO*
skirt la falda *4*
sky el cielo *1*
skyscraper el rascacielos *8*
to **sleep** dormir (ue, u) *B*
sleepy: to be sleepy tener sueño *14*
sleeve la manga *2*
slot la ranura *5*
slow lento, -a *LCO*

to **snorkle** bucear *D*
soldier el soldado *6*
some alguno, -a *D;* unos, -as *1*
somebody alguien *1*
someone alguien *1*
something algo *C*
sometimes a veces *1;* de vez en cuando *1*
son el hijo *3*
song la canción *A*
soon pronto *A*
as soon as en cuanto *18*
see you soon hasta pronto *A*
slowly despacio *4*
slum el arrabal *8*
sly furtivo, -a *A*
small pequeño, -a *2*
smart listo, -a *LCO*
to **smell** oler (ue) *LCO*
smile la sonrisa *1*
to **smoke** fumar *C*
smooth liso, -a *12*
snake la serpiente *12*
snow la nieve *LCO*
to **snow** nevar (ie) *1*
so así *1;* tan *E*
so much tanto, -a *9*
so that de modo que *19;* de manera que *19;* para que *19*
soap el jabón *LCO*
sob el sollozo *LCO*
society la sociedad *7*
socks los calcetines *2*
sofa el sofá *2*
soft suave, blando, -a *A*
sold out agotado, -a *11*
to **sound** sonar (ue) *2*
soup la sopa *6*
source la fuente *LCO*
south el sur *LCO*
space el espacio *LCO*
Spanish el castellano *LCO;* español, -la *A*
Spanish American hispanoamericano, -a *3*
to **speak** hablar *A*
speaker el, la interlocutor, -ra *5*
specialist el, la especialista *3*
to **specialize** especializarse *2*
specialized especializado, -a *RG*
spectator el, la espectador, -ra *8*

speed la velocidad *14;* la marcha *10*
to **spend** gastar *2*
to spend time pasar *1*
sport el deporte *B*
spring la primavera *LCO*
square la plaza *LCO*
squire el escudero *1*
stable estable *18*
stadium el estadio *8*
stairs la escalera *2*
stall (market) el puesto *RG*
stamp el sello *7*
stand (market) el puesto *RG*
standing de pie *LCO*
to **stand out** superar *18*
star la estrella *LCO*
to **start (a car)** arrancar *E*
state el estado *1*
station la estación *C*
statue la estatua *1*
to **stay** quedarse *RG*
steak el bistec *6*
stereotype el estereotipo *LCO*
stethoscope: to listen with a stethoscope auscultar *3*
stick el palo *19*
to **stick with** clavar con *14*
still aún *4;* todavía *1*
to **sting** picar *3*
stockings las medias *2*
stone la piedra *12*
stoning la pedrada *10*
stop la parada *14*
to **stop** detenerse *11;* parar *B*
store la tienda *2*
department store la tienda por departamentos *2*
story (of a building) el piso *2*
straight derecho, -a *LCO;* recto, -a *LCO*
strange extranjero, -a *9;* extraño, -a *1*
straw la paja *12*
streamlined perfilado, -a *LCO*
street la calle *A*
one-way street la calle de sentido único *14*
strength la fuerza *LCO*
strict estricto, -a *18*

stripe la raya 2
structure la estructura A
strong fuerte B
stubborn obstinado, -a E; terco, -a LCO
student el, la estudiante 1
to **study** estudiar A
style la moda 4
  in style de moda 4
subject (school) el curso A; la asignatura B
subtitle el subtítulo 17
successful: to be successful tener éxito 2
such tal E
to **suffer** sufrir 3
suit el traje 2
  bathing suit el traje de baño 19
suitcase la maleta C
to **summarize** resumir 11
summer el verano 1
sun el sol D
Sunday domingo 1
superior superior 1
supermarket el supermercado RG
support el pilote 12
to **support** soportar 12
sure seguro, -a LCO
surgery la cirujía 3
surname el apellido 13
to **surprise** sorprender 5
to **surround** rodear 7
surrounded rodeado, -a 10
to **suspect** sospechar 10
sweet dulce LCO
to **swim** nadar E
swimming la natación 19
Swiss suizo, -a 18
sword (bullfighter's) el estoque LCO
symptom el síntoma 3
system el sistema 1

T

table la mesa 2
taco el taco 6
tail la cola 17
to **take** llevar C; tomar A
  to take a trip hacer un viaje C
  to take care of atender (ie) a, cuidar de 2
  to take off (airplane) despegar LCO

to take out sacar A
to take place tener lugar 1
to **talk** comunicar 5; conversar RG; hablar A
talkative charlatán, -ana 5
tall alto, -a B
tank el tanque E
task la tarea 11
taste el sabor 6; el gusto 4
to **taste** apetecer 8
tax el impuesto 9
taxi driver el, la taxista 13
to **teach** enseñar A
teacher el, la maestro, -a 1; el, la profesor, -ra A
team el equipo B
tear la lágrima LCO
to **tease** tomarle el pelo a uno C
technology la tecnología 5
telephone telefónico, -a 5; el teléfono D
  telephone book la guía telefónica 5
  telephone booth la cabina telefónica 5
television la televisión D
  television set el televisor 2
temperature la temperatura 3
to **tell** contar (ue) RG; decir C
teller el, la cajero, -a 18
tender tierno, -a 11
tennis el tenis B
  tennis player el, la tenista 3
  tennis shoe la zapatilla de tenis 4
tension la tensión 3
test el examen RG
Texan tejano, -a LCO
thank you gracias 1
to **thank** dar las gracias RG
that aquel, -la LCO; ese, -a 1; eso 1; que A
the el B; la A; los C; las C
theater el teatro E
theatrical teatral 8
then entonces A; luego A; pues B
there allí 1
  there are hay A
  there is hay A

therefore por eso 5
they ellas A; ellos A
thick denso, -a 12
thin delgado, -a B; flaco, -a 1
thing la cosa E
to **think** opinar 7; pensar (ie) 4
third tercero, -a 2
this este, -a A
thought el pensamiento LCO
thousand mil 2
throat la garganta 3
through por C
to **throw** echar 12; tirar 7
Thursday jueves 2
thus así 1
ticket el billete 7; el boleto C
  admission ticket la entrada D
  ticket agent el, la taquillero, -a 11
  one-way ticket el boleto sencillo C
  round-trip ticket el boleto de ida y vuelta C
  ticket window la taquilla D; la ventanilla C
tide la marea 12
tie (clothing) la corbata 2
tied empatado, -a 19
time la época 1; la hora C; el tiempo B; la vez 1
  at that time en aquel entonces 10
  at times a veces 17
  at what time? ¿a qué hora? C
  from time to time de vez en cuando 5
  to have a good time divertirse (ie, i) 1
tip la propina D
tire el neumático E
to **tire** cansar RG
tired cansado, -a 1
title el título 7
to a A
tobacco el tabaco 6
today hoy D
together junto, -a D
toll el peaje 14
  tollbooth la garita de peaje 14

tomato el tomate 6
tomorrow el mañana 8
  day after tomorrow
    pasado mañana 11
  see you tomorrow hasta
    mañana A
too también A
  too much demasiado 1
tortilla la tortilla 6
totally totalmente 5
to **touch** tocar A
tour la gira 11
tourist el, la turista 8
toward hacia 10
tower la torre 3
town el pueblo 3
toy el juguete 2
trace el rastro LCO
track el atletismo 20
traffic el tráfico 8
  traffic tie-up el
    embotellamiento 8
  traffic light el semáforo
    E
tragedy la tragedia LCO
train el tren C
trainer el, la entrenador, -ra
  19
traitor el, la traidor, -ra 10
to **translate** traducir 17
transportation el transporte
  12
trap la trampa LCO
to **travel** viajar 2
traveler's check el cheque
  de viajero 18
treasure el tesoro 10
to **treat** tratar 5
tree el árbol 10
  tree trunk el tronco 12
tremendous tremendo, -a 2
thermometer el termómetro
  3
tribe la tribu 8
trip el viaje C
  to take a trip hacer un
    viaje C
triumph el triunfo LCO
to **triumph** triunfar LCO
troop la tropa 10
trot el trote LCO
truck el camión 8
true verdadero, -a 8
trumpet el clarín LCO
trunk (of a car) el baúl C
truth la verdad 3
to **try** intentar 5; tratar 5

tuberculosis la tuberculosis
  3
turn: to be someone's
  turn tocarle a uno LCO
to **turn** doblar E; virar 14
  to turn around dar la
    vuelta 14
type el tipo 1
typical típico, -a 3

U

ugly feo, -a B
uncle el tío B
uncomfortable incómodo, -a
  9
unconquerable invencible
  B
underneath debajo de 10
undershirt la camiseta 4
to **understand** comprender D
to **undertake** emprender 10
unemployed desempleado, -a
  8
unfortunately
  desgraciadamente 8
union la unión LCO
unique único, -a LCO
to **unite** unir 10
United States (of or from)
  estadounidense 18
university la universidad
  C
unless a menos que 19; sin
  que 19
unlikely improbable 15
unpleasant antipático, -a
  14
unreasonable irrazonable
  RG
until hasta A
up: to go up subir D
uproar el jaleo 20
  to create an uproar
    armar un jaleo 20
urban urbano, -a 8
us nos C
to **use** usar 1
useful útil RG
usher (in a bridal party) el
  paje de honor 16

V

vacation la vacación 1
valuable valioso, -a LCO
value el valor 2

variety la variedad 6
various varios, -as 1
to **vary** variar 2
vegetable el vegetal 4; la
  legumbre 6
vegetation la vegetación
  12
verb el verbo A
very muy A
victim la víctima LCO
vigilance la vigilancia 1
village la aldea LCO
virtue la virtud LCO
to **visit** visitar C
vocabulary el vocabulario
  19
voice la voz 11
volleyball el volibol B

W

waist la cintura 20
to **wait for** esperar C
waiter el mesero 5
waiting room la sala de
  espera C
to **walk** caminar 1
  to go for a walk pasear
    LCO
  to take a walk dar un
    paseo 17
  to walk around andar
    por E
wall la pared 11
to **want** desear 5; querer (ie)
  B
to **wash oneself** lavarse 2
watch el reloj 8
to **watch** mirar D; vigilar 1
water el agua D
  pertaining to water
    acuático, -a A
way la manera 4
  by the way a propósito
    A
we nosotros, -as A
weak débil B
weapon el arma (f) 12
to **wear** llevar C
weather el tiempo B
wedding la boda 13
Wednesday miércoles 20
  Ash Wednesday el
    miércoles de ceniza 20
week la semana C
  last week la semana
    pasada D

weekend el fin de semana *C*

weekly semanal *18*

to **weigh** pesar *3*

welcome: you're welcome de nada *14*

well bien *A;* pues *B*
   water well el pozo *LCO*
   well-off acomodado, -a *17*

west el oeste *LCO*

what? ¿qué? *A*
   what lo que *2*
   what a pity! ¡qué lástima! *RG*
   what a shame! ¡qué pena! *B*
   what's up? ¿qué hay? *A*

wheat el trigo *6*

when cuando *1*
   when? ¿cuándo? *A*

where adonde *10;* donde *LCO*
   where? ¿adónde? *C;* ¿dónde? *A*

which que *A*
   which? ¿cuál? *A*
   which one? ¿cuál? *A*

while mientras *1*

white blanco, -a *1*

who? ¿quién? *A*

whole entero, -a *9*

why? ¿por qué? *A*

wide ancho, -a *LCO*

wife la mujer *7*

to **win** ganar *B*

window la ventana *13*
   display window el escaparate *LCO*

windshield el parabrisas *E*

windsurf board la plancha de vela *19*

wine el vino *6*

wing el ala (*f*) *12*

winner el, la ganador, -ra *15*

winter el invierno *12*

wire el alambre *RG*

to **wish** desear *5;* querer (ie) *B*

with con *A*
   with me conmigo *4*
   with you contigo *4*

within dentro de *1*

without sin *1;* sin que *19*

woman la mujer *7*

wonder la maravilla *8*

wood la madera *12*

wool la lana *4*

word la palabra *1*

work la labor *LCO;* la obra *8;* la tarea *11;* el trabajo *A*

to **work** trabajar *A*

work el, la labrador, -ra *18*

working laborable *20*

world el mundo *1*
   World Cup la Copa Mundial *19*

worm el gusano *LCO*

worse peor *3*

worth: to be worth valer *14*

to **wrap** envolver (ue) *RG*

to **write** escribir *A*

writer el, la escritor, -ra *3*

wrong equivocado, -a *5*

Y

year año *A*
   to be ＿＿ years old tener ＿＿ años *A*
   last year el año pasado *D*

yes sí *A*

yesterday ayer *D*
   the day before yesterday anteayer *D*

yet todavía *1*

young joven *2*
   young lady la señorita *8*
   young man el mozo *C*

younger menor *3*

youngest el, la menor *3*

your tu, su, vuestro, -a; su *A*

youth la juventud *4*

Z

zero cero *19*

zone la zona *3*

Index

abrir
  past participle *165*
acabar de + infinitive *68*
adjectives
  agreement of *9*
  comparative and superlative of *56*
adverbs ending in **-mente** *114*
andar
  preterite *23, 286*
-ar verbs
  conditional *191*
  future *177*
  imperatives *222, 234*
  imperfect *28*
  imperfect progressive *100*
  past participle *149*
  pluperfect *164*
  present *3*
    stem-changing verbs *7*
  present participle *89*
  present perfect *149*
  present progressive *89*
  preterite
    irregular verbs *286*
    regular verbs *18*
  subjunctive *246*
comparison of equality
  with adjectives and adverbs *151*
  with nouns *152*
conditional tense.
  irregular verbs *192*
  regular verbs *191*
construir
  present participle *91*
creer
  present participle *91*
cubrir
  past participle *165*
dar
  present *4*
  preterite *18*
decir
  conditional *192*
  future *192*
  past participle *165*
  preterite *23, 286*
descubrir
  past participle *165*
devolver
  past participle *165*
-er verbs
  conditional *191*
  future *177*

imperatives *222, 234*
imperfect *29*
imperfect progressive *100*
past participle *89*
pluperfect *164*
present *3*
  stem-changing verbs *7*
present participle *89*
present perfect *149*
present progressive *89*
preterite
  irregular verbs *286*
  regular verbs *18*
subjunctive *246*
escribir
  past participle *165*
estar
  present *4*
  preterite *23*
future tense
  irregular verbs *178*
  regular verbs *177*
  uses of *177*
hacer
  conditional *192*
  future *192*
  past participle *165*
  present *13*
  preterite *23, 286*
imperatives
  affirmative *222*
  familiar *222*
    irregular *223*
    regular *222*
  formal *234*
    irregular *236*
    regular *234*
  negative familiar *237*
  negative formal *235*
  with pronouns *237*
imperfect progressive tense *100*
imperfect subjunctive *298*
  uses of *299*
  with **si** clauses *301*
imperfect tense *28*
  uses of *31*
  vs. preterite *43*
infinitive after **acabar de** *68*
infinitive vs. subjunctive *285*
ir
  imperfect *31*
  present *4*
  preterite *24, 286*
-ir verbs
  conditional *191*

future *177*
imperatives *222, 234*
imperfect *29*
imperfect progressive *100*
past participle *149*
pluperfect *164*
present *3*
present participle *89*
  stem-changing verbs *101*
present perfect *149*
present progressive *89*
preterite
  irregular verbs *286*
  regular verbs *18*
subjunctive *246*
irregular verbs (*see* individual verbs)
leer
  present participle *91*
morir
  past participle *165*
oír
  present participle *91*
past participle
  -ar verbs *149*
  -er and **-ir** verbs *149*
  irregular verbs *165*
pluperfect tense *164*
poder
  conditional *192*
  future *192*
  preterite *23, 286*
poner
  conditional *192*
  future *192*
  past participle *165*
  present *13*
  preterite *23, 286*
prepositional pronouns *69*
present participle
  -ar verbs *89*
  -er and **-ir** verbs *89*
  irregular verbs with **-y** *91*
  stem-changing verbs *101*
present perfect tense *149*
present progressive tense *89*
present tense
  irregular verbs (*see* individual verbs)
  regular verbs *3*
  stem-changing verbs *7*
preterite tense
  irregular verbs *23, 286*
  regular verbs *18*
  vs. imperfect *43*

progressive tense
  imperfect *100*
  present *89*
pronouns
  direct object *14, 111*
  indirect object *19, 112*
  position of *124*
  two object pronouns in one
    sentence *113*
  with preposition *69*
  with imperatives *237*
querer
  conditional *192*
  future *192*
  preterite *23, 286*
romper
  past participle *165*
saber
  conditional *192*
  future *192*
  preterite *23, 286*
salir
  conditional *192*
  future *192*
  present *13*
se
  with direct object pronouns *113*
ser
  imperfect *31*
  present *9*
  preterite *24, 286*
si clauses *301*
stem-changing verbs
  present *7*
  present participle *101*
  subjunctive of *260*
subjunctive
  formation of *247, 260*
    with stem-changing verbs *260*

imperfect *298*
  uses of *299*
  with *si* clauses *301*
in noun clauses *248*
in relative clauses *315*
present
  of stem-changing verbs
    260
  in noun clauses *248*
  in relative clauses *315*
  with special verbs like
    aconsejar *261*
uses of *246, 299*
vs. indicative *246*
vs. infinitive *285*
with adverbial clauses *312*
  of time *325*
with *antes de que* *326*
with *aunque* *314*
with expressions of doubt *264*
with expressions of emotion
  263
with impersonal expressions
  250
with *ojalá, tal vez, quizá(s)*
  327
superlative of adjectives *56*
tener
  conditional *192*
  future *192*
  present *8*
  preterite *23, 286*
traer
  present *13*
  present participle *91*
venir
  conditional *192*
  future *192*
  preterite *23, 286*

ver
  past participle *165*
verbs
  -ar
    conditional *191*
    future *177*
    imperatives *222*
    imperfect *28*
    imperfect progressive *100*
    past participle *149*
    pluperfect *164*
    present *3*
      stem-changing verbs *7*
    present participle *89*
    present perfect *149*
    present progressive *89*
    preterite
      irregular verbs *23, 286*
      regular verbs *18*
    subjunctive *247*
  -er and *-ir*
    conditional *191*
    future *177*
    imperatives *22*
    imperfect *29*
    imperfect progressive *100*
    past participle *149*
    pluperfect *164*
    present *3*
      stem-changing verbs *7*
    present participle *89*
    present perfect *149*
    present progressive *89*
    preterite
      irregular verbs *286*
      regular verbs *18*
    subjunctive *247*
volver
  past participle *165*